ET NOUS IRONS AU BOUT DU MONDE

Courent les temps, courent les hommes, à chacun son destin et rendez-vous au bout du monde... Le chevalier Guilhem d'Encausse, lourd des secrets du Temple, meurtri dans son cœur et dans son corps, part user ses péchés et ses questions sur le vieux chemin de Compostelle. Tohu-bohu des foules et des jours, rencontres, dangers, éblouissements.
Au commencement de ce formidable XIIIe siècle, tout pousse au départ : l'ambition et l'impatience autant que l'inquiétude de vivre. Et courent les marchands d'une foire à l'autre, les chevaliers d'une bataille à un tournoi, les diplomates de Rome à Londres et à Paris. Courent les croisés d'Occident pour arrêter sous Tolède les bataillons de l'Emir Vert, courent les croisés de France pour piller le Midi et brûler les Cathares. Ils ravagent l'Occitanie comme on abat un arbre pour en chasser un chat.
« Et Jérusalem ? demandent les enfants et les pauvres. Oubliez-vous Jérusalem ? » Alors se lève du tréfonds du pays la plus incroyable armée, l'inexplicable surgi de milliers et de millions d'enfants qui se jettent en chemin pour délivrer la Terre Promise. Audilenz est parmi eux. Elle a dix ans et sait que la mer s'ouvrira devant leur foule. Pendant ce temps, Philippe Auguste doit faire face à la coalition des Anglais, des Allemands et des Flamands. Le sort de la France va se jouer en une bataille, par un beau dimanche de juillet, près d'un hameau nommé Bouvines. Tumulte et poussière, gloire enfin.
A cette heure-là, Guilhem d'Encausse approche de Saint-Jacques. Il voit déjà dans le lointain les tours de la cathédrale. Le grand chemin des espérants s'arrête là où le soleil chaque jour s'enfonce dans la mer — au bout du monde.

ŒUVRES DE PIERRE BARRET
& JEAN-NOËL GURGAND

Dans Le Livre de Poche :

PRIEZ POUR NOUS À COMPOSTELLE.
LES TOURNOIS DE DIEU T. I — LE TEMPLIER DE JÉRUSALEM.
LES TOURNOIS DE DIEU T. II — LA PART DES PAUVRES.

PIERRE BARRET
ET JEAN-NOËL GURGAND

LES TOURNOIS DE DIEU

★★★

Et nous irons au bout du monde

ROMAN

LAFFONT

PREMIÈRE PARTIE

PARTIR

(1210)

I

NUAGES

A L'HORIZON du causse, le couchant échafaudait de lentes cathédrales de cuivre et de nacre changeante. Face à Guilhem, autour des tombeaux jumeaux, Couve-Denier se battait la poitrine à poings fermés, la vieille Thomassa gémissait, Vierna sanglotait à s'arracher la gorge. Il les entendait, mais avait la tête ailleurs. Par-delà l'assistance, par-delà la vallée, le chevalier Guilhem d'Encausse contemplait le chaos des nuages où le vent faisait et défaisait des mondes.

Maintenant que tout était décidé, que tout s'accomplissait, Guilhem était la proie d'un désarroi terrible. Non qu'il redoutât les choses de la mort : la mort est bien ce que les chevaliers craignent le moins. En vérité, il ne comprenait pas ce qui lui arrivait. Des élans, des promesses, des attentes avaient mené sa vie; il avait connu toutes les impatiences et toutes les fatigues, le vertige des péchés et des repentirs, mais rien qui ressemblât à ce tourment. C'était comme si venait de s'ouvrir en son âme quelque sombre fleur d'inquiétude semée là depuis la nuit des temps et attendant pour éclore son amère saison.

« Seigneur, avait dit le curé Massols à la fin de son oraison, Seigneur, donnez-leur le repos... » Ah! s'allonger dans l'herbe sèche de cette fin d'été, s'abandonner à la dérive des nuages... Que tout se défasse en silencieuses déchirures blanches... Mais peut-être, pensa-t-il, était-ce la terre qui filait de la sorte à contre-ciel, avec les montagnes, les forêts, les rivières et les cités, avec les hommes et les fourmis... Et peut-être même les hommes et les fourmis n'avaient-ils pas plus de réalité que ces cathédrales superbes là-bas balayées d'un souffle...

Intrigués par l'immobilité de Guilhem, les pleureurs s'étaient tus. Malgré son renoncement aux choses, il restait pour eux le maître de Roquelongue, et ils souffraient de le voir se perdre ainsi dans les nuages, comme une dame à son donjon.

Guilhem s'aperçut enfin que le curé Massols lui tendait un rameau de cytise. Il le prit, le trempa dans le seau d'eau bénite et aspergea les tombeaux. Il n'était plus temps de s'abandonner aux songes :

« Les couvercles ! » ordonna-t-il.

Les hommes s'approchèrent des pesantes dalles qu'avait sculptées Pan-Perdu et les soulevèrent avec respect, comme si les gisants eussent été de chair. Ils les présentèrent en place et, au signal, les lâchèrent, essayant au mieux d'amortir le choc de la pierre murant la pierre – ce bruit de la tombe qu'on ferme, c'est une deuxième mort. Puis, leurs lourdes mains ballantes, ils reculèrent et baissèrent le front. Des sanglots éclatèrent à nouveau.

Guilhem dévisagea ceux qui l'entouraient, sa fille Aélis et les trois filles qu'elle avait déjà, Espérandieu et Bertram le borgne, le curé Massols, Caourson, Gilles la Sueur, Couve-Denier, Valdebouze, Vierna parmi sa marmaille... Valets, servantes, brassiers et manouvriers de la vallée, humbles témoins, pauvre grappe humaine accrochée au flanc du causse... Eux qui, à l'exception d'Aélis, ne possédaient rien, château ni terre ni bêtes ni murs, eux que chaque hiver tuait un peu plus et qui n'avaient d'espoir que dans une autre vie, sans loups ni péchés, ils se serraient autour de lui parce qu'il était du pays, au même titre que les vieux châtaigniers des carrefours, les seuils familiers, les gués de toujours. C'était un réconfort, pour les gens de ces pays de solitude, que de pouvoir ainsi se retrouver. Il y avait toujours quelque part une chaleur ou une misère à partager. En ces temps où Dieu se taisait, se rassembler leur était devenu aussi nécessaire que boire et manger. Un à un, ils n'étaient rien.

« Allez préparer le souper, dit Guilhem. Et qu'il y en ait pour tous ! »

Il voulait, lui, demeurer un peu devant ces gisants jumeaux dont le relief accrochait la lumière amicale du soir, rester seul un moment, attendre que l'apaisement lui vienne; alors il rejoindrait les autres pour présider le repas.

Il écouta rouler sous les pas les cailloux du chemin. Des enfants couraient dans la pente et, sans doute, à Gardies, en contrebas, Maurin le meunier devait-il monter la garde devant les sacs de blé encore à moudre.

Guilhem rappela Espérandieu :

« Préviens-moi, dit-il, quand vous ferez rôtir les chevreaux. »

L'écuyer disparut à son tour et Guilhem fut seul. Il n'y avait plus à entendre que la rivière et les dernières cigales, et, dans les bouffées de vent, la sonnaille tremblante d'un bélier, là-haut, vers Revens. D'où il était, entre deux noyers, il sentait l'odeur puissante du brou : il se dit qu'il ne serait pas ici pour le gaulage et le cœur lui manqua.

L'un des deux tombeaux devant lesquels s'agenouilla Guilhem d'Encausse était celui de sa femme, Aveline de Cantobre, brûlée au nom de Dieu par les Français de Simon de Montfort. L'autre, qu'un chaînon de pierre reliait pour toujours au premier, était le sien.

« Beau sire Dieu... », commence Guilhem. Il voudrait prier, mais les mots lui échappent. « Beau sire Dieu, roi du ciel et de la terre... » Il a perdu l'habitude des oraisons depuis qu'il a quitté le Temple. Comme tout était facile alors. La Règle, en sa sagesse, prévoyait les faiblesses et les tentations des moines chevaliers : tout était soigneusement prescrit, de façon à ne laisser nulle place au songe ni au doute. Tandis que maintenant voici Guilhem qui se perd en lui, incapable même de dire à Dieu ce qu'il a sur le cœur.

Il ferait mieux, pense-t-il, de rejoindre les autres, là-bas, qui préparent le souper. Il s'imagine Bertram, avec son air tragique de borgne, distribuant les ordres et les rôles, sortant de la souillarde obscure le jambon, le lard, la saucisse sèche enroulée sur sa perche, ouvrant le coffre à sel, mesurant les épices, trempant le doigt dans les sauces qui mijotent depuis le matin, faisant rajouter de la cannelle, du safran, du poivre noir – Bertram craint toujours que les viandes sentent trop fort.

Guilhem a couru l'univers, passé les mers et les monts; aux quatre coins de sa vie, des lumière d'or, des palais, des batailles éclatantes, des neiges bleues; il a entendu d'autres parlers, porté d'autres vêtements, suivi d'autres usages, il a mangé chez des rois et goûté en Orient des épices dont les noms seuls lui mettent encore la bouche en feu – mais c'est ici qu'il est chez lui. Les choses, ici, sont ce qu'elles sont, ni moins ni plus. Elles font partie de lui comme son nom et son visage. Voilà pourquoi il peut suivre en pensée les allées et venues des uns et des autres, chacun dans le sillon de sa vie.

En ce moment, il le sait, le fournier livre ses pains tout chauds; les chiens, les poules et les cochons se disputent la tripaille des poissons que Vierna leur jette depuis le perron; devant la grange, Espérandieu aligne les tréteaux, les servantes étendent sur les planches des draps blancs qu'elles lissent du plat de la main, des enfants jonchent la cour de branches tendres et de feuillages, d'autres trempent dans l'huile les rameaux de buis qu'on allumera à la nuit; sans oublier Couve-Denier, qui harcèle tout le monde et brasse le vent, avec des airs importants de chien de berger...

Roquelongue...

Guilhem ne s'est jamais attendri sur ses enfances. Il ne lui en reste, en cette saison d'été où sa vie se referme, que d'insaisissables images, comme des taches de soleil sur un mur lisse... La fois où, dans l'eau frissonnante de la Dourbie, Espérandieu lui a appris à caresser sous le ventre les truites endormies avant, soudain, de les serrer aux ouïes... La fois où, lettre à lettre, au bout de l'index du clerc, il put déchiffrer son propre nom... Premiers galops, premières armes, brouillons de baisers pour rire et pour pleurer... C'est ici qu'il a appris les gestes de la guerre, de la chasse, de la prière, de l'amour. C'est ici que lui sont venus la crainte de Dieu et l'appétit de gloire.

Des visages, des moments, des noms ont disparu de sa mémoire; au fil de l'âge, des souvenirs se sont perdus, bons et mauvais aussi bien. Guilhem a maintenant plus de quarante ans : combien exactement, il ne le sait pas, il ne tient pas le compte de ses années. Où donc est passé tout ce temps? Quand sommes-nous devenus vieux?

« Beau sire Dieu... » Guilhem prie à vide. « Marie, étoile des mers... » Il entend qu'on monte dans les éboulis. Ce sont les enfants Audilenz et Tristan, qui s'arrêtent sous son regard :

« Sire, dit Audilenz, Espérandieu nous envoie vous avertir que les chevreaux sont au feu.

– Je viens », répond Guilhem.

Il va pour se relever, mais Audilenz demande :

« Pouvons-nous prier aussi ?

– Une prière n'est jamais perdue », dit Guilhem.

Ils viennent s'agenouiller près de lui.

« Marie, reprend alors Guilhem, étoile des mers, conduis-nous au port du salut... Tu es la maîtresse des âges, l'espoir des siècles, le jardin clos, la fontaine scellée qui rend vie à ceux qui sont morts... Prends-nous dans ta miséricorde... »

Il se tait.

« Sire Guilhem, demande Audilenz, Tristan et moi avons appris une litanie... Pouvons-nous l'essayer ?
– Allez. »
Les enfants joignent les mains et baissent le front.
« Sainte Marie, récite Audilenz, sainte Marie mère de Dieu, sainte vierge des vierges...
– Priez pour nous ! répond Tristan.
– Mère admirable...
– Priez pour nous !
– Mère sans tache, dame très pure, dame très chaste...
– Priez pour nous !
– Dame puissante, dame clémente, dame très fidèle, dame très prudente...
– Priez pour nous ! »
Hésitantes au début, les voix maintenant sont claires et fermes. C'est l'heure des ombres longues. Guilhem est bouleversé de voir à quel point Audilenz lui rappelle Aveline : sa dame n'était guère plus âgée quand il l'a connue et épousée, même enfant de mousse et de sable et de miel roux, écureuil et chevrette à la fois, avec, déjà, des gravités de femme. Entre les trois filles de sa fille, c'est Audilenz qu'il préfère; à peine même s'il voit les autres.
Il est sûr que Tristan, l'enfant d'Aveline et de Jean des Douzes, retrouve lui aussi sa mère en Audilenz. Frêle et secret sous ses boucles brunes, il lui témoigne une dévotion d'amant, sans faillir et à jamais.
« Miroir de justice, siège de sagesse...
– Priez pour nous !
– Rose mystique...
– Priez pour nous !
– Cause de notre joie...
– Priez pour nous ! »
Guilhem se trouve transporté, par-delà les années, dans la petite chapelle où il a passé, à genoux sur les dalles glacées, la nuit d'avant son adoubement. Lui aussi alors priait Marie de toute sa ferveur. Veille uni-

que et exaltée : demain, il serait fait chevalier; demain, recevant l'épée et les éperons, il franchirait le porche de sa vie d'homme. Dans sa tête, aux mots de la prière se mêlaient ceux de la prouesse, et l'aube se leva sur le fracas glorieux de l'aventure.

Mais ce jour-là, justement, sa vie se décida sans lui. Aux jeux de la fête, sire Raymond, son père, tomba de cheval. Sur son lit de mort, il demanda que Guilhem, son dernier fils, assure le lignage et reprenne le vœu qu'il avait fait naguère d'aller servir un temps en Terre sainte.

De ces deux serments-là tout advint.

Guilhem épousa aussitôt Aveline de Cantobre, voisine de la vallée, depuis sa naissance promise à un d'Encausse. A peine s'ils avaient trente ans à eux deux et, enfants transis, ils se perdirent au fond de cet interminable hiver de deuil. Guilhem abandonna à Aveline le soin du château. Avec son écuyer Espérandieu, il partit pour Paris. Jours heureux sur le chantier de Notre-Dame, insouciance, plaisirs des hasards et des rencontres – à Londres, il battit même en tournoi Jean sans Terre, le fils du roi d'Angleterre. Pourtant, au bout de deux ans, le causse lui manqua.

Il revint à Roquelongue pour apprendre qu'Aveline lui avait donné un fils, un autre Guilhem qu'on appelait Guillou. Aveline et lui alors se découvrirent et sans doute s'aimèrent : ils savaient désormais ce qu'ils voulaient, et ce qu'ils voulaient c'était vivre la même vie. Restait encore pourtant à Guilhem à tenir son deuxième serment : servir un temps en Terre sainte. Pour être plus vite de retour, il partit sans attendre. Laissant sa femme à nouveau grosse, il quitta le château un matin d'avril. Qui aurait alors pu dire que Guilhem d'Encausse et Aveline de Cantobre se séparaient pour toujours ?

Quand Guilhem aborda aux côtes de Palestine, Saladin, le sultan des Infidèles, venait d'anéantir près de Tibériade l'armée des croisés et d'entrer dans Jérusalem. Du royaume chrétien fondé par Godefroi de Bouillon ne restaient que quelques ports, des champs de canne à sucre, des commerces italiens et des marais à crocodiles. L'Occident aussitôt se mobilisa : Frédéric Barberousse, Richard Cœur de Lion, Philippe Auguste prirent la croix. En vain. Escarmouches, sièges, charges, complots : se chamaillant comme des pages, les rois de France et d'Angleterre s'embourbèrent dans les fossés d'Acre.

Comment vivre sans Jérusalem ? Seule la milice des chevaliers du Temple de Salomon, les Templiers, paraissait garder assez de puissance et de pureté pour chasser les païens du Saint Sépulcre. Guilhem fut parmi ceux qui s'y enrôlèrent alors, sans se retourner sur ce qu'ils laissaient derrière eux.

Lors de sa réception au Temple, il fut obligé de cracher sur le crucifix et de renier l'homme sur la croix, sans savoir s'il s'agissait d'une épreuve d'obéissance ou d'une mauvaise règle introduite par Gérard de Ridefort, le Grand-Maître d'alors, pour pervertir l'Ordre. Guilhem découvrit bientôt par hasard que ce Grand-Maître, inexplicablement épargné par Saladin après la bataille de Tibériade, avait acheté son élection.

Envoyé sous un déguisement à Jérusalem rechercher les archives du Temple abandonnées dans la débâcle, Guilhem fut surpris, jeté dans un cachot de la Tour de David et, pour finir, vendu comme esclave à un seigneur mahométan de Judée. Jours vains et mornes, saisons pour rien et pour personne entre les horizons vides du désert. Les esclaves souvent s'engourdissent dans leur esclavage : ainsi de Guilhem, jusqu'au soir où, pour une histoire de servante, la main gauche lui fut tranchée, comme à un voleur, d'un coup de hache sur un billot, parmi les danses d'enfants aux yeux peints. C'est dans l'humiliation qu'il retrouva le goût de la révolte et de la liberté : il s'évada et rejoignit Acre.

Durant les sept ans qu'avait duré sa captivité, rien n'avait changé, sinon qu'on avait appris à vivre sans Jérusalem. Il fut réintégré au sein du Temple, où couvait toujours l'affaire des réceptions : la Curie romaine, en effet, jalouse de l'influence des chevaliers aux blancs manteaux avait, à l'insu du pape, chargé un bénédictin, fra Pierluigi, d'accumuler des témoignages de mauvais usages.

Guilhem apprit au nouveau Grand-Maître, Gilbert Erail, ce qu'il savait de Gérard de Ridefort. Mais Gilbert Erail, plutôt que d'avouer au pape qu'un Grand-Maître du Temple avait pu être élu par simonie, chargea Guilhem d'une mission secrète : surveiller Pierluigi, l'empêcher de nuire au Temple. C'est ainsi que Guilhem s'embarqua pour Rome.

Ah! Malaventure! Gilbert Erail mort sans laisser trace de la mission confiée à Guilhem, celui-ci se trouva obligé, pour faire avorter le « complot des évêques », de tuer Pierluigi et de s'emparer des témoignages déjà rassemblés. Livré à la terrible justice du Temple, refusant de parler pour sa défense, il fut chassé du couvent et excommunié.

Esclave des païens, encore était-il une créature de Dieu. Excommunié, il était désormais maudit, réduit à la condition des ribauds et des sans-âme, mort vivant. Au fond de sa désespérance, sa seule consolation était d'avoir fait échec à la coalition des envieux : il avait enfoui les documents pris sur le moine dans la maçonnerie d'une commanderie de Champagne, à Coulommiers.

Il aurait pu finir sa vie ainsi, sombre et muet, réprouvé, étranger à tous, sous les ciels à corbeaux de la Brie, si le pape n'avait promis l'absolution à qui s'engagerait dans la guerre aux hérétiques de Toulouse. Guilhem partit avec les troupes de Champagne et lava sa malédiction dans le sang des Cathares de Béziers. Au bout de sa quarantaine[1], il quitta l'ost des barons du Nord, en règle avec Dieu comme avec lui-même.

Délié de tout serment, sans projet, il revint à Roque-

1. On trouvera en fin de volume les notes historiques, les cartes et un index biographique.

longue quitté vingt ans plus tôt, comme les sangliers vieillissants retournent, dit-on, aux halliers où ils sont nés. En chemin, il retrouva les odeurs et les couleurs de sa terre et se demanda comment il avait pu vivre si longtemps sans respirer l'air du causse. Et quand, au coude du chemin, il vit apparaître, sur son piton, le château aigu de son père, et du père de son père, il ne douta pas un instant qu'il y finirait ses jours. Il ne doutait pas non plus qu'Aveline, sa dame, l'attendait.

On lui apprit d'abord qu'une fille lui était née après son départ, Aélis, mariée à Bernard de Saint-Véran; on lui dit ensuite que son fils, Guillou, se couvrait d'or et de gloire vers Constantinople. Enfin, on lui avoua qu'Aveline, remariée à Jean des Douzes, puis veuve, s'était faite cathare. Il mesura alors de quel horrible prix il avait payé la rançon de son âme : ce pays qu'on pillait et qu'on brûlait, c'était le sien; cette Parfaite tranquille et glacée qui se jetait sur le bûcher de Minerve, c'était Aveline, l'enfant qu'il avait épousée au début des temps et qu'il revenait aimer enfin.

Voilà. Une vie comme celle du chevalier d'Encausse ne se dévide pas comme le fil d'une canzon. Tout s'y mêle et s'y confond selon un plan impénétrable. Comme une fourmi dans un bol, l'homme a beau faire de se débattre : livré à lui-même, il ne peut rien.

Cette fois, pourtant, Guilhem a décidé. Il a commandé à Pan-Perdu de sculpter sur des tombeaux jumeaux le gisant d'Aveline et le sien. Sous le premier, on a enfermé la liste des Cathares de Minerve, parmi lesquels figure en rouge le nom de la dame; sous le second, il a jeté son épée, pour signifier qu'il meurt au monde. Puis il a contraint le curé Massols à bénir la sépulture où Aveline et lui, sous leur apparence de pierre, attendront la fin du monde et la résurrection des corps.

Pour Massols, Aveline est morte en état de péché. Mais lui, qui l'a vue revêtue des noirs vêtements de son propre deuil, sait bien qu'elle était pure. Le Mal était en elle ? Quel mal, puisqu'elle respectait tous les commandements de Dieu et qu'elle avait renoncé à tout ? Etait-ce un péché de dire, comme le faisaient les hérétiques, que Dieu n'avait pas pu vouloir d'un monde où la justice elle-même est injuste ? A tourner entre ces questions, Guilhem n'est pas le premier à y perdre la tête. Aussi, après avoir fait souper, ce soir, tous les pauvres de la vallée, il partira pour Compostelle : usant ses pieds et ses questions sur le vieux chemin des rassurements, il expiera ce qu'il y a à expier et comprendra, si Dieu veut, ce qu'il y a à comprendre.

Pourtant, là, maintenant, à genoux devant son propre tombeau, Guilhem une dernière fois se bat contre lui-même. Il lui paraît, confusément, que sa vie lui a été volée. Voilà pourquoi il tentait sans y parvenir de prier Dieu, le père de toutes choses qui sont sous le soleil, quand Audilenz et Tristan sont venus annoncer qu'on avait mis les chevreaux à rôtir.

« Tour d'ivoire, continue Audilenz...
– Priez pour nous ! »

Guilhem, cette fois, a joint sa voix à celle de l'enfant Tristan.

« Maison dorée...
– Priez pour nous !
– Arche d'alliance...
– Priez pour nous !
– Porte du ciel...
– Priez pour nous !
– Etoile du matin...
– Priez pour nous ! »

La nuit se pose autour d'eux, avec ses odeurs d'herbes. Les pierres commencent à rendre un peu de la chaleur du jour. Le vent est de velours bleu.

Guilhem fait un large signe de croix et se relève lourdement :

« Venez, dit-il, ce soir il y a fête. »

II

LA DERNIÈRE FÊTE

On a bu et mangé autant qu'on a pu.

Quand Guilhem est arrivé avec Tristan et Audilenz, tout était prêt, nappes, fleurs, torches flambantes, tout, sauf les cœurs : on avait encore dans la gorge les larmes de l'après-midi.

Il s'est installé à la maître-table et a placé à sa droite sa fille Aélis. A sa gauche, il a appelé le vieil imagier Pan-Perdu, intimidé de s'asseoir au bout d'honneur et qui n'osait pas poser sur le drap blanc ses mains déformées par la pierre et les outils. Les autres attendaient en silence. Derrière eux se tenaient les Croyants auxquels Aveline avait ouvert le château : une dizaine d'artisans soigneux et d'ordinaire plutôt gais qui tissaient, tournaient des pots, teignaient des étoffes en se préparant à devenir Parfaits; Guilhem s'était habitué à leur présence légère – il leur demandait seulement de ne pas lui prêcher la « nouvelle religion », comme ils disaient – et les avait invités à la fête.

Dans la courte lumière des torches, les visages étaient mangés d'ombre, graves, fermés.

« Amis, dit Guilhem, je partirai au matin. J'irai prendre à Conques le grand chemin des pèlerins. Avec l'aide de sainte Foy et de saint Jacques, j'arriverai à Compostelle... Si Dieu veut que je revienne, je reviendrai... Sinon... Sinon, ne manquez pas de dire à ceux qui passeraient ici que je suis parti pauvre... Qu'ils prient pour la dame et pour moi... »

Il a fait signe qu'on apporte le sanglier et les mortiers de sauces fortes. Chacun s'est présenté devant lui et a reçu un morceau de viande noire sur une épaisse tranche de pain. A voir les sauces fumantes imbiber la mie encore chaude, on salivait avant d'avoir eu le temps de s'asseoir à table. A peine installés, on enfournait des bouchées de baron qu'on poussait avec des lampées de bûcheron. Le sanglier fini, on parlait fort. Aux chevreaux, on prenait le temps de manger, on s'apostrophait. Aux truites, on riait déjà. Aux pâtés, on défonçait du coude les côtes du voisin, on se défiait – qui donc boirait un pichet sans respirer? et qui pourrait refermer la bouche sur un œuf entier? On passait autant de temps à remplir les pots qu'à les vider. On manquait tant le reste de l'année qu'on pouvait bien ce soir manger sans faim et boire sans soif.

Aélis ne laissait sa part à personne. Elle surprenait Guilhem. Sur ce qu'il avait vu d'elle, il la prenait pour une étroite, une avide, une de ces ambitieuses de fond de vallée, jaune de jalousie à imaginer les cours des seigneurs d'Anduze ou de Rodez. Et c'était vrai qu'elle avait été contrariée à l'idée de partager ce repas de pauvres, qu'elle n'était restée que par devoir envers son père : il n'y avait personne ici à réduire ou à séduire. Mais maintenant elle aussi s'échauffait et oubliait de faire ses mines. Pour la première fois, le père et la fille se parlaient, se regardaient, s'étonnaient l'un l'autre.

Tout le temps de son enfance, on avait tant vanté à Aélis son chevalier de père guerroyant sous Jérusalem avec Richard Cœur de Lion qu'elle avait fini par rêver un de ces flamboyants seigneurs à faucons, revenant d'Orient paré de soieries et de bagues, entouré d'esclaves de Nubie, illuminant le causse de fêtes et de récits de prouesses. Elle avait vu arriver ce manchot taciturne qui s'installait au château comme on chausse de vieilles bottes. C'était bien l'homme à partager ce soir, par humilité, l'écuelle de Pan-Perdu...

Aélis ne s'y trompait pas : Guilhem portait sur lui l'odeur forte de l'aventure, mais elle lui en voulait de ne pas en tirer d'effets. Quand elle pensait aux mirobolantes parades où se lançait son pauvre mari quand les valets de Saint-Véran amenaient un sanglier fourbu au bout de son épieu...

« Et votre frère, demandait Guilhem, pensez-vous qu'il revienne ?

– Nous ne pensions pas que vous-même reviendriez.

– A chacun sa vie. Comment est-il ?

– Guillou, dit-elle, promettait d'être le meilleur chevalier de Rouergue. »

Elle souriait, un peu provocante :

« On dit qu'il tient de vous.

– Pourquoi dit-on qu'il tient de moi ?

– Peut-être deviendra-t-il comme vous êtes. Je ne vous ai pas connu à son âge. »

Elle jouait ainsi, comme si elle cherchait la limite où il l'arrêterait. Cet homme durci par les épreuves l'attirait étrangement. L'œil allumé, la lèvre brillante, elle ne faisait rien d'autre que le siège de sire Guilhem, son père.

« Sire, étaient venus demander Audilenz et Tristan, n'est-ce pas que Compostelle est au bout du monde ?

– Oui, on y prie saint Jacques, mais aussi Notre-Dame de Finibus Terrae... C'est la dernière terre avant la mer sans fin.... Le soleil s'y éteint chaque jour. »

Les deux enfants s'étaient regardés :

« Sire, nous voudrions aller avec vous au bout du monde. »

C'était une belle nuit, une tendre et bonne nuit à prendre comme elle était, une nuit à oublier les misères, à noyer dans les vins le goût amer des jours, alors que les grands barons du Nord ravageaient l'Occitanie – où s'arrêteraient-ils ? Les enfants couraient entre les tables, jouaient à monter sur des échasses les marches du perron. Il n'y avait plus que Couve-Denier à prendre de tout ce qu'on apportait, mais c'était par avarice. Ce qu'on ne mangerait pas ce soir, Bertram le porterait le lendemain aux pauvres de Nant, et le distribuerait lui-même à la porte Notre-Dame. L'intendant mettait tant de cœur dans tout ce qu'il faisait qu'il finit par s'en prendre à Couve-Denier :

« Tu es comme ces chiens à la panse pleine qui montent la garde à la charogne pour que les oiseaux n'en aient pas ! »

Tout était dans l'ordre, et chacun selon son rôle et sa nature.

« Sire, avait demandé la petite Faïs, sire Guilhem, savez-vous ce qu'on lance blanc et qui retombe jaune ? »

Derrière elle, d'autres enfants, serrés comme des personnages de chapiteau, prêts à pouffer. Guilhem feignait de chercher la réponse. La petite ne pouvait tenir :

« Un œuf », lâchait-elle, triomphante.

Guilhem faisait l'étonné, riait, les enfants riaient et s'enfuyaient en volée pépiante pour se poser un peu plus loin.

« Vous voyez bien, sire, disait alors Aélis, vous riez... Vous n'avez pas l'âge des airs sombres et des retirements... Faites donc une aumône aux moines de Nant, qu'ils prient à votre place, c'est leur rôle ici-bas... »

Guilhem la regardait sans répondre.

« Vous savez bien, continuait-elle, que vous avez encore la force de chevaucher dix ans, et vous allez partir à pied... Vous abandonnez l'épée des chevaliers du Temple pour un bâton de colporteur... Sans compter qu'un homme a besoin de femmes et que vous voilà aussi seul que les vieux sangliers du Martoulet... »

Guilhem regardait toujours cette femme aux yeux brillants qui parlait de la vie.

« Je ne sais que répondre, disait-il. Sinon que je suis en règle avec tous et qu'il me reste à m'y mettre avec moi-même. »

Troublé, il la servait de vin giroflé. Troublée, elle buvait à leur santé. Quelque chose passait de l'un à l'autre, délicieux et redoutable à la fois. Un morceau de lune chargeait d'or quelques nuages blancs qui filaient vers la mer.

On en était aux gâteaux. Un brouhaha enflamma soudain le bout de la grande table. On vit Caourson se lever et partir en titubant vers le bûcher, où il prit la grande cognée à tomber les chênes. Lui qui à jeun tremble comme un peuplier dans le vent, le voilà qui creuse les reins, renverse la tête, ajuste le manche épais entre la bouche et le menton. Il attend que s'établisse l'équilibre, l'accord parfait entre ce poids de fer, là-haut, et son propre corps. Si la cognée vient à lui échapper, Dieu sait quel crâne elle fendra. Alors, les yeux au ciel, les épaules en arrière, bras ouverts, jambes cassées, il s'avance vers le long banc qu'on a disposé là, s'arrête au moment de buter. On comprend qu'il a parié d'y monter. Plus un mot, plus un bruit. Les femmes tiennent les enfants au large. Aélis pose sa main, comme une braise, sur le bras de son père.

A petits balancements du cou, Caourson apprivoise l'assemblage menaçant de fer et de bois, le mate, le tient en son pouvoir. Il élève une jambe avec précaution, pose le pied sur le bout du banc et soudain y monte – le fer a lancé un vilain éclair noir. Caourson maintenant marche le long du banc sans hésiter, achève sa traversée et lâche la cognée qui fend la table en s'abattant. Cris, applaudissements. Caourson regagne sa place en titubant.

Aélis reprend sa main, mais, au bras de Guilhem, reste une brûlure.

Du vin, encore du vin. Espérandieu y alla de son refrain :

Cal bieure lou bi pur lou moti
O miechjour sous ayo
Et lou ser
Couno lo Boun Dieus l'o fach!

Le matin, il faut boire le vin pur
A midi sans eau
Et le soir
Comme le Bon Dieu l'a fait!

On reprit jusqu'à ce que les voix s'éraillent. Autour des tables, les chiens s'alourdissaient, les enfants s'endormaient. Aélis était transformée. Pour une fois sans calcul, elle se laissait dériver au gré de cette nuit d'adieu :

« Il n'y a rien, dit-elle, qui donne plus envie de vivre que la vie même.

– Si, répondit Guilhem, la mort. »

Il se leva de table, lourd de mangeaille et de désir, puissant, heureux, et aspira la nuit à pleine poitrine. Demain, avant de prendre la route, il demanderait à Espérandieu de lui faire une saignée.

Il s'éloigna un peu. Quittant l'abri des murs, il sentit le vent et tressaillit. Il passa le portail. Il comprenait confusément qu'il fuyait, mais ne savait si c'était Aélis ou lui-même. Il descendit vers Gardies, s'embardant parfois d'un bord à l'autre du chemin pâle. La nuit était claire, avec de profondes blessures d'ombres. Le vent fouillait les taillis et les amas de rochers, en débusquait des odeurs de thym, de pierre chaude et de brebis, l'odeur du pays.

Guilhem arriva devant les tombeaux jumeaux, presque invisibles dans l'abri épais des noyers.

« Voilà, dit-il, voilà donc où je venais. »

Il chercha, à doigts d'aveugle, le visage de sa femme sur le gisant, mais ne trouva que le grain du calcaire.

« Sire Dieu, demanda-t-il à haute voix, qu'attendez-vous de moi ? »

Il n'y eut pour répondre que les chants mêlés de la rivière et du vent dans les hauts peupliers. Mais Guilhem avait envie de parler. Il continua :

« Vous m'avez tiré du néant sans que je le demande... Vous avez rempli ma vie d'épreuves et vous me laissez maintenant comme un lièvre au collet... Je ne comprends pas la raison de tout cela... Vous êtes le maître de la puissance et de la justice, et je suis votre prisonnier, mais quelle rançon voulez-vous donc ? Que je me fasse pénitent de Compostelle ? Je me fais pénitent de Compostelle. Et après ? J'userai mes péchés sur le chemin. Et après ?

« Vous savez bien que Dame Aveline, cathare ou non, n'a pas bafoué l'abandonnement de votre fils, ni la couronne d'épines, ni l'éponge de vinaigre, ni sa mort en croix... Je l'ai vue encore au printemps, sire Dieu, et je peux jurer qu'elle était pure... Je le sais bien, moi, elle avait l'âme aux yeux... Par ce chemin-là, elle aura cru arriver plus vite en votre royaume... Aurait-il mieux valu qu'elle mène la vie vautrée de tant de vos moines et de vos évêques ?

« Elle s'est trompée ? Mais Adam aussi a péché, votre première créature... Et aussi Salomon, qui vous a oublié... Et aussi saint Pierre, qui a en une seule nuit renié trois fois votre fils ! Qui voulez-vous que nous soyons, pour faire mieux ? Sire Dieu, prenez en pitié la Dame Aveline... »

Une boule lui noua la gorge, un peu sanglot un peu colère. La colère l'emporta.

« Et rien sans doute ne serait arrivé si je n'avais quitté le château pour vous servir !... Vous nous lancez dans la tourmente et vous venez nous reprocher la tourmente !... Vous nous faites comme nous sommes et vous venez nous accuser de ne pas être autrement !... Vous, le

Père tout-puissant, vous nous accablez de tentations et vous nous jugez sur nos faiblesses... Ah! comme vous seriez plus juste en nous jugeant selon nos espoirs... Ce sont eux qui disent vraiment ce que nous valons...

« Cette vie d'ici-bas est un simulacre, une chanson de troubadour, un mensonge... Ou peut-être est-ce la mort qui est un mensonge... Ah! Dieu, je te hais de ne rien dire et de me laisser dans cette misère... »

Une peur insensée le prit soudain dans sa glace. Il tenta de se rattraper :

« Si je trahis ma promesse de partir au matin, qu'il n'y ait plus jamais de refuge pour moi en ce monde, que je ne voie plus briller le soleil, que les anges m'abandonnent... Que je meure... »

La mort, Guilhem l'a plus d'une fois regardée en face, contre les mameluks du Loup Bleu ou devant les archers de Saladin. Un cheval, une épée, un écu, une bannière : dans le fracas des charges, avec, à l'épaule, la croix écarlate des chevaliers du Temple, mourir était le moindre des courages.

Mais en cette nuit d'été brûlé, il était seul, ses ennemis étaient en lui et il s'exaltait de mots pour ne pas s'enfuir. C'était vrai, comme disait Aélis, qu'il avait encore dans les cuisses et dans les reins dix bonnes années de chevauchées, et peut-être bien vingt. C'était vrai qu'il avait eu envie de cette femme qui était sa fille.

Le vin giroflé, peut-être, ou le désarroi lui firent enfin monter les larmes aux yeux.

« Et il n'y aura plus de jours, disait-il, ni de soirs, ni de matins... Et la terre sera vide d'hommes, et les étoiles s'éteindront... Il faudra comparaître au tribunal des âmes... Sire Dieu, que votre justice est terrible!... »

Le chevalier d'Encausse tomba à genoux et pleura.

Quand la nuit fraîchit, il retourna au château. Il était temps : la lune allait disparaître derrière Saint-Sauveur. Le soldat de la guette ronflait, adossé au rempart, un pichet vide encore à la main. Dans la cour, à la lumière fumeuse de la dernière torche, Guilhem vit les tables désertées, les nappes tachées de sauce, les feuillages flétris.

Dans la salle, où brûlait une lampe, il regarda les corps abandonnés dans des postures de mort au sommeil de l'ivresse, hommes, femmes et chiens mêlés parmi la jonchée de genêts secs. Il alla à son lit. Aélis y dormait, bouche entrouverte, une main au ventre, parmi une grappe d'enfants. Il trouva une place près de la cheminée, s'étendit, eut le temps de sentir l'odeur des genêts et aussitôt sombra dans un puits sans fond.

Et alors Dieu le convoqua.

Il n'y avait pas à s'y tromper : c'était le Jour du Jugement. Autour du Christ en gloire dont la main droite bénissait, des anges sonnaient de la trompette. Dans les cimetières, sous les dalles des églises, les tombes s'ouvraient et les morts en suaire s'apprêtaient à comparaître devant le tribunal terrible pour le Pèsement des Ames. A la droite du Seigneur, Guilhem reconnaissait Marie, sa mère.

On se présentait un à un devant la balance. Sur un plateau, l'archange saint Michel plaçait les charités, les courages et les patiences de celui qu'on jugeait. Sur l'autre, en contre-poids, un démon jetait les crimes et les péchés. C'était à qui chargerait le plus, et le plus vite. Si le poids du Bien l'emportait, le nouvel élu rejoignait le cortège de ceux qu'Abraham accueillait sous les voûtes dorées de la Jérusalem céleste. Sinon, chassé par la main gauche du Christ au doigt vengeur, le réprouvé rejoignait dans les profondeurs de l'enfer les innombrables damnés en proie à tous les supplices.

Soudain, ce fut le tour de Guilhem.

Saint Michel mit dans son plateau toutes les années passées en Terre sainte, avec les jeûnes, les prières et les offices du Temple, et le démon aussitôt rétablit l'équilibre avec le reniement qu'avait fait Guilhem, au jour de sa réception, de « l'homme sur la croix ». « Mais cria Guilhem, je l'ai fait des lèvres, non du cœur! » Personne ne l'entendit. Déjà saint Michel cherchait autour de lui de bonnes actions. Le démon, pendant ce temps, accumulait les péchés : « Tiens, disait-il, voici pour les Cathares que tu héberges au château, voici pour tes folies de la fête des fous à Notre-Dame, voici pour le meurtre de Pierluigi, voici pour l'envie que tu as eue de ta fille, voici pour ton orgueil, voici pour... » Le démon avait forme humaine mais était horrible, avec ses yeux de nuit, ses lèvres épaisses, sa barbe de bouc. Guilhem se voyait déjà perdu. Il ne restait à saint Michel que la croisade de Béziers. Il la jeta dans la balance. Le fléau redevint vertical puis, inexplicablement, pencha vers le Mal. Guilhem comprit le manège de Satan, mais il était le seul à le voir faire : du pied, en cachette, le démon appuyait sur son plateau pour l'emporter. Guilhem voulut avertir saint Michel, mais déjà il se sentait glisser vers la gueule monstrueuse de l'Enfer. Il se retourna : le Christ, du doigt, le chassait dans les ténèbres éternelles. De toutes ses forces, Guilhem cria.

Sa voix fut couverte par le coup de tonnerre de l'épouvante dernière. Il ouvrit les yeux et reconnut la salle du château dans la lumière du petit jour.

« Un houome que peto réte et que pisso conde se pourto bien — un homme qui pète fort et pisse clair se porte bien », disait une voix sentencieuse.

C'était celle d'Espérandieu, à trois pas de là, qui fourgonnait dans l'âtre tandis que Bertram rajoutait du lard dans la soupe du matin.

La bouche amère, le cœur en cendres, Guilhem était en sueur.

Espérandieu, qui avait tant de fois servi à son chevalier le haubert et le heaume, tira d'un coffre la cotte de bure et les épais souliers de marche achetés par Guilhem quand il avait tout décidé, quelques semaines plus tôt. Fini le temps des éperons, des épées, des écus : une besace, un bâton, une outre de vin.

En s'habillant, Guilhem regardait la salle. Rien

n'avait changé depuis autrefois : ni les feuillages peints sur l'enduit des murs, ni le vieil écu de son père au cuir marqué d'humidité, entre l'épieu et la trompe de chasse.

Guilhem, ne se considérant plus comme le seigneur de Roquelongue, ne laissa pas de testament : selon que Guillou reviendrait ou non, le baron de Roquefeuil ferait, le temps venu, ce qu'il voudrait du château. Dans ses coffres, il prit quelques pièces – qui vaudraient bien deux ou trois livres en deniers d'Albi ou du Puy – et les serra dans une bourse accrochée, avec un fusil à feu, à la ceinture de ses braies : de quoi payer les passeurs et faire la charité. Puis il laissa les coffres ouverts, que Bertram distribue ce qu'ils contenaient.

Aélis n'était plus sur le lit. Sans doute était-elle montée à la chambre du haut, se changer ou se parer. Il mangea un peu de soupe et, sans cérémonie, quitta la salle, descendit le perron, tandis que Bertram réveillait à coups de pied les derniers dormeurs.

Guilhem allait sans se retourner. Il sentait dans son dos la présence confuse de ceux qui l'accompagnaient. Il prit par le Mazel. A Saint-Pierre, il entra un moment dans la petite église où il avait passé la nuit de son adoubement et pria sur la tombe de ses parents. Puis, devant le porche du prieuré, il appela le curé Massols, lui remit une offrande et demanda sa bénédiction.

Quand il quitta le curé et qu'il descendit vers le gué de Carboniès, les autres l'entouraient. Il s'assit sous les peupliers pour se déchausser. On le touchait, on le serrait, on baisait le bas de sa robe de bure, comme si de s'être mis en chemin le sanctifiait déjà.

« Priez pour nous ! implorait-on. Priez sainte Foy pour nous ! et saint Jacques le Grand ! »

Il s'arracha lentement à eux tous :

« Maintenant, dit-il, je dois partir. »

Il répéta à Espérandieu et à Bertram de tenir le château en attendant de savoir si Guillou reviendrait. Puis il alla vers Audilenz, qui se tenait à l'écart :

« Dites à votre mère que chaque jour deux soleils se lèvent ensemble, un sur les cœurs, l'autre sur les regards... Qu'elle n'oublie pas... Quant à vous, gardez le souvenir de Dame Aveline, vous lui ressemblez tant... »

Il lui dit encore :

« Un jour, vous aussi irez au bout du monde ! »

Audilenz sourit enfin. Une dernière fois, Guilhem regarda le groupe des siens. Puis il entra dans l'eau claire de la Dourbie. On le vit, arrivé de l'autre côté, s'essuyer les pieds à sa robe, rechausser ses gros souliers, assurer sa besace et s'éloigner vers La Roque. Pas une fois il ne se retourna.

III

CHANSON TRISTE

BERTRAM et Espérandieu laissèrent les autres rentrer à Roquelongue et s'attardèrent sous prétexte de voir où en étaient les coupes de bois des Rans Grosses. Dans le sentier, ils allaient sans un mot, Bertram devant, Espérandieu derrière.

Jusqu'au dernier moment, ils avaient cru que Guilhem, peut-être, resterait. Et maintenant, voilà. Ils n'avaient pas trop envie de retrouver le château. Ils en imaginaient déjà le vide et le silence. Aveline n'y reviendrait plus, et Guilhem, quand ?

Vers le Mazel, Bertram dit sans se retourner :

« Il va falloir refaire les provisions de l'hiver.

– On dirait que tu regrettes !

– Je n'ai pas dit que je regrette. J'ai dit qu'il va falloir refaire les provisions. »

Espérandieu ne répondit pas.

« Du sel, des épices, des chandelles, énumérait Bertram. Il faudra vendre de la farine à Millau... »

La fête ne laissait pas grand-chose au château, et Guilhem avait pris les dernières pièces. Bertram faisait dans sa tête le compte de ce qu'on pourrait épargner :

« Heureusement, dit-il, on ne manquera pas de cochon... »

Espérandieu se taisait toujours, au point que Bertram jeta un regard en arrière, pour voir s'il suivait. Il insista :

« Et toute la chair cuite se garde en hiver... »

Espérandieu se décida à répondre :

« Toujours avec tes cochons ! Et la brebis, alors ? Elle, au moins, elle te donne le lait, le fromage, la laine, et même la peau... »

C'était une vieille histoire entre eux, un dialogue interminable, une musique pour rien, comme la chanson du vent dans les chardons.

« Pour le lait, c'est sûr, répondit Bertram. Mais la viande, le cochon en fait plus, et plus vite... Et tout est bon, dans le cochon, la hure et les pieds, le lard, les côtes...

– Oui, mais ça te coûte ! Pour l'engraisser, tu lui donnes des vesces, des châtaignes... Et encore, les châtaignes, il faut les lui peler ! La brebis, avec l'herbe du causse et l'eau de la Dourbie, elle te dit merci... »

Ils parlaient la tête baissée, ne desserrant les dents que pour laisser tomber les mots sur le sentier. A l'autre de ramasser ce qu'il pouvait.

« Sans compter, reprit Espérandieu, que quand tu mets les truies à la glandée, il y en a qui te reviennent pleines de petits tout rayés... Ceux-là naissent à moitié sauvages... Ils sont juste bons à te faire des trous dans les murs... »

Bertram n'envoya pas sa réplique. La montée l'essoufflait. Il se sentait vieux. Mouton ou cochon, au fond, il s'en moquait. C'est seulement en arrivant au château qu'il ne put s'empêcher de dire :

« A cette heure, il doit être au moulin de Corp. »

IV

SAINTE FOY, PRIEZ POUR NOUS

Pour un chevalier, marcher était toute une aventure. Les voyages n'avaient pas manqué dans la vie de Guilhem et, entre hier et demain, il avait couché plus d'un horizon sous lui – mais toujours à cheval, avec dans les jambes la bonne grosse chaleur de la bête, l'odeur de la sueur et du cuir, les cliquetis, les glissements, les craquements du harnais, et l'écuyer, là, ombre fidèle, écho et reflet, autre soi-même. Alors les jours passaient. Pluie, froid, poussière, soleil, fatigue, qu'importe : les jours passaient.

Mais à pied! Le temps qu'il fallait pour arriver à ce châtaignier, à ce tournant, à cet abri! Et ce village, là-haut, qui tremblait dans l'air chaud, y serait-on seulement aujourd'hui? A pied, Guilhem perdait ses repères et ses habitudes de cavalier. Il n'était plus maître du paysage. N'y connaissant pas ses nouvelles mesures, il se sentait lent et maladroit comme un hanneton. Il était étranger chez lui, infime dans le chaos des rochers et des arbres. Il lui fallait tout réapprendre.

Le premier matin, il voulut en faire trop. Il avait d'une seule allée longé la Dourbie jusqu'à Millau et contourné la ville sans y entrer. Il s'arrêta un peu plus tard pour manger. Il se déchaussa : ses pieds étaient en sang. Il n'alla pas plus loin ce jour-là, craignant que ses plaies ne s'infectent. Il gagna une cabane de carrefour où un homme lui apprit à reconnaître le millepertuis à grandes feuilles, dont il se couvrit les talons et le dessus des pieds, là où les coutures de cuir avaient entamé la chair. L'homme, un berger sans emploi qu'accompagnait un petit chien noir, lui montra encore, pour calmer la douleur, comment faire des cataplasmes de poriotèle, dont les touffes poussaient entre les pierres des murs.

Pendant toute la période où il avait été esclave, à Saint-Abraham, Guilhem avait vécu pieds nus, mais sans jamais quitter la terre fine du *boustan*, le jardin, ou les dalles lisses de la cour du casal. Il en avait moins souffert que de devoir se réhabituer, au Temple, aux rudes chausses de fer de chevaliers. C'était aussi pieds nus qu'il avait passé à Coulommiers le temps de son excommunication, et il avait mal supporté les hivers : crevasses, gerçures, chairs brûlées par la neige ou tailladées dans les flaques glacées. A cause de ce souvenir-là, il ne se résolvait pas à abandonner ses chaussures; sans compter que les silex, les épines et les serpents étaient la hantise des pèlerins mal chaussés. Les souliers, après tout, il s'y ferait.

Il partagea de son pain avec le berger et, engourdi de fatigue, s'allongea dans la litière douteuse. Il s'endormit avant même que la nuit fût tombée, tandis que l'autre remâchait une histoire de loups dans un troupeau. Quand le froid de l'aube éveilla Guilhem, le berger était déjà parti.

Ce jour-là, qui était le deuxième, Guilhem avança comme il put, allant un moment pieds nus, puis un seul pied chaussé. Il n'éprouvait nulle honte, lui le chevalier, à s'arranger ainsi avec la douleur : tout était bon qui lui permettait de progresser sur le chemin qu'il s'était choisi. En route, il ne s'ennuyait pas. Marcher lui occupait toute la tête, avec cette brûlure à chaque pas ressassée. Le silence et la solitude lui pesaient moins que la lenteur de la marche.

Dans l'après-midi, devant Séverac, il prit, avec l'ouest,

le chemin qui longeait l'Aveyron. Malgré l'envie qu'il avait de boire du vin pour réparer ses forces, il n'entra ni au village ni au château : le temps de s'habituer à sa nouvelle condition, il préférait éviter le grouillement et la frivolité des entassements humains. Au milieu d'une clairière qui surplombait le chemin et la rivière, il trouva un enclos de charbonnier et s'y installa. Prenant tout son temps, il termina son pain, se soigna. Il avait pour ses pieds des tendresses de nourrice.

Ce qui lui arrivait était tout de même singulier : il était réduit à moins que lui-même et comptait pour rien sur le chemin où les cavaliers le bousculaient sans même le voir; il était fatigué, assommé de soleil, sale de sueur et de poussière, affamé, douloureux — et pourtant, entassant un peu d'herbes sèches pour s'y fourrer, il se sentait plutôt joyeux. Il ferma l'enclos, regarda naître les premières étoiles et s'endormit comme un enfant.

Le lendemain fut pénible, et plus encore le jour d'après. Les blessures de ses pieds se creusaient. Les gens qu'il rencontrait le plaignaient et lui donnaient des conseils contradictoires. A Laissac, il alla prendre sous le porche de l'église la passade donnée là aux pauvres et aux pèlerins : une soupe aux pois, du pain et du vin. Le clerc qui le servit lui souhaita bonne pénitence et lui conseilla, pour arriver à Conques sans trop de montées ni de descentes, de prendre par la rive du Dourdou vers Bozouls et Villecomtal. Il dormit ce soir-là au pied du château de Mouret, en compagnie de voyageurs arrivés après la fermeture des portes. Certains d'entre eux lui demandèrent où il allait, d'où il venait, aucun ne chercha à savoir qui il était ni pourquoi il cheminait. Il s'accommodait parfaitement de n'être plus personne, en attendant la bénédiction qui ferait de lui un pèlerin de Saint-Jacques.

Peu après le moulin de Montignac, il grimpa sur sa droite le sentier très raide qui devait le mener à Conques. Mais en haut, il apprit d'un paysan qu'il s'était cru trop tôt arrivé : il n'était qu'à Boucarel. Conques se trouvait sur l'autre flanc de la gorge abrupte qu'il voyait devant lui. Il lui faudrait redescendre puis remonter de l'autre côté pour rejoindre le chemin d'accès. Il y gagna au moins de découvrir, dressée dans son écrin de rocher, la superbe église Sainte-Foy, dominant de toute sa hauteur les maisons agenouillées dans l'ombre ocre et rose de ses tours et de ses contreforts. En bas du cimetière, le soleil déclinant coulait de terrasse en terrasse, entre les taches bleues de grands noyers. Un peu plus bas encore, des villageois fauchaient du regain pour les bêtes. Immobile, pour une fois sans impatience, Guilhem s'imprégna de cette paix et de cette lumière mêlées. Il se dit qu'il devrait prier mais ne le put. Une sonnerie de cloches le remit en route : il craignait de se laisser surprendre par la nuit.

Il arriva à Conques par le grand chemin de Saint-Jacques au moment où se présentait une troupe de pèlerins tous revêtus de la même robe, portant le même chapeau et la même coquille : des jacquets. A la sonorité de leur langue – naguère entendue à Acre, où servaient de nombreux chevaliers germaniques – Guilhem reconnut des Allemands. Les coquilles qu'ils portaient prouvaient qu'ils étaient sur leur chemin de retour, et il remarqua avec intérêt qu'ils étaient tous chaussés de brodequins semblables aux siens, seulement assouplis par l'usage. Une bande de traîne-misère les accompagnait, de ces pieds-poudreux en guenilles toujours à attendre qu'on leur jette un quignon, une piècette ou une histoire. Guilhem s'y mêla.

Les pèlerins s'arrêtèrent dès qu'ils virent surgir, dominant le village, la masse immense de l'abbatiale. Ils s'agenouillèrent et entonnèrent un cantique rude et lent, tandis que venait à leur rencontre un cortège de moines, de bannières et d'encensoirs. Effusions, embrassades : on recevait ces Allemands comme si chacun d'eux eût été le Christ soi-même. Tout autour, surgie de nulle part, la foule s'amassait déjà. Dans ce creux de paysage où, tout à l'heure, le silence et la lumière ronronnaient comme des chats endormis, grouillaient maintenant curieux, enfants, braves gens touchant la robe des pèlerins, marchands de souvenirs et vendeurs de vent.

Sous la conduite des moines, on prit tous ensemble le chemin de l'église. Avant d'arriver au parvis, on s'arrêta sur une petite place où un homme, depuis une sorte d'estrade où il était juché, apostropha le cortège :

« Ecoutez, vous tous! Apprenez qui est sainte Foy! Ecoutez! »

On s'arrêta derrière les moines, on s'approcha, on se tassa. Vêtu d'une robe blanche, l'air bien honnête, un chien couché à ses pieds, l'homme inspirait confiance. Quand la foule se tut, il commença à raconter comment un seigneur lui avait arraché les deux yeux pour une faute qu'il n'avait pas commise. Larmes de sang, nuit, deuil. Il avait, dit-il, prié tous les saints qu'il connaissait, tous ceux qu'on lui recommandait, et Notre-Dame des affligés. Rien, personne pour lui rendre la vue. Alors une force invincible lui avait fait quitter son pays. Son chien le guidait. Vivant d'aumônes, visitant tous les sanctuaires, adorant toutes les reliques, il était ainsi arrivé à Conques, où il avait imploré sainte Foy, la petite martyre. Il avait prié trois jours et trois nuits. Au matin du quatrième jour...

Après chaque phrase, l'homme attendait pour continuer qu'on eût traduit aux pèlerins allemands ce qu'il disait. Sa voix portait loin sans qu'il eût besoin de la forcer. La foule, silencieuse, subjuguée, se taisait : tout le monde pouvait constater que cet exorbité avait des yeux, que cet aveugle voyait comme vous et moi.

« Au matin du quatrième jour, poursuivit-il, j'ai senti un grand tremblement à l'intérieur de mon crâne, là, derrière mon front... Et soudain deux yeux tout neufs ont poussé au fond de mes orbites... Ils ont pris la place de ceux qu'on m'avait injustement arrachés... »

La foule criait des « ah! », gémissait des « oh! », des gens tombaient à genoux. De ses deux index, l'homme tirait sur la peau de ses joues pour qu'on constatât qu'il y avait bien là deux yeux, indiscutablement, deux yeux bleus qu'il faisait rouler en tous sens :

« Et j'ai vu! J'ai vu!... La preuve? Je vous vois... Toi, ma sœur, qui t'appuies sur une béquille, je te vois!... Que sainte Foy te protège!... Toi, là-bas, sous l'arbre, qui t'apprêtes à couper les lacets de la bourse de ton voisin, je te vois!... Je te vois! Je vois même mieux qu'avec mes premiers yeux, sainte Foy en soit glorifiée à travers les siècles et les siècles... »

En remerciement, expliqua-t-il encore, il avait fait le vœu de raconter tous les jours de sa vie le miracle dont il était le premier témoin. Aux incrédules, il proposait de vérifier auprès de Pons, l'abbé de Conques, ou de tel ou tel moine de l'abbaye, qui l'avaient connu mutilé et aveugle. S'il y en avait encore après cela pour ne pas croire, il leur souhaitait seulement de n'avoir jamais les deux yeux arrachés injustement par un seigneur en colère. Quant aux autres, ceux qui croyaient au pouvoir de sainte Foy, il les invitait à venir toucher et baiser ses paupières : c'étaient là les reliques du prodige...

Un à un, les pèlerins allemands montèrent sur l'estrade et posèrent les doigts ou les lèvres sur les paupières du miraculé. Beaucoup laissaient leur obole dans la sébile soudain apparue à la gueule du chien.

« Sainte Foy! invoquait à voix forte l'un des moines.

— Priez pour nous! » renvoyait en écho le grondement fervent de la foule.

Guilhem, qui avait assez voyagé pour se méfier des raconteurs de miracle, était quand même impressionné — moins toutefois que si une nouvelle main avait repoussé à l'homme aux yeux neufs. S'il ne monta pas sur l'estrade, c'est qu'il gardait ses deniers pour le chemin de Saint-Jacques.

Les pèlerins marchaient maintenant avec les moines

vers le parvis de l'abbatiale. Les lents balancements des encensoirs et le roulement des bourdons ferrés sur le pavé rythmaient les invocations à sainte Foy. Devant le tympan de l'église, à cette heure illuminé par le soleil couchant, on s'arrêta pour lire les détails de la scène qui s'y trouvait sculptée : le Jugement dernier. Guilhem, comme les autres, s'approcha. Et s'arrêta, foudroyé.

Car ces formes, ces personnages taillés dans le calcaire et dont la lumière du soir faisait chanter les bleus, les rouges et les ors, ce Christ en gloire bénissant d'une main les élus, de l'autre chassant les réprouvés, c'était son rêve de l'autre nuit. Il lui sembla entendre dans sa gorge le terrible cri de pierre que poussait cet homme, là, devant la balance du Pèsement des âmes, et il se reconnut, lui, Guilhem d'Encausse, glissant vers la goule d'enfer où le couchant allumait des flammes rouges...

Sans plus penser à ses pieds torturés, il força la foule qui obstruait l'entrée de l'église, s'engouffra dans l'ombre fraîche, bouscula des gens en train d'allumer des chandelles à une herse illuminée. Il crocha le premier homme de Dieu qu'il trouva, un vieux moine qui surveillait les fidèles – mains dans les manches, regard fureteur, lèvres pâles débitant des Pater. Le moine eut un mouvement de recul.

« Je veux voir votre abbé, dit Guilhem.

– Patientez, il va venir bénir les pèlerins de Saint-Jacques. »

Le moine déjà se dégageait, allait s'éloigner, l'air important.

« J'ai rêvé mon propre jugement », dit Guilhem.

Le moine parut ne pas entendre puis se retourna brusquement.

« Une vision ? »

C'était lui qui maintenant agrippait Guilhem par la manche, l'entraînait par une porte latérale, débouchait sous la galerie d'un cloître. La course du moine brassait de vieilles odeurs d'encens et de tombeau.

Ils traversèrent une vaste salle décorée de fresques, puis une autre, plus petite.

« Attendez ici, dit le moine. Je vais chercher notre abbé. Remerciez sainte Foy de vous avoir choisi... »

Il tira soigneusement derrière lui l'épaisse porte de châtaignier.

V

KOKKINOKHORIA

Du donjon de Roquelongue, on voyait passer, dans un sens ou dans l'autre selon les jours, des groupes de Croyants en fuite, des troupes de croisés en habits de guerre ou des mainades de mercenaires en quête d'un mauvais coup. Les soldats et les ribauds levaient la tête vers ce château perché mais ne l'assaillaient pas : ils devinaient bien que ce serait se donner grand peine pour peu de plaisir et rien de butin.

Avec cette croisade qui n'en finissait pas, les vendanges étaient le seul sujet de préoccupation. Les moissons rentrées, les épis battus, les grains moulus, restait à s'inquiéter pour le vin. Cette année, avec juste ce qu'il avait fallu d'eau et de soleil, les grappes promettaient. Dans toutes les chapelles, on entretenait des chandelles à Notre-Dame des Treilles. Chaque matin, on se levait tôt pour voir le temps qu'il faisait, et chaque soir on questionnait la lune et les étoiles, on récitait le savoir appris des pères sur les risques de grêle. Et comme il valait mieux voir trop grand qu'être pris de court, on commandait, selon son espoir et son crédit, un nouveau foudre ou un fût de plus. Dans toute la vallée, on entendait rouler les tonneaux et cercler à maillets redoublés les douelles de châtaignier blond. C'était le temps des tonneliers.

Puis viendrait celui des bûcherons. L'hiver refermerait sur le pays son carcan de jours noirs et de nuits à loups. Avant le printemps, il n'y aurait rien à attendre. Les Français prendraient leurs quartiers du côté de Béziers ou de Carcassonne, les Occitans d'entre Albi et Toulouse en profiteraient pour refaire leurs forces — mais qui viendrait se perdre sur le causse ?

Pourtant, sire Guilhem n'était pas parti depuis trois dimanches que le soldat de guette appela. Un équipage s'était arrêté au moulin de Gardies, et les chevaux buvaient à la rivière. Qui donc ? Le seigneur Arnaud de Roquefeuil venu prendre possession de ce fief sans maître ? Bernard de Saint-Véran ? Mais ses chevaux ne seraient pas fatigués... On saurait vite : les gosses du meunier arrivaient en courant, tout essoufflés, se bousculaient, parlaient tous en même temps, se marchaient sur les mots.

On finit par comprendre : sire Guillou revenait d'Orient; il attendait en bas qu'on vînt l'accueillir.

Or, en ce jour, ni Bertram ni Espérandieu n'étaient là : l'un marchandait un droit de charbonnage sur le Larzac, l'autre était parti préparer les labours à la Granarié et à la Roquarié. Au château, en plus des servantes et des Croyants, ne restait que l'enfant Tristan, assis près de la perche aux faucons, qui faisait la conversation aux oiseaux en vidant de sa moelle une branche de sureau. C'était à lui que revenait le devoir de l'accueil. Il sortit la grosse jument grise et, à cru, descendit vers Gardies.

Tristan avait deux ans quand Guillou était parti, et il n'avait pu que se l'imaginer d'après les réponses d'Espérandieu et les fables des servantes. Mais jamais il n'aurait pu croire à un chevalier aussi beau. On aurait dit saint Georges.

Guillou arpentait la terrasse du moulin pour se dégourdir les jambes et les reins. Il était blond, souple et tranquille comme un fauve, éblouissant dans sa cotte de soie brodée d'une licorne d'or, le front ceint d'un bandeau rouge, les mains étincelantes de bagues et de pierres. Deux serviteurs l'entouraient, une jeune fille et un jeune homme qui se ressemblaient avec leurs chevelures noires, leurs yeux de brebis, leur peau mate et douce. Et les chevaux! Ils étaient encore à boire : un palefroi gris pommelé portant une haute arçonnière décorée, un poitrail de cuir orné d'une large frange écarlate, puis un autre palefroi, alezan celui-là, une haquenée blanche et un sommier chargé de deux coffres aux ferrures brillantes.

Tristan avait arrêté sa jument d'un roulement de langue et restait interdit. Maurin, le vieux meunier, arrivait avec du vin et saluait à cul ouvert.

« Qui es-tu? » demanda saint Georges à Tristan.

L'enfant glissa de cheval et, un genou en terre, se présenta :

« Je suis Tristan, sire, fils du chevalier des Douzes et de la dame de Cantobre. »

Saint Georges rit gentiment :

« La dernière fois que je t'ai vu, tu étais gros comme le poing! »

Soudain, à regarder cet enfant devant lui, Guillou mesura qu'il était parti depuis longtemps – la chair est la mesure humaine du temps, chair d'homme ou chair d'arbre, dont la croissance est nourrie d'heures et de jours.

« Toi et moi, dit Guillou, sommes nés de la même mère.

– La Dame est morte, sire. »

Un orage traversa le regard clair de Guillou. Tuant les êtres aussi sûrement qu'il les nourrit, le temps qui s'en va emporte ses proies.

« N'y a-t-il personne au château pour m'accueillir?

– Moi, sire.

– Eh bien! Relève-toi, Tristan des Douzes... Mène ton frère chez lui... »

Guillou passa la nuit au château. Sombre, désenchanté, amer, battant le rocher avec impatience, il a regardé par la fenêtre étroite le jour s'éteindre au fond de la vallée, se demandant ce qu'il était revenu faire ici, parmi ces demi-moines, ces servantes usées, ces valets de misère. Il ne se souvenait pas que Roquelongue, le château de son fief, c'était, en tout et pour tout, une salle, une tour et une cour de ferme. Il y avait pourtant de bons souvenirs et rien n'y avait changé. Peut-être seulement la Dame y manquait-elle.

Bertram, rentré au soir, avait été tellement abasourdi que ç'avait été toute une affaire de lui tirer, mot après mot, le récit de ce qui était advenu : le mariage d'Aélis, la mort de Jean des Douzes et celle d'Aveline, le retour et le départ de Guilhem. Le vieil intendant en revenait toujours au récit de la boucherie de Bram, quand il avait dû, lui le borgne, se couper une oreille pour échapper aux Français : c'était l'histoire qu'on lui demandait d'habitude.

Pour souper, on avait battu une omelette aux truffes et au lard maigre : Guillou avait espéré une autre fête. Il se coucha tôt dans le grand lit de famille, entre ses deux esclaves. Mais il tarda à s'endormir. Les souvenirs l'assaillaient, meute inlassable que venait toujours relancer la voix du vent ou l'odeur de l'âtre, chiens courants de son enfance. Il les fuyait en ouvrant les yeux dans la nuit ou, au contraire, en les fermant de toutes ses forces. Il les fuyait en tentant de se perdre dans les lourdes chevelures de ses esclaves, contre leur peau imprégnée d'huile parfumée. Il les fuyait parce qu'il savait déjà qu'il allait quitter Roquelongue et qu'il n'y reviendrait pas.

Au matin, il était prêt quand rentra le valet qu'il avait dépêché à Saint-Véran : comme il l'espérait, sa sœur Aélis et le mari de celle-ci, Bernard, l'invitaient. Oubliée l'humeur sombre de la nuit, Guillou resplendissait à nouveau de jeunesse, d'insouciance, d'appétit de gloire.

Et même, au moment de passer le porche avec ses chevaux, ses coffres et ses Grégeois, se retournant pour saluer Roquelongue, il eut un grand rire clair : cet homme-là était fait pour les départs.

A Saint-Véran, Bernard et Aélis l'attendaient à la poterne du château.

Guillou passa chez sa sœur quelques heureuses semaines de fêtes et de jeux. On mangeait, on sortait lancer le faucon ou courre la bête noire, on écoutait les chansons des harpéors venus pour célébrer les vendanges, on regardait passer l'automne, qui tirait déjà sur le roux et sur l'or – c'était une bonne saison pour jouir des gens et des choses, avec cette ombre de mélancolie qui donnait son relief au plaisir.

Bernard et Aélis se mettaient dans tous leurs frais. Ils n'avaient jamais eu chez eux un chevalier d'un tel éclat, qui faisait naître à l'horizon du causse des mers violettes, des palais, des basiliques, des richesses inconnues, qui parlait de Venise et de Byzance mieux que de Millau, qui séduisait comme sans y prendre garde, qui plaisait à tous sans que personne n'en prît ombrage.

On ne mettait pas en doute ses récits : on avait vu, dans ses coffres aux ferrures précieuses, un haubert à mailles doubles comme en portent les grands barons, un heaume entièrement fermé, avec deux fentes devant les yeux et quelques trous devant la bouche pour donner de l'air... Le baudrier, l'épée d'acier damasquiné, le cimier de plumes vertes, l'écu orné de la licorne d'or des d'Encausse, tout disait que ce chevalier n'était ni pauvre ni humble.

Aélis se reconnaissait en lui. Enfants, ils étaient semblables, avec la même avidité et la même facilité, les mêmes impatiences et les mêmes fatigues de tout. Oubliant que le lot des femmes est de faire des enfants et de veiller aux choses, elle s'imaginait maintenant, sous les traits de son frère, conquérant les cités glorieuses, faisant boire ses chevaux dans des fontaines de marbre, jetant à ses esclaves l'or et les perles de ses butins. Les prouesses que contait Guillou, c'étaient les siennes. Elle ne se lassait pas de le faire parler.

Après s'être taillé un royaume, les croisés s'y étaient installés comme si c'eût été là le but de la croisade et leur destin. Sans doute, ils étaient partis pour prendre Jérusalem, eh bien, Jérusalem attendrait, on ne pouvait conquérir le monde en un jour. Le pape lui-même décidait de leur laisser le temps d'organiser le pays. Chacun reçut en partage un fief de seigneur. Boniface de Montferrat avait octroyé à Guillou un vaste domaine au couchant des monts Rhodope, seulement séparé par le fleuve Strimon du fief de son compagnon Rambaud de Vaqueras, un troubadour de Provence ardent et triste comme l'amour.

« Et comment nommait-on votre fief ?

— Kokkinokhoria. »

« Kokkinokhoria ! Kokkinokhoria ! » Les enfants se lançaient le mot comme une balle et le regardaient briller au soleil de leurs rêves, et bien d'autres, qui n'étaient pas des enfants, ne se rassasiaient pas de le faire chanter dans leur gorge. Là-bas, expliquait Guillou, cela signifiait « Terre rouge », car telle était la couleur du sol et des rocs, sous les cyprès et les cèdres, parmi des fleurs dont on n'avait pas idée.

Mais la victoire créait chez les croisés les conditions même de leur désunion, en même temps que les Grecs trouvaient dans la défaite le courage qu'ils n'avaient pas eu pour résister. Les Turcs et les Bulgares en profitaient pour attaquer le pays à l'Est. Le marquis de Montferrat et Rambaud de Vaqueras tombèrent dans une embuscade, et les Bulgares envoyèrent leurs têtes au terrible roi Johannitsa. Il n'avait tenu qu'à sa chance que Guillou ne fût pas ce jour-là avec eux. Désormais sans fief ni suzerain, il s'était mis au service d'Othon de La Roche, seigneur d'Athènes et de Thèbes, puis avait rejoint les Vénitiens engagés dans la conquête des îles. Avec Rabano dalle Carcieri, il avait pris Nègrepont, puis Candie, qu'il avait fallu disputer à des pirates génois. Revenu sur le continent, il avait servi un Lombard, le comte Gras, qui, dans la querelle de succession de Boniface de Montferrat, soutenait l'enfant de son premier lit contre le fils de sa veuve Marguerite.

Dans la formidable confusion des ambitions, des marchandages, des opportunités, bien des croisés servirent alors chez les Grecs. Et s'ils étaient pris? demanda Bernard de Saint-Véran, homme à peser tous les risques. Alors, expliqua Guillou, on les faisait monter sur une estrade et on brisait devant eux leur épée et leur lance, on écrasait leur heaume à coups de masse. On souillait de boue leur écu et on l'attachait à la queue d'un âne. Un héraut d'armes couvrait leur nom d'injures, tandis qu'un clerc récitait vigiles funèbres et malédictions. Trois fois, une voix demandait leur nom, et trois fois le héraut répondait qu'il l'ignorait, qu'il n'avait devant lui que des foi-menties. Puis les assistants jetaient de l'eau chaude et des cendres sur les têtes des traîtres et les couchaient de force sur des civières pour les conduire à la chapelle la plus proche où des prêtres disaient sur leur corps la prière des morts — alors on les relâchait, ainsi diffamés, morts à la chevalerie. Mieux sans doute eût valu être pendu l'écu au col, comme on faisait en cas d'urgence.

Ce n'était pas tant le châtiment qui avait dissuadé Guillou de s'engager chez les basileus Michel ou Lascaris : simplement, l'Orient ne l'intéressait plus. Il avait vendu son destrier pour payer son passage, celui de ses chevaux, de ses bagages et de deux esclaves, le frère et la sœur, qui ne le quittaient pas.

« Et maintenant? » demandait Bernard de Saint-Véran.

Guillou ne savait pas lui-même. Il se renseigna sur le pays, sur la croisade, demanda si les croisés tiendraient encore longtemps, s'il valait la peine de s'engager contre eux.

On avait cru, lui expliqua-t-on, que l'immense armée d'Arnaud-Amaury, après les victoires trop faciles de Béziers et de Carcassonne, finirait par s'étouffer sous son propre poids, par se dessécher au soleil, par se perdre dans les solitudes des Fenouillèdes, dans les torrents de l'Ariégeois, par devenir folle d'inquiétude et d'impuissance sous les coups de fouet des soldats d'Occitanie, combattants secs et souples, habiles aux coups de main, aux courses de nuit, sans chariots ni machines de guerre.

On oubliait seulement que cette lourde armée était une croisade, que le pape l'avait voulue, que le fanatisme de l'abbé de Cîteaux la tendait, et que la nourrissait l'avidité de tous ces chevaliers à qui l'on promettait des indulgences et du butin. A chaque fin de quarantaine, des contingents repartaient — ils croisaient ceux qui arrivaient, de Bretagne, de Bourgogne, de Flandre, d'Allemagne, d'Angleterre, venant se ranger sous la bannière au lion de Simon de Montfort, l'homme-forteresse. Face à ce baron sans doute ni scrupules, Raimon de Toulouse et les siens ne pouvaient qu'espérer gagner du temps.

Il s'agissait maintenant d'une guerre entre le Nord et le Sud. Puisqu'ils ne pouvaient détruire l'hérésie — comment détruit-on une hérésie? — les croisés détruisaient les hérétiques, les vrais et ceux qu'on leur désignait comme tels : pour brûler le mal qui était en eux, ils les brûlaient sur des bûchers exemplaires en chantant des Te Deum. Des chrétiens ainsi regardaient se tordre dans les flammes ces Parfaits extatiques, transparents à force de jeûne et de pureté, et juraient que c'était pour la plus grande gloire de Dieu.

On n'en avait jamais fait autant avec les païens d'Orient, et le résultat le plus clair fut que, puisque la croisade confondait l'Occitanie avec l'hérésie, la plupart des Occitans se sentirent solidaires de ces Parfaits et de ces Croyants qui ne mettaient pas la faux dans le blé d'autrui, parlaient de Dieu à mots ouverts et vivaient ce qu'ils prêchaient : on disait même que les Templiers de Sainte-Eulalie accordaient parfois l'asile de leur cimetière à des fidèles de la Nouvelle Religion refusés en terre chrétienne. C'était devenu une guerre atroce. Les barons du Nord et les beaux chevaliers d'Occitanie se conduisaient comme des routiers gallois, échangeant sans frémir horreurs et cruautés. « Vous m'essorillez deux chevaliers ? Je vous en aveugle dix ! » « Vous m'en aveuglez dix ? Je vous en éventre cent ! » Les ennemis qu'on prenait, on les mutilait et on les renvoyait dans leur camp témoigner que la guerre n'était pas finie. Bientôt ne resterait plus rien de ce frémissement nommé Occitanie, pays et chant de liberté.

Actuellement, le gros de l'armée de Simon de Montfort assiégeait le château de Termes, vers Narbonne. Mais au nord, du côté de Laguiole et Séverac, un certain Jean de Beaumont se déchaînait contre les Cathares, qui refluaient sur Rodez, dont le comte n'avait pas pris ouvertement parti, ou s'efforçaient de gagner Toulouse, derrière la montagne, Toulouse qu'on disait être le repaire de la Bête de l'Apocalypse, la Nouvelle Babylone.

Durant toutes les discussions sur la Nouvelle Religion, pas une fois Guillou ne parla de sa mère. Peut-être attendait-il pour le faire ce jour où ils furent seuls, sa sœur et lui, à se promener sur le causse. Ils avaient chevauché loin, comme à l'époque de leur enfance, étaient descendus, pour l'ombre et l'eau fraîche, aux sources du Durzon.

« C'est ici, dit soudain Guillou, que j'ai annoncé à la Dame mon départ pour la croisade.

– Qu'avait-elle dit ?

– Elle m'avait caressé les cheveux... Je crois bien que ce jour-là elle avait envie de vivre... »

Le même ballet des libellules, le même verdoiement de l'eau dans les capillaires, le vacarme des oiseaux dans ce qui restait de feuilles : et pourtant, ce n'étaient plus les mêmes oiseaux, ni les mêmes libellules ni les mêmes eaux...

« Pourquoi, demanda Guillou, s'est-elle faite cathare ? »

Aélis tarda à répondre. Elle aussi regardait passer l'eau. Enfin, d'un geste des doigts, elle brouilla ce qu'elle y voyait.

« A sa place, dit-elle, sans doute aurais-je fait la même chose... Nous sommes des gens à tout vouloir, ne le sais-tu pas ?... Tu resterais, toi, à attendre ?... C'est d'elle que nous tenons cette impatience...

— Moi, je ne sais pas ce que je veux... Mais tant qu'à me faire moine, que ce soit derrière mon épée, comme sire Guilhem au Temple... Au moins, la guerre... »

Il s'interrompit un instant puis reprit :

« Et sire Guilhem, pourquoi s'est-il fait pèlerin ?... Tu l'as vu, toi... Comment est-il ?

— Je ne sais pas, dit Aélis... Loyal...

— A-t-il dit pourquoi on lui a coupé la main ?

— Il n'a rien dit de lui. Seulement qu'il était en règle avec tous...

— Mais comment est-il ?

— Je crois... Je crois qu'il n'a plus envie de rien... Je crois qu'il est mort aussi... »

Ils parlaient, le frère et la sœur, sans aucune de leurs précautions habituelles, sans ces masques qu'imposent la courtoisie ou, simplement, la tranquillité. Ils étaient de connivence parfaite, comme le reflet l'un de l'autre.

Le seul sujet qu'ils n'abordèrent pas, c'était Espérandieu. L'ancien écuyer de Guilhem était arrivé à Constantinople avec Guillou. Là-bas, dans la fièvre du butin, Guillou avait pillé, violé, incendié et de surcroît frappé Espérandieu, qui s'était dégagé de son service et avait regagné Roquelongue. Il n'avait rien dit, mais au pays, on avait compris que quelque chose s'était passé dont le chevalier n'aurait pas à se vanter. Aélis avait plusieurs fois en vain interrogé Espérandieu. Maintenant, son frère en face d'elle, elle n'y pensait plus. Quant à lui, il était assez léger pour oublier tout naturellement ce qui aurait pu l'encombrer.

Quand ils reprirent les chevaux, Aélis dit encore :

« Tu n'as pas l'intention de garder Roquelongue, n'est-ce pas?... Sache que tu es le bienvenu à Saint-Véran, aussi longtemps que tu voudras...

– Grand merci. J'aurai décidé avant l'hiver. »

Quand ils rentrèrent au château, il faisait nuit et déjà on s'inquiétait pour eux : ils en rirent.

« Sire Guillou, demandait la petite Faïs, qu'est-ce qui crie en allant à la rivière et pleure en revenant?

– Dis-le-moi.

– Le seau! »

Faïs était enragée de devinettes; il lui fallait toujours de nouvelles victimes, qui devaient feindre de chercher en vain et s'exclamer quand elle leur donnait la réponse.

« Sire Guillou, qu'est-ce qui chante quand on lui brûle le cul?

– Un chaudron plein d'eau », répondit Guillou.

Il se leva soudain du banc de pierre où il était assis et quitta la fillette interloquée. Le temps de faire seller ses chevaux, et il partait, avec ses esclaves et ses coffres – il reviendrait avant dimanche, jura-t-il.

Il alla droit au château d'Algue, où il demanda à voir Arnaud de Roquefeuil, son ancien protecteur, son ami, et qui était aujourd'hui le suzerain de Roquelongue, celui auquel il devait hommager. C'est Raimon qui le reçut, l'aîné des fils, devenu baron très considérable. Les deux frères avaient été substitués à la seigneurie de Montpellier par un testament de leur oncle que la reine d'Aragon Marie venait de confirmer. Raimon gouvernait l'essentiel des terres de la famille et projetait encore d'agrandir son domaine en épousant Dauphine de Turenne. C'était de lui que relevait Saint-Véran, tandis que les arrière-fiefs de Cantobre et de Roquelongue étaient de la mouvance d'Arnaud, seigneur d'Algues et comtor de Nant.

Raimon était presque seul au château, à se reposer sous un tilleul argenté : il relevait d'une fièvre et n'était pas sorti ce matin chasser avec les autres. Il se montra courtois et distant. Les esclaves ni les coffres ni la soie des Cyclades dont était faite la surcotte de Guillou ne paraissaient l'impressionner. Il refusa de parler des affaires de Roquelongue – il faudrait attendre le retour de son frère – sauf pour regretter la mort d'Aveline et le départ de Guilhem. Il offrit à Guillou du raisin noir dont il mangeait lui-même, et dont il crachait les pépins un à un. Ils parlèrent de la croisade, qui assiégeait depuis deux mois le château de Termes. Raimon, comme presque tous ceux du pays, montrait ouvertement sa sympathie pour les Cathares. Enfin, les guetteurs annoncèrent le retour de la chasse.

Arnaud était maintenant un homme épais, à la chair blême, à la lèvre amère – à nouveau Guillou vit ce que le temps fait aux hommes. Comment avaient-ils pu, dix ans plus tôt, se ressembler au point qu'on les confondait parfois? Arnaud tendit son faucon, un superbe pèlerin aux pattes vertes, à un valet et toisa Guillou sans paraître le reconnaître. Il ne lui avait jamais pardonné de l'avoir quitté.

Guillou sourit. Ni pour séduire ni pour provoquer : seulement parce qu'il voyait bien que ce seigneur au sang lourd serait toujours jaloux de lui.

« Beau sire, dit-il, me voici revenu d'Orient, et je vous sais gré d'avoir pris soin de mon fief durant ma longue absence.

– Les terres d'un croisé sont sacrées », jeta Arnaud.

Il tirait durement la bouche de son cheval. Il avait encore, près de l'œil, la trace du coup de bec que lui avait donné, naguère, le faucon de Guillou.

« Est-ce tout? demanda-t-il brusquement.

– Non, sire, avec votre permission... Je voulais dire aussi que je n'hommagerai plus pour Roquelongue...

J'aimerais seulement que vous fassiez droit au fils de ma mère et du chevalier des Douzes, Tristan... Il sera un bon chevalier, moins inconstant que d'autres... »

Guillou salua comme la courtoisie le lui commandait et fit un geste de la main pour appeler ses esclaves.

Durant toute la descente vers la vallée et tout le chemin de retour, Guillou parut aux anges. En passant sous Roquelongue, il regarda gaiement le château, puis s'arrêta à Saint-Pierre où il offrit au curé Massols une bague de prix afin qu'il dise des messes pour le repos de la Dame. Massols refusa de prononcer le nom d'Aveline dans ses prières.

« Priez alors pour notre famille, dit Guillou. Nous en avons tous besoin ! »

A Saint-Véran, il ne resta que le temps d'acheter à Bernard, contre un fermail précieux, l'un des deux destriers qui s'ennuyaient à l'écurie. A Aélis, il offrit Mélina, son esclave à peau douce, car c'était, à ce moment, ce à quoi il tenait le plus.

Puis il partit, le rire aux lèvres. Les enfants l'accompagnèrent un moment. « Kokkinokhoria », chantaient-ils, et on ne savait si c'était pour souhaiter bonne chance à Guillou ou pour lui dire de revenir vite.

VI

AUX ARMES DE BEAUVAIS

NANT, La Couvertoirade, le pas de l'Escalette : le destin est tel que Guillou suivit exactement, pour quitter le pays, le chemin qu'avait pris trois mois plus tôt, mais en sens inverse, son père pour y revenir. Et ce qui l'attirait là-bas, du côté de Narbonne, c'était justement ce qu'avait fui Guilhem, la guerre.

Les chevaliers sans fortune, sans fief, sans vassaux ni suzerains, pour supporter leur condition la mettent en chanson, l'appellent liberté – et n'ont rien de plus urgent à faire que d'aller brûler à la première flamme les ailes superbes dont ils la parent. Coureur d'aventure que rien ni personne ne retenait nulle part longtemps, préférant la chasse à la curée, Guillou était bien de son temps. Mais la conscience qu'il avait de valoir mieux que son rang en faisait l'un de ces insatisfaits qui finissent dans l'amertume et le mépris.

On lui avait dit naguère qu'il ressemblait à son oncle, ce Milan d'Encausse à qui Roquelongue ne suffisait pas et qui était allé mourir à vingt ans en Terre sainte, du temps de Saladin et de Baudouin le lépreux. Mais l'Orient, Guillou, lui, en revenait. Sept années éclatantes et vaines : quand il aurait distribué ses dernières bagues, ne lui en resteraient plus qu'un peu de poussière rouge au fond de ses coffres et le souvenir des deux fois où le cœur lui a battu. La première, c'était au moment où, depuis son bateau, on bascula contre les murailles de Constantinople, hautes comme des falaises, l'échelle à laquelle il devait grimper sous une averse de flèches, de pierres, de hurlements, dans le fracas de ferraille de ceux qui retombaient sur le pont. La deuxième fois, c'était lors de cette ambassade au palais du basileus, quand son regard avait croisé pour quelques instants d'éternité celui de la princesse Marie de France, sœur du roi Philippe Auguste : il en avait presque défailli. Il avait alors dix-huit ans et ces deux expériences l'avaient marqué pour toujours : plus jamais il n'aurait peur, et plus jamais il n'aimerait.

Maintenant, à vingt-cinq ans, délivré de tout devoir, délié de toute attache, coupé de toute racine, partant continuer sa vie il ne savait où, il se disait avec exaltation qu'il n'aurait même plus où revenir.

En chemin, il ne musait pas. A Nant, il avait engagé un valet – un certain Philippe, plus fort que malin – pour s'occuper des bagages, l'esclave grec se chargeant du soin des armes. Celui-ci, Pélonidas, était prostré. Il n'avait jamais été séparé de sa sœur, et c'était comme si une partie de lui, la plus gaie, la plus tendre, était restée à Saint-Véran. Mais on ne s'émeut que des douleurs que l'on comprend, et Guillou restait insensible aux supplications du jeune homme.

Le pays était désert et brûlé, chauffé à blanc par l'arrière été. Des éclairs rayaient par instants le ciel minéral, laissant des odeurs de silex qui énervaient les bêtes. Quelque part devait s'amasser un orage de fin du monde. On était en pleines vendanges, et le poids de la lumière, l'incandescence de l'air rendaient accablant l'ouvrage ordinairement joyeux qui mène au premier vin. Le grouillement des vendangeurs était comme ralenti, étouffé, silencieux, et les hotteurs hébétés, le regard vide, titubaient autour des pressoirs comme s'ils étaient ivres.

Mais Guillou ne s'intéressait qu'aux traces laissées par la croisade dans le paysage. Au creux de la fournaise, il reniflait comme un chien le passage de la guerre. Après Minerve, il n'y eut plus de doute : la piste était chaude. Tout était dévasté, les champs, les vergers, les greniers. Les vivandiers étaient pires que les sauterelles.

On ne voyait personne. Il n'y avait guère, dans les vignes ravagées, que quelques grappilleuses en haillons qui s'enfuyaient au premier bruit et s'abolissaient dans le brasillement de l'air au-dessus de la garrigue. Guillou, par chance, vit l'une d'elles disparaître dans une grotte. Il la suivit et arrêta son cheval devant la bouche fraîche de la montagne. Il appela. Une vieille femme édentée apparut, se jeta à genoux. Il lui demanda à manger. Elle alla chercher trois fromages en train d'égoutter. En paiement, il lui jeta l'une de ses dernières pièces. La vieille la regarda, fascinée, n'osant même pas la ramasser : il y avait là de quoi acheter un troupeau.

Vers Carcassonne, le troisième ou le quatrième matin, ils entendirent, venant d'un bosquet d'arbousiers, une plainte étrange, inoubliable. Guillou fit signe à Pélonidas, qui contourna le bosquet et revint presque aussitôt, pâle comme un mort. Guillou à son tour poussa son cheval, qui renâclait, naseaux frémissants.

Il y avait là, dans une petite clairière d'herbe pelée, une dizaine d'hommes assis ou étendus, certains à demi nus, tous mutilés et sanglants. Ils rampaient, se tordaient. Un seul était immobile, le seul d'ailleurs qui paraissait intact : un vieux sergent qui portait sur la poitrine la croix rouge des croisés. Guillou s'approcha. Sauf le sergent, tous les autres avaient les yeux crevés. A trois d'entre eux, on avait en outre coupé la main droite – sans doute des chevaliers pour qu'ils ne puissent plus tenir l'épée. Aux fantassins, on avait tranché le nez et la lèvre supérieure, comme les croisés avaient fait, à Bram, à cent défenseurs d'Occitanie.

L'horreur, ce n'était pas tant le sang, l'odeur de viande ou l'aspect de ces visages, ce n'était même pas cette plainte funèbre, cette mélopée d'enfer, l'horreur, c'était que ces hommes aux peaux blêmes, rampant dans la poussière, on aurait dit un nid de larves retourné par un soc.

Guillou partagea entre eux le peu d'eau qu'il avait et interrogea le sergent, qui ne parlait que la langue de France. Malgré tout, Guillou finit par comprendre qu'ils avaient été surpris alors qu'ils cherchaient du ravitaillement pour la troupe de l'évêque de Beauvais, qui participait au siège de Termes. Lui-même n'avait été épargné que pour ramener les suppliciés au camp, à titre d'exemple.

Guillou ordonna aux hommes de se taire et de se lever : il allait les reconduire. Comme si leur plus grande peine était de se sentir abandonnés, ils se turent peu à peu – la plainte se tarit comme une eau – et se mirent sur leurs jambes, étendant leurs bras autour d'eux; ceux dont la main avait été tranchée protégeaient leur moignon contre leur poitrine. Les mouches les harcelaient. Guillou monta son destrier, laissant son palefroi à deux des chevaliers et faisant monter le troisième derrière Pélonidas. Les quatre vivandiers étaient reliés à une longe que tirait le sergent. Le nuage de mouches les suivit jusqu'à Termes.

Termes, c'était, moitié ciel moitié granit, découpé dans la montagne par un torrent, un des plus formidables châteaux des Corbières. Il commandait la rive droite de l'Aude et menaçait Narbonne. Il fallait avoir Dieu sur ses bannières pour oser l'assiéger.

Mais aussi formidable était le camp de la croisade. Partout des tentes, des étendards dressés, des chariots, des vagues de chevaux encordés. D'un bord à l'autre de la demi-cuvette de montagnes, il n'y avait d'espace libre que le tracé des allées. Guillou retrouva dans cet entassement la même impression de lenteur que dans les vignes du Minervois. Là aussi la chaleur verticale étouffait les gestes et les voix, pesait sur les membres. Le seul bruit qu'on entendait était un lourd battement, régulier comme un cœur puissant et lent : une pierrière géante qui balançait des morceaux de rochers contre les murs de la forteresse.

Tout aurait paru pour ainsi dire paisible, mais les croisés ! Vautrés dans l'ombre des tentes, maigres, las, les yeux méchants, ils semblaient prêts à mordre – il n'y a que la faim pour donner aux hommes cet air-là. Ils étaient arrivés en août et avaient depuis longtemps épuisé le pays. Les colonnes de ravitaillement étaient obligées de s'aventurer de plus en plus loin, s'offrant aux embuscades et aux coups de mains des Occitans.

A la suite du vieux sergent, qui tirait toujours son chapelet de suppliciés, Guillou traversa le camp jusqu'aux quartiers du centre où se tenaient les gens de Philippe de Dreux, évêque comte de Beauvais. L'évêque lui-même était devant sa tente, assis sous un dais rouge, robe relevée, jambes écartées pour se donner un peu d'air. Quand il vit qu'on arrivait, il fit signe à un chapelain, qui posa sur la broussaille grise de ses cheveux la mitre épiscopale. Reconnaissant ses vivandiers et les trois chevaliers d'escorte, il se leva d'un bond en jurant :

« Tripes ! Ventre ! Quel est le...

– Pierre Roger de Cabaret, coupa le sergent avant que l'évêque ne s'étouffe de rage. Et il a dit...

– Je sais ! Il a dit qu'aucun croisé ne quitterait entier le pays de Corbières à moins de partir de son bon gré ! »

Le vieux sergent baissa la tête :

« Oui, sire. »

L'évêque le singea :

– « Oui sire, oui sire »... J'envie les empereurs de Rome qui jetaient aux lions les imbéciles et les porteurs de mauvaises nouvelles...

– Oui, sire.

– Tripes !... Va-t'en ! Va soigner ceux-là ! »

Il alla vers les aveuglés et haussa la voix, comme s'ils n'entendaient plus :

« Vous, dit-il, je vous vengerai ! »

Enfin, il se tourna vers Guillou, qui se présenta. L'évêque appela son interprète, un clerc largement tonsuré, à qui Guillou expliqua les circonstances de sa découverte. L'autre traduisit. L'évêque était toujours en rage :

« Grand merci, vraiment ! Beau cadeau ! Comme si je n'avais pas assez de peine à nourrir ceux qui peuvent encore se battre !... Remercie-le quand même... »

Il regardait la forteresse, là-bas, en face, irréellement bleue dans cette lumière de verre, fermait les poings, serrait les dents, la défiait du menton. Cet évêque-là, on disait qu'il était né le juron à la bouche et l'épée à la main.

Cousin du roi de France, il avait fait ses premières armes quand Henri Plantagenêt s'était mis à construire des forts aux limites de son évêché. Depuis, sa mitre coiffant son heaume, toujours à la tête de ses troupes, on le voyait plus souvent sur le champ de bataille que dans sa sacristie. Il avait déjà connu les prisons de Terre sainte et couru les chemins de Compostelle quand s'était formée la croisade des rois : il était parti avec Philippe Auguste et s'était démené comme un forcené dans les fossés d'Acre. A peine revenu dans le Beauvaisis, il avait repris sa guerre privée contre l'Anglais et le Normand, profitant de l'absence de Richard Cœur de Lion, emprisonné en Allemagne. C'est lui, alors, que Philippe Auguste avait chargé de prolonger à tout prix la captivité de Richard. Ce qu'il avait fait avec tant de zèle que Mercadier, le chef de routiers et l'ami du roi d'Angleterre avait juré de le venger – il y parvint un peu plus tard, dans une escarmouche de frontière, blessant et capturant l'évêque de Beauvais.

Philippe Auguste avait protesté auprès du pape : on n'emprisonne pas un évêque. Mais Richard, recevant les remontrances du pape, avait fait parvenir à Rome l'épée du prélat et son haubert couvert de sang – étaient-ce là, demandait-il, vêtement et instruments convenables pour un serviteur de Dieu dans une guerre entre chrétiens? Innocent III avait dû convenir que l'évêque était indéfendable. Les Anglais l'avaient laissé deux ans au cachot avant de l'admettre à rançon. Il avait dû aussi s'engager à ne plus jamais porter l'épée. Pour respecter la lettre de son serment, il utilisait depuis une masse d'armes, un terrifiant casse-tête hérissé de pointes de fer, au manche serti de pierres précieuses, avec lequel il distribuait ce qu'il nommait plaisamment ses « bénédictions ». Il avait aussi cessé de jurer par le ventre du Christ ou par les tripes de Dieu, se limitant désormais à « Tripes! » et « Ventre! ».

Depuis dix ans qu'il était sorti de prison, il continuait à guerroyer au hasard des occasions, attendant le moment de se venger de l'Anglais. Cette croisade venait à point pour empêcher que sa masse ne se rouille. Et cette fois, même le pape n'avait rien à redire, au contraire : il s'agissait d'une guerre sainte, et ce Ramon de Termes était depuis longtemps excommunié : la messe, disait-on, n'avait pas été célébrée au château depuis plus de trente ans.

L'évêque toisait Guillou, qui ne s'émouvait pas, puis se rasseyait et relevait sa robe sur ses genoux :

« Demande-lui ce qu'il veut pour récompense! jeta-t-il à son interprète. Dis-lui seulement que je ne le convierai pas à ma table. Je n'ai à lui offrir que de l'or et de l'ombre.

– De l'ombre, répondit Guillou, qui demanda le droit de rester quelques jours au camp de Beauvais.

– Exactement ce que demanderait un espion, marmonna l'évêque... Dis-lui que nous l'invitons volontiers, à charge pour lui de trouver sa nourriture, celle de ses gens et celle de ses chevaux... »

Guillou fit planter sa tente à un emplacement resté libre par suite du départ d'un chevalier arrivé en bout de quarantaine. Beaucoup en effet parlaient de quitter la croisade – et certains commençaient à le faire – plutôt que de mourir de faim. En vérité, ils eussent peut-être pu supporter davantage, mais on savait déjà qu'il n'y aurait ni pillage ni butin : on était sur les terres confisquées à Trencavel et attribuées à Simon de Montfort, nouveau comte de Béziers.

L'histoire des guerres ne manque pas d'assiégés affamés, mais d'assiégeants! Il fallait bien de la vertu aux chefs de la croisade pour se soumettre à la tyrannie de la faim alors qu'il leur suffisait de trouver un prétexte pour lever le siège. Mais ce qui les tenait le plus c'est qu'ils avaient appris qu'il n'y avait pratiquement plus d'eau au château. En bas, la faim; en haut, la soif. Qui céderait? Chacun savait que la première averse sonnerait la défaite de la croisade – à moins que les assiégés n'aient dû se rendre avant. Chaque matin, l'abbé Arnaud-Amaury faisait dire des prières spéciales pour qu'il ne pleuve pas. Ensuite seulement on célébrait la messe et on demandait à Dieu qu'Il pourvoie à la nourriture de Son armée.

Singulière épreuve d'endurance, sous le ciel des Corbières nu comme un métal. Le soir, le vieux Ramon de Termes coiffait son chapeau doré pour assister au spectacle de croisés se battant autour des épluchures que leur jetaient les assiégés, coursant les rats dont on débarrassait le château. D'en bas, on répondait en vidant avec ostentation des seaux d'eau dans la terre desséchée. Tout un rituel ainsi s'était instauré : quolibets, défits éclatants, parades. Mais on ne pouvait qu'attendre.

Chaque jour qui passait était revendiqué comme une victoire par les deux camps. En haut, parce qu'on se rapprochait inéluctablement de la pluie : on n'avait jamais connu d'octobre sans eau. En bas, parce qu'on savait que chaque heure affaiblissait les assiégés, leur séchait la gorge, leur gonflait la langue.

Guillou prit vite le rythme du camp. Il s'était aperçu que l'évêque de Beauvais le faisait surveiller, mais ne s'en inquiétait pas. Les hommes, affaiblis, étaient dispensés d'exercice. Ils consacraient tout leur temps et toutes leurs forces à chercher de quoi manger. Les heures des repas étaient les plus pénibles à traverser. Le tintement des chaudrons allumait des incendies dans les cervelles, jusqu'au moment où la puanteur d'improbables fricots retournait les estomacs torturés.

Les seuls à bénéficier d'un traitement de faveur étaient les hommes de l'archidiacre de Paris, Guillaume, le maître des machines de siège. Celui-là était un patient, un tranquille; pour tout dire, un pilonneur. Il savait qu'il n'y a pas de mur qui ne s'effondre un jour – le dernier à tomber sera celui de Jéricho. Il inventait des machines, les faisait construire, choisissait son emplacement, évaluait, calculait, dirigeait le tir, et regardait, avec la satisfaction d'un bon ouvrier, le château ennemi s'écrêter, s'étêter, se lézarder, s'effondrer peu à peu. Son équipe de charpentiers, de charrons, de tailleurs de boulets, de tendeurs, de graisseurs, lui était absolument dévouée. Elle coûtait cher, mais son efficacité était remarquable.

Au début du siège, les gens de Termes s'approvisionnaient en eau dans la Sou, le petit torrent qui passait au pied de la forteresse. Ils y accédaient par un passage voûté à flanc de rocher, jusqu'au jour où l'archidiacre Guillaume en avait fait son objectif et en avait détruit la protection. Maintenant, il battait les murs, qui commençaient à se fissurer gravement çà et là. Avec application, Guillaume agrandissait les plaies, frappait, martelait. Au point que Ramon de Termes décida de faire une sortie pour détruire la grosse pierrière installée au Termenet, un poste avancé du château depuis longtemps pris par les croisés.

Ainsi se joua le sort de Guillou. Il était là depuis trois jours et s'apprêtait à quitter ce camp immobile, cette croisade prostrée pour aller manger plus loin. La farine ne lui manquait pas encore, mais les chevaux n'avaient plus rien. Guillou était déçu. Il avait espéré une sorte de tournoi, ou, comme ces dernières années en Grèce, un tourbillon de mêlées, d'escarmouches, de batailles surprises ou convenues. Cette attente figée le décevait. Il avait donc donné l'ordre au valet et à Pélonidas de faire le bagage et de préparer les chevaux.

C'est alors qu'on entendit, là-bas, la clameur d'une troupe d'assiégés quittant le château et courant vers le Termenet. Les assaillants, peut-être soixante ou quatre-vingts hommes, se gênaient sur l'étroite bande de rocher. Certains d'entre eux portaient des torches enflammées : c'est donc qu'il s'agissait d'incendier les pierrières de l'archidiacre.

Du camp soudain réveillé — on était à l'heure de la sieste et une lave de lumière blanche coulait des montagnes — on vit les servants s'enfuir en désordre. Les chevaliers chargés de défendre les machines étaient au nombre de cinq. Ils se dressèrent, l'épée à la main. A cinq, ils ne tiendraient pas longtemps. Simon de Montfort fit sonner l'appel aux armes. Mais le temps de passer les hauberts, les baudriers, les heaumes...

Déjà, les chevaliers n'étaient plus que quatre, puis trois, puis deux. Un seul maintenant faisait front, mais il se battait comme cent. Guillou sauta sur son palefroi pommelé, harnaché pour le départ. Aussitôt au galop, il fendit le camp et gagna sans ralentir la croupe rocheuse où l'on se battait. Il était en tunique, sans heaume, sans écu, et même sans épée, mais on ne calcule pas ces affaires-là. Dans le camp, la main en visière sur les yeux, tout le monde se demandait qui était ce cavalier blond, et de quel parti. Allait-il secourir le dernier chevalier face à la meute, ou au contraire le prendre à revers ?

Le chevalier superbe tenait toujours, entaillant à chacun de ses terrifiants moulinets le mur de ses adversaires, ne reculant que pas à pas. Mais les autres pourtant commençaient à le déborder, ils allaient bientôt l'adosser aux structures de la grande machine. Guillou cria de loin, éperonnant au sang les flancs de son cheval. Arrivé près de la pierrière, il se laissa bouler au sol tandis que le palefroi emballé allait donner contre les assaillants, le poitrail crevé de vingt poignards. Guillou arracha un écu de l'avant-bras d'un chevalier décapité et ramassa une épée. Déjà les autres revenaient à la charge, lançaient par-dessus le chevalier français des torches enflammées. Guillou se plaça près du chevalier, dont le souffle rauque disait l'épuisement. Ce qui l'étonna le plus, c'était que les ennemis étaient de la même peau et de la même langue que lui-même : il entendait leurs jurons, leurs appels. Mais au diable les questions. Le cœur gonflé de joie, il abattit son épée.

De Termes, une trompe rappela les assaillants : derrière Guillou arrivaient maintenant les premiers Français. La pierrière était sauvée. Le siège continuait.

L'évêque de Beauvais fit appeler Guillou. Il était devant sa tente, en haubert, sa masse à la main, navré de n'avoir pas eu le temps d'aller donner quelques « bénédictions ». Il complimenta Guillou par le truchement de son interprète, dit en riant qu'il l'avait pris pour un espion et lui proposa d'entrer à son service. Il recevrait huit sous par jour et cinq pour son écuyer si celui-ci combattait. Guillou accepta aussitôt.

Une heure plus tôt, sommé de choisir entre les deux camps, il aurait sans doute hésité longtemps. Maintenant, on lui cousait une croix vermeille sur la poitrine, on vérifiait qu'il était bien armé, on lui offrait de choisir un cheval pour remplacer le sien. Extraordinairement, il pensait à sa sœur Aélis, qui devait se morfondre à Saint-Véran. Il se demandait ce qu'elle aurait dit, à le voir en croisé. L'idée que peut-être il trahissait le pays ne l'effleura pas, ni celle qu'il se rangeait sous les bannières de ceux qui avaient brûlé sa mère. S'il pensait à Aélis, c'était que l'évêque de Beauvais, son nouveau maître, était pair de France et cousin du roi. A lui, maintenant, de savoir profiter de sa chance. En attendant, comme tout le monde, il creva de faim.

On était à la fin d'octobre, les jours se faisaient courts et il n'avait toujours pas plu. Des troupes entières quittaient la croisade, malgré les menaces d'Arnaud Amaury et les interventions de Simon de Montfort. Guillou put apercevoir l'un et l'autre, alors qu'ils marchaient de long en large, un matin, en combinant quelque espoir. Le contraste était total entre l'homme de guerre et l'homme de Dieu. Simon de Montfort était un baron pesant, épais, avec un sillon profond entre les yeux et un bourrelet de chair dure sur la nuque, la peau du visage noire et le front blanc, lent à marcher et à parler, indéracinable, indécourageable. Arnaud Amaury, dans sa robe blanche[2], était au contraire un de ces fanatiques blêmes et froids coulés dans la pâte molle des cierges. Peut-être, pensa Guillou, seraient-ils les deux derniers des croisés à tenir le siège...

Mais non. Ramon de Termes demanda à négocier la reddition du château : les affamés avaient raison des assoiffés. Aussitôt, les évêques de Beauvais et de Chartres avertirent qu'ils partaient, pour être chez eux avant l'hiver. La femme de Simon de Montfort, Alix, les supplia de « ne pas tourner le dos aux affaires du comte Jésus-Christ ». L'évêque de Chartres différa son départ, mais celui de Beauvais se mit en route, laissant quelques hommes, dont Guillou, pour qu'il ne fût pas dit que les troupes de Beauvais n'étaient pas là. La pierrière se tut.

Simon de Montfort lui aussi était fatigué. Il accepta les conditions de Ramon de Termes : le château serait ouvert le lendemain matin, mais on le lui rendrait pour Pâques. De toute façon, il n'y avait pas, en haut, de ministres cathares. Long et douloureux, le siège tournait court.

Or dans la nuit, imprévisiblement, éclata l'orage qui depuis deux mois mûrissait dans le cristal du ciel. Un de ces orages fous du Bugaratch, fracassant, tonnant de cent mille tonnerres, déchirant la nuit de cent mille éclairs, lavant à grande eau la peau brûlée de tous ces hommes nus qui, la bouche au ciel, criaient et dansaient le sabbat de la naissance du monde. Quant, au matin, la pluie cessa, le bonheur des assiégés était accompli. En bas, c'était l'atterrement.

Simon de Montfort envoya son maréchal, Gui de Lévis, se présenter comme convenu à la porte du château. Il ne reçut que plaisanteries et insultes. On jeta même sur son escorte un seau d'eau : on n'en manquait plus. Le vieux Ramon de Termes coiffa son casque doré et, montant aux remparts, cria en riant que Dieu avait choisi son camp.

L'évêque de Chartres à son tour partit. Les rangs se clairsemaient d'heure en heure. Le camp se resserrait. Arnaud Amaury, refusant de croire à la trahison de Dieu, cherchait dans la prière le sens de cette épreuve. Guillou se demandait s'il avait choisi le bon parti. Nul ne put dire pourquoi Simon de Montfort décida de rester. Mais le fait est qu'il resta, lourd, silencieux. On venait lui annoncer les premières neiges sur les monts d'Espagne, on lui racontait ces vents noirs et glacés qui allaient dévaler des montagnes, fouailler les replis du granit et déchirer la peau des hommes. Comme s'il n'entendait pas, il donna l'ordre à Guillaume de Paris de reprendre le bombardement du château – et le cœur de la croisade recommença de battre.

Or tout se jouait ailleurs, au château même. L'eau tombée du ciel avait rempli des citernes souillées par la présence de vermine, de bestioles – et, en trois jours, l'eau avait pourri. Les défenseurs commencèrent à se liquéfier sous eux, à mourir dans d'atroces douleurs de ventre. Quand il vit qu'ils y resteraient tous, Ramon de Termes réunit un soir les hommes encore valides : il connaissait un passage à flanc de rocher qui leur permettrait de gagner la Catalogne. Simon de Montfort, dit-il, épargnerait les femmes. Ils se glissèrent dans la nuit. Un seul des fugitifs fut repris : Ramon de Termes lui-même, qui fit soudain demi-tour sous prétexte qu'il avait oublié ses bijoux. C'était peut-être un subterfuge pour sauver ses soldats, de la part de ce vieil homme de guerre incapable d'abandonner son château[3].

Au matin, Simon de Montfort entra dans Termes.

Ce qui restait de la croisade ne s'attarda pas. Les hommes avaient faim. Ils traversèrent le Razès, surgirent en Chercob, où le joli château de Puivert fut investi en trois jours; de là, ils gagnèrent à marches forcées la Montagne noire et l'Albigeois. Les bourgeois de Castres livrèrent leur ville sans combattre – on fit enfin bombance.

La mi-novembre était passée quand Guillou et les derniers sergents de l'évêque à la massue repartirent pour Beauvais. Une chance que Guillou ne fût pas seul : Beauvais, il ne savait même pas où chercher cette cité-là.

VII

CELUI QUI NE RÊVAIT PLUS

PONS, l'abbé de Conques, était un homme maigre et voûté qui devait jeûner plus souvent qu'à son tour. Il avait dans les yeux les flammes de ceux qui réduisent leur corps à rien, mais paraissait, sous sa couronne de cheveux blancs, extrêmement bienveillant : il ne faisait payer sa vertu à personne. Les mains cachées dans ses amples manches, il écouta avec attention Guilhem lui raconter l'incroyable aventure de ce rêve soudain matérialisé, ne lui posant que quelques questions : quand cela s'était-il passé? en quelles circonstances? Cela lui était-il déjà arrivé? Il s'efforça de calmer l'inquiétude de Guilhem : il était ici sous la protection de sainte Foy, dans une maison où tous l'aideraient de leurs prières. En attendant que le chapitre délibère sur son cas, qu'il prenne donc un peu de repos — avait-il soif? désirait-il qu'on lui serve quelque collation?

« Mais, dit Guilhem, je dois partir! Je suis en chemin pour Compostelle.

— Je ne peux décider seul, répondit l'abbé. Ni de vous garder ni de vous laisser sortir.

— Quand votre chapitre doit-il se réunir?

— Sous quelques jours.

— J'ai fait vœu, répéta Guilhem.

— Intention parfois vaut action... Ce qui compte,

mon fils, c'est votre désir de partir, et dont je peux témoigner... »

Il s'approcha de Guilhem en souriant :

« Saint Jacques ne vous en voudra certainement pas de rester quelques jours chez sainte Foy... D'ailleurs, je vois que vous souffrez des pieds... »

On conduisit Guilhem à une cellule nue : un bat-flanc, sur lequel était roulée une peau de mouton, un tabouret et, dans une niche murale, une statuette peinte de sainte Foy. On lui porta un repas et un baquet d'eau chaude pour qu'il puisse se laver; puis le frère infirmier vint lui panser les pieds, lui laissant en partant des chaussons de feutre.

C'était déjà le soir. Il se glissa sous la peau de mouton, mais ne dormit guère. La nuit était un puits sans fond, et il épiait l'eau noire du silence. Il entendit les allés et venues des moines allant dire leurs heures. Au Temple, en Terre sainte, les chevaliers étaient le plus souvent dispensés de ces offices nocturnes, de façon à garder leurs forces pour les exercices armés, les patrouilles et les escortes. Evidemment, le rôle des moines n'était que de prier, mais Guilhem n'avait jamais mesuré de quelle épaisseur était ce bouclier mystique tendu au-dessus de la terre, ni de combien de prières, comme autant de fils d'or et d'argent, il était tissé, chants et murmures, psaumes, litanies, Pater montant de toutes les abbayes d'Occident. Ainsi l'espace entre la terre et Dieu n'était jamais abandonné aux anges des ténèbres. Il s'endormit au matin et rêva qu'il rêvait, mais quand les moines l'interrogèrent, il ne se rappelait plus rien.

Ce jour-là, on l'emmena dans le chœur de l'abbatiale, devant la statue merveilleuse de sainte Foy, recouverte de lames d'or pur, de pierres précieuses, de cabochons et d'émaux de Limoges. Une cavité s'ouvrait dans son dos, où logeait une partie du crâne de la sainte. On raconta avec fierté à Guilhem comment, avant l'an mille, la pauvre communauté de bénédictins qui s'était installée ici, dans la sauvagerie du Dourdou, avait chargé l'un de ses moines, Arriviscus, de trouver une relique pour attirer les visiteurs. Cet Arriviscus se fit admettre dans une abbaye d'Agen où les pèlerins se pressaient pour adorer les Vénérables Restes de sainte Foy. Là, il resta dix ans. Enfin, il fut désigné comme gardien des reliques – et s'enfuit aussitôt avec le crâne de la petite martyre, qu'il rapporta à Conques. Alors commencèrent à affluer les pèlerins, en telle quantité qu'on put entreprendre et achever cette abbatiale. Et la preuve que la sainte se trouvait bien ici, c'est qu'elle ne cessait d'accomplir des miracles – et peut-être la vision de Guilhem était-elle le dernier en date...

Il resta longtemps en contemplation devant la statue, envoûté par l'étrangeté de son visage, par la fixité de ce regard qui paraissait voir l'invisible d'au-delà les apparences. Enfin, on le reconduisit dans sa cellule. On lui laissa une clochette, afin qu'il puisse appeler s'il était le siège d'un nouveau rêve. On avait toutes les prévenances à son égard, mais il était bel et bien prisonnier.

Il resta seul jusqu'au jour où se tint le chapitre de l'abbaye, que présidait l'abbé Pons. Deux fois déjà dans sa vie Guilhem avait eu à comparaître ainsi : une fois à Acre, après sa captivité chez les Infidèles; l'autre fois à Provins, pour s'entendre exclure de l'Ordre. Mais le chapitre des moines de Conques n'était pas aussi inquiétant que celui des chevaliers du Temple. D'abord, l'abbé Pons mis à part, c'étaient de bons gros, nourris de pain, de fèves, d'huile et de vin; leur comportement aussi était différent : pas une fois ils ne cherchèrent à troubler Guilhem, pas une fois ils ne le menacèrent. Au contraire, ils le mettaient en confiance, parlant doucement, ouvrant de grands sourires sur leurs gencives édentées de mangeurs d'herbes – comme pour dire qu'ils ne mordraient pas. Ce qu'ils tentaient d'élucider, c'était le sens à donner au fait que Guilhem avait rêvé l'exacte composition du tympan de l'abbatiale avant de le voir et sans que personne ne le lui ait jamais décrit.

Signe de Dieu? Coïncidence? Mais Dieu n'est-il pas le maître des coïncidences?

Le chapitre fut vivement intéressé par le passage de Guilhem au Temple, par ses descriptions de Jérusalem, par son esclavage et sa mutilation. A leurs yeux de reclus, il paraissait vraiment d'une espèce différente.

Enfin, Pons prit l'avis de chacun d'eux et décida : l'intervention spécifique de sainte Foy ne lui paraissait pas clairement établie dans le rêve prémonitoire de Guilhem. Mais peut-être une deuxième vision viendrait-elle éclairer la première. Guilhem était donc expressément invité à passer l'hiver à l'abbaye. On le logerait, on le vêtirait, on le nourrirait, et chaque jour il rendrait compte de ses rêves.

Pour Guilhem, c'était la chance d'exorciser le souvenir de ce cauchemar. Mais son voyage?

« Votre voyage, le rassura l'abbé, mais il a commencé du jour où vous êtes né... Nous sommes tous en voyage, et Dieu est le maître du chemin... De toute façon, on ne passe pas en hiver les montagnes des Pyrénées... Offrez donc votre impatience à Dieu... C'est la première des sept épreuves qui vous attendent... »

Les autres approuvaient aimablement. Guilhem se rendit à leurs raisons. Il demanda seulement à ne pas rester inactif. C'est ainsi qu'on le mit à la disposition du cellerier, le troisième en importance des dignitaires du couvent, chargé de toute l'intendance de l'abbaye.

Chaque soir, après complies, à l'heure indécise du crépuscule, quand les moines allaient dormir, Guilhem, une lanterne allumée à la main pour qu'on le reconnaisse, faisait le tour des bâtiments de l'abbaye, inspectait le parloir, le garde-manger, le réfectoire, l'infirmerie, puis les granges, l'écurie, la basse-cour, le cellier, le bûcher. Il n'entrait pas dans l'abbatiale, où des gardes veillaient jour et nuit – ils y prenaient même leurs repas – autour du trésor. Son travail était seulement de vérifier que les portes étaient bien fermées et que tout était normal. A minuit, quand la première chandelle achevait de brûler, il allait avec le veilleur appeler les moines dans le dortoir et frapper à la porte des cellules où dormaient les supérieurs. La pénombre s'emplissait de silhouettes silencieuses glissant vers le chœur d'où bientôt montait la paix égale des psaumes. Alors Guilhem allait se coucher. On le laissait s'éveiller à son heure : plus il dormait, plus il avait de temps pour le rêve.

Il logeait maintenant dans une aile de l'abbaye aménagée en hospice à pèlerins. Mais rares étaient les voyageurs qui s'aventuraient sur les chemins à partir de novembre, et ils n'étaient que deux, outre Guilhem, à occuper en permanence la vaste salle : l'homme aux yeux neufs, qui passait l'hiver ici en attendant de reprendre son estrade pour les grands rassemblements du printemps, et un vieillard squelettique qui ne quittait pas son lit. C'était un ermite du voisinage à qui sainte Foy était un jour apparue dans la gloire de son martyre; elle lui avait demandé de chanter chaque jour sa louange, afin d'amener à elle des pécheurs et des malheureux. Les moines l'avaient installé dans une grotte qui surplombait le grand chemin, et les pèlerins ne manquaient jamais d'aller le voir, d'autant qu'il commençait lui-même à faire des miracles. On se piétinait pour l'approcher, pour toucher ses vêtements; comme il se baignait chaque semaine dans un creux de rocher, les plus exaltés des visiteurs buvaient même l'eau de son bain. Dans leur ferveur, ils avaient malheureusement renversé l'ermite, qui s'était cassé un os de la hanche. Il n'y avait pas grand soin à lui donner, mais il jurait d'être debout au printemps. Quand il ne dormait pas, il chevrotait des litanies confuses dans la filasse pisseuse de sa barbe.

Soudain, Guilhem comprit pourquoi on s'intéressait tant à ses rêves : les moines devaient songer à remplacer l'ermite. S'ils parvenaient à lier expressément à sainte Foy la vision de ce Templier manchot, ils en feraient l'un de leurs hérauts, avec l'homme aux yeux neufs. Dans cette région ingrate, l'abbaye n'avait comme ressource que la charité des pèlerins pour subvenir aux besoins des moines, à l'entretien de l'immense église et à l'enrichissement du trésor. Or si sainte Foy suffisait à attirer les visiteurs en foule, encore fallait-il les inciter à déposer devant le reliquaire leurs prières et leurs offrandes : le mieux était encore de les convaincre que ce qui était arrivé à d'autres pouvait leur arriver à eux.

Mais sans doute Guilhem n'avait-il pas l'âme d'un bateleur : de ce moment, il ne connut que des nuits sans rêves utilisables. Parfois, au matin, il lui suffisait d'ouvrir les yeux pour que s'évanouissent d'irrattrapables images. Il arriva aussi que des femmes visitent ses songes, comme Zaynab, la servante de Saint-Abraham, ou une inconnue au ventre brûlant — mais il n'y avait rien là pour l'édification des moines ou la gloire de sainte Foy. Il n'en parlait pas.

On le fit manger plus, boire davantage. On le laissa des heures devant la statue de la sainte. On le mit au jeûne. En vain. Ses nuits restaient désertes. Au point qu'on finit par se demander s'il n'y avait pas là quelque intention divine.

Pour un peu, les songes de Guilhem auraient fini par régler la vie de Conques. Heureusement pour lui, des visiteurs vinrent faire diversion : des Croyants cathares chassés par les croisés de Jean de Beaumont. Le chapitre prit la décision de les nourrir et de leur offrir les trois jours d'hospitalité que la Règle réservait, l'hiver, aux pèlerins : ainsi verraient-ils que tout n'était pas sur cette terre aussi mauvais qu'ils le professaient. Mais il ne put faire plus : l'abbé qui menait la croisade, Arnaud Amaury, était lui aussi un moine.

Peu après arrivèrent un homme et une chèvre qu'il appelait Colomba. L'homme, Quarèmentrant, était berger près de Nasbinals. Un jour qu'il était au pré avec ses chèvres, des loups – « aussi nombreux que les étoiles », dit-il – encerclèrent le troupeau. Il n'avait eu que le temps de grimper dans un arbre pour assister, impuissant, au carnage. D'une branche basse, il avait pu crocher une chèvre par les cornes et la monter avec lui. Il avait alors juré, s'il en réchappait, d'aller remercier saint Jacques de Galice. Deux jours les loups avaient tourné sous l'arbre, et deux jours il avait tenu la chèvre dans ses bras. Enfin, les loups s'étaient éloignés. Pour s'assurer que ce n'était pas une ruse, il avait déposé la chèvre à terre – comme Noë avait lâché la colombe – et avait attendu encore une journée. Voilà pourquoi il l'appelait Colomba. Elle aussi ferait le chemin de Compostelle.

Vinrent le froid et la neige. L'ermite déclinait de jour en jour. Guilhem s'était pris d'amitié pour l'homme aux yeux neufs et pour Quarèmentrant, un compagnon robuste et habile de ses mains, qui avait toujours le mot et le geste justes. Il avait obtenu l'hospitalité des moines en attendant le printemps, à charge pour lui de fendre tout le bois dont on avait besoin aux cuisines.

Durant l'hiver, saison morte du pèlerinage, l'abbaye se repliait sur elle-même. La vie s'y étirait sans une saute, sans un manque, rythmée par la Règle. Chaque samedi, on nettoyait et on rangeait, toutes les deux semaines, les hommes passaient à l'étuve, tous les mois ceux qui le désiraient pouvaient se faire saigner. Au réfectoire, on lisait en alternance avec le récit de l'exploit d'Arriviscus les vies pieuses de saint Benoît et de sainte Foy. Le soir, par les grands froids, les moines allaient prendre dans le chauffoir, la seule salle de l'abbaye où l'on entretenait du feu, un pichet de vin chaud à la cannelle; certains se servaient dans un chaudron accroché à la crémaillère, d'autres préféraient tremper dans leur pichet de vin froid un tisonnier rougi au feu.

Guilhem continuait ses tournées du soir, allant quel

que fût le temps du réfectoire à l'écurie, de l'écurie au bûcher, du bûcher au cellier. Dans les bourrasques ou sous les étoiles glacées des nuits immobiles, il écoutait les loups chanter la mort. Quand il avait réveillé les moines pour l'office de matines, il allait au chauffoir. Et s'il lui arrivait de rêver, c'était là, les pieds aux chenets, le regard perdu dans les dernières flammes. Ce qui lui occupait alors la tête, il n'en parla jamais aux moines : la rumeur d'une vie claire qui n'était pas la sienne mais qui aurait pu l'être, où passaient et repassaient, tranquillement, ceux qu'il avait aimés.

DEUXIÈME PARTIE

LES ESPÉRANTS

(1211)

I

LE PRINTEMPS DU ROI

CET hiver-là fut, à Paris, bref et terrible. Devant les tavernes, il fallut débiter le vin à la hache – les clients emportaient dans leur chapeau des glaçons violets. Puis le printemps s'approcha. Une fièvre sourde qui travaillait la glèbe et tourmentait les créatures. Des bouffées de vie bouleversantes. Et un matin, des hommes au cœur gonflé de sang neuf brisèrent leur coque de nuit. Ils sortirent sur les seuils, clignèrent des yeux et coururent se laver dans la lumière des chemins.

On était en mars, le temps où la corneille qui s'en va croise en ciel l'hirondelle qui revient.

« Le roi ! Le roi Philippe est en départ ! »

Un haut cavalier en manteau bleu semé de lis blancs[4] passa le pont-levis du château royal de Melun et attendit sans impatience que s'organise autour de lui la bousculade des gens de cour, arbalétriers, valets, servantes et mendiants, que s'ordonne le cortège piaffant, piétinant, aboyant, le charroi interminable des coffres, des sièges, des armes, des tentures, des documents de chancellerie et des oiseaux de chasse. Appels, adieux, claquements de fouet, grincement d'essieux, ferraillements divers, voix innombrable des meutes. Ce n'est pas rien, le départ du roi.

Philippe, fidèle à la coutume de ses ancêtres Capet, avait partagé les mois d'hiver entre plusieurs de ses châteaux, y transportant sa cour et ses conseils. Mais pas seulement, comme autrefois, pour consommer sur place les revenus des domaines royaux : pour rencontrer chez eux les prévôts, les barons, les prélats. Dans sa passion de gouverner, il ne laissait rien au hasard. Rien ni personne.

A quarante-cinq ans, il était devenu un homme de forte stature, visage de bois, teint rouge, crâne chauve. De l'adolescent pâle, tourmenté et hirsute – on l'appelait le Maupigné, le mal-coiffé – qu'il avait été, ne restaient que cet air revêche et cette distance que le regard gris mettait entre lui et vous. Il était comme un arbre en décembre, rude et sans feuilles, insensible en apparence à la morsure des vents ordinaires. Mais certains le savaient fragile. A deux reprises déjà, on l'avait vu ébranlé, pris de tremblements incoercibles; la première fois, c'était à la veille de son couronnement, alors qu'il s'était perdu en forêt de Compiègne; l'autre fois, le jour de ses secondes noces, lorsqu'il avait vu, devant l'autel, la trop belle Ingeburge sa femme : le soir, il n'avait pu la connaître. En apparence, il avait oublié. Mais un homme qui a éprouvé deux fois les cognées de la peur reste entamé à jamais.

Roi déjà depuis près de trente ans, il avait toujours pratiqué la même manière d'être et de régner : la fin primait les moyens. Parmi tant d'étripeurs et de troubadours, c'était un politique, avec des patiences de piégeur d'ours, des roueries de maquignon, une vigilance de changeur et une volonté d'amant, impérieuse, jalouse, sans repos. En trente ans, son projet n'avait pas changé : la France.

A son couronnement, il n'était, petit prince de Paris et d'Orléans, que le seigneur d'une partie des Français. Ce qu'il voulait léguer à son fils Louis, c'était l'empire de Charlemagne, rien de moins. Et le plus extraordinaire est que l'affaire commençait à prendre forme.

En quatre ans, il avait dépossédé Jean sans Terre de la Normandie, du Maine, de l'Aquitaine, de l'Anjou et du Poitou. Oh, rien n'était jamais acquis avec cette inconstante Aquitaine et ce Poitou remuant, encore éperdus d'amour pour Aliénor et le flamboyant Cœur de Lion[5]. Loin de Paris, l'Aquitaine restait indépendante, mais les impôts levés en Normandie permettaient d'acheter dans les pays de Loire ceux qui étaient à vendre, les honneurs et les faveurs ralliaient peu à peu les autres, barons, évêques, abbés, communes. Il avait été assez habile pour confirmer les coutumes et réduire l'impôt, pour choisir sur place ses sénéchaux et contrôleurs. Bref, il lui avait fallu longtemps pour grignoter l'empire français des Plantagenêt, mais Paris n'avait plus à craindre la menace de l'Ouest.

Au sud, le comte de Toulouse était pris dans les rêts de la croisade. Il ne s'en tirerait pas. On ne pouvait avoir longtemps le pape contre soi, Philippe l'avait éprouvé douloureusement dans l'affaire Ingeburge. Dieu est imparable, et Innocent pensait avoir Toulouse à meilleur compte que Jérusalem. Philippe n'avait qu'à attendre : cette Occitanie offerte en proie finirait par lui tomber dans le creux de la main.

Aux portes de Paris, le problème de la Champagne avait été réglé au mieux avec Blanche, la comtesse veuve : elle confiait à Philippe son fils à élever, s'engageait à ne pas se remarier et, pour sa protection, lui versait quinze mille bonnes livres parisis.

C'est au nord et à l'est que la situation était incertaine, voire menaçante. En Flandre, où la duchesse héritière, Jeanne, était à marier, Philippe avait tenté d'imposer un mari à sa convenance, le fidèle et valeureux Enguerrand de Coucy. Mais les cités avaient refusé le baron français : tous les intérêts de leur commerce commandaient un mariage anglais, auquel Philippe s'opposait évidemment. On en était à parler d'un prince de Portugal, Ferrand, étranger à la guerre des Capet et des Plantagenêt. Ce Ferrand ne plaisait ni ne déplaisait à personne : ce serait donc lui qu'on mettrait dans le lit de Jeanne.

Du côté de l'Empire, Philippe avait connu un échec sévère quand le pape avait fait élire Othon, un neveu de Jean sans Terre, contre un candidat qui eût assuré à la France la paix sur sa frontière de l'Est. Mais le nouvel empereur, sitôt couronné, s'était jeté sur l'Italie et arrachait l'une après l'autre ses villes au Saint-Siège. Le pape maintenant appelait Philippe à son secours. Le roi de France tergiversait avec volupté.

En Artois, en Picardie, en Vermandois, Philippe incitait à tout hasard les places à se fortifier, créait de nouvelles communes et les prenait sous sa sauvegarde. Restait que la conjonction toujours possible des Flandres et de l'Empire constituait une menace latente. D'autant que tout, géographiquement, s'articulait autour des terres de Renaud de Dammartin, comte de Boulogne — un indocile. C'était naguère un petit seigneur sans grand bien, coureur de lits et de tournois. Le roi de France avait cru se l'attacher en lui offrant un parti de grand : la main d'Ida, comtesse de Boulogne, devenue veuve. Mais Renaud avait pris la fortune et délaissé la dame. Il vivait en prince d'Islam, couvert de concubines, dans sa forteresse du bord de mer. Violent et impatient comme ces lames grises qui venaient battre ses murs, il se faisait parfois tempête et sortait ravager son propre fief, cherchant l'aventure, molestant les clercs, pillant les églises, chaque fois un peu plus fort, chaque fois un peu plus loin. Puis il retournait, toujours insatisfait, à son donjon et à ses femmes.

Deux fois déjà, il avait mis son épée — et quelle ! — au service des Anglais. Deux fois, Philippe avait pardonné : ce Renaud, il valait mieux l'avoir avec soi que contre soi. A force d'insistance, le roi avait même réussi à marier son propre fils, Philippe Hurepel, enfant naturel d'Agnès, avec Mathilde, la fille du comte Renaud, dotée du pays de Caux. Le contrat stipulait que s'ils n'avaient pas d'héritiers le fief reviendrait au domaine royal. Mais en vérité, Renaud se moquait des contrats comme des promesses : il avait bien juré au pape de se croiser, mais n'était pas parti pour autant.

Cet hiver encore, on disait à la cour de France qu'il entretenait des relations secrètes avec Jean sans Terre – ces gens-là s'attirent tout naturellement. La seule sécurité de Philippe était que le Beauvaisis, à la frontière des terres du comte de Boulogne, était tenu par son cousin, l'évêque à la massue.

« Le roi, gens de Corbeil ! Le roi Philippe ! »

La ville s'était vidée. Sur deux rangs, la foule criait noël au passage de l'interminable cortège que précédaient les bouffons et les jongleurs. Les enfants éblouis couraient longtemps derrière les derniers chariots – quand reverrait-on le roi ?

Sous le soleil d'or blond, la Seine faisait gros dos, gonflant au ras des berges ses tresses d'eau vive. Que Philippe aimait ces retours ! Demain, il serait à Paris. Paris, sa ville. C'est de là qu'il entreprendrait la politique lentement élaborée au creux de l'hiver. Il n'était nulle part mieux qu'à Paris. Il avait le sentiment d'y être mieux campé, mieux adossé, plus fort. Et il allait avoir besoin de toute sa force contre ce Jean sans Terre.

Car Othon, Ferrand quel qu'il soit et Renaud de Dammartin, ne représentaient un réel danger qu'au cas où le roi d'Angleterre parviendrait à les unir. A lui, Philippe, d'empêcher la coalition – à moins d'être sûr de pouvoir, en la matant, mater d'un coup tous ses adversaires possibles.

Mais, comme Othon et Renaud, Jean sans Terre était un homme de caprices et de pulsions. Au jeu que jouaient ceux-là, il n'y avait pas de règle, et les tactiques à long terme de Philippe risquaient toujours de n'attraper que le vent. Comme si, aux échecs, votre adversaire décidait soudain, et sans vous en avertir, que les chevaliers avancent en diagonale et prennent de face. Philippe, qui entretenait des armées d'espions à la cour forcenée d'Angleterre, savait tout ce que faisait Jean, mais ne pouvait jamais rien prévoir ni monter le moindre plan.

On le nommait Jean le Cruel. Il avait fait la guerre à son père Henri, à son frère Richard Cœur de Lion, il avait abominablement assassiné son neveu Arthur de Bretagne. Aucune qualité ne venait contrebalancer chez lui, comme l'esprit d'organisation chez son père ou la vaillance chez son frère Richard, les emportements et les coups de folie que charriait le vieux sang des Angevins.

Quelques années plus tôt, passant par Lusignan en Poitou, et trouvant à son goût la fiancée de son vassal Hugues de la Marche, il l'avait enlevée et épousée. Isabelle d'Angoulême avait douze ans. Cité devant la cour des pairs, il avait été déclaré déchu de tous ses fiefs français – les trois quarts de ses terres pour une fillette. Isabelle maintenant ne l'intéressait plus, et il l'avait chassée de sa couche. Pour se venger, elle avait pris des amants : il en fit pendre deux aux colonnes de son lit.

Il craignait tout le monde mais ne respectait personne, bafouait Dieu, les hommes, les serments et les coutumes aussi bien, abandonnait ses vassaux, affermait aux enchères ce qu'il aurait dû protéger, vendait la justice au plus offrant. Ses mercenaires levaient dîmes et tailles avec la plus extrême dureté. Sur ses terres, tout était prétexte à banalités : un pichet à l'auberge, la saillie d'un verrat. Au pressoir, on prélevait deux pots sur cinq; au moulin, un sac sur huit. Un braconnage en forêt royale était presque toujours puni de mort[6]. Jean s'amusait beaucoup, disait-on, de savoir qu'on le craignait.

Sans le devoir de fidélité auquel ils étaient astreints,

la plupart de ses grands vassaux l'auraient déjà abandonné. Ne seraient restés avec lui que ses compagnons de débauche et de pillage. Il n'avait ni morale ni religion. La seule circonstance où il se montra courageux et respectueux de ses devoirs, ce fut pour courir sauver sa mère assiégée – afin peut-être qu'il ne fût pas dit qu'une seule des créatures de Dieu puisse être totalement, absolument, mauvaise.

Parfois, comme un enfant arrache une à une les pattes d'une sauterelle, il torturait à plaisir. Ainsi ce juif dont il voulait l'argent : il ordonna qu'on lui tire les entrailles du ventre et qu'on les brûle devant lui avant qu'il meure. Il ne s'interrogeait jamais sur les conséquences de ses caprices. Il était juste assez habile pour avantager ceux dont il avait besoin : par exemple cette caste de descendants de Normands arrivés avec Guillaume le Conquérant et d'Angevins venus avec Henri. C'étaient eux qui tenaient le grand commerce et contrôlaient le Conseil de Londres, répartissant la charge des impôts de façon que les plus pauvres en souffrent le plus – et s'en exemptant eux-mêmes avec l'approbation cynique du roi.

La principale victime des Angevins nantis était la masse besogneuse et démunie des Anglais d'origine saxonne, qui ne comprenaient même pas la langue de ceux qui les gouvernaient. Un jour, l'un des leurs, qui plaidait en français aussi bien que les maîtres du droit, put se faire élire au conseil. On le nommait William Longue-Barbe car, en souvenir de la patrie perdue, il avait fait le vœu de ne jamais se raser. Il en appela de l'iniquité dont étaient victimes les Saxons : les fonctionnaires royaux le déboutèrent. Il regroupa alors tous les pauvres de Londres, tenta de les éveiller à la révolte. Pour se faire entendre, il prit ses exhortations dans l'Evangile : « Je suis le pauvre des pauvres, disait-il. Vous, les pauvres, qui avez éprouvé la dureté des riches, écoutez-moi !... Puisez à ma source l'eau de votre salut... L'heure de votre soulagement est venue... Je séparerai le peuple humble et sincère du peuple orgueilleux et sans foi... »

Sommé de comparaître devant le Parlement, il s'y rend porté par la foule des gueux, si nombreux qu'on ne peut lui barrer le chemin. C'est seulement quelques jours plus tard que des fidèles du roi le surprennent en pleine rue et l'assaillent. Blessé, il peut leur échapper et se réfugie dans l'église Sainte-Marie. Pour le déloger, l'archevêque de Cantorbéry fait incendier l'église de Dieu comme un terrier de renard. William est pris, garrotté. On lui ouvre le ventre d'un coup de poignard. Il vit encore. On l'attache à la queue d'un cheval, qu'on fouette jusqu'à la Tour de Londres. William Longue-Barbe vit toujours. On le juge. L'évêque le condamne à mort. On le pend enfin.

Les peuples s'arrangent mieux des martyrs que des héros. Ceux qui n'avaient pas su entendre William allèrent, de nuit, arracher son gibet et se le partagèrent, comme la Relique du Golgotha, en tronçons d'abord, en bûches, en copeaux, en échardes. Et quand il n'y eut plus à distribuer même un grain de sciure, on gratta la terre là où le gibet avait été planté. Il y eut bientôt une fosse profonde et qui ne cessait de s'agrandir. De tout le pays, on venait en pèlerinage et l'on s'agenouillait devant cette plaie béante qui saignait au flanc de l'Angleterre. On commença à parler de miracles qui s'opéraient là au seul bénéfice des Saxons. Hubert, le Grand Justicier, fit interdire par ses gens l'accès du lieu. On emprisonnait et on flagellait ceux qui venaient malgré tout. Mais il n'était au pouvoir de personne d'empêcher les pauvres d'élever leurs enfants dans le souvenir de William Longue-Barbe. Chaque soir, au fond des masures humides des docks et des faubourgs, derrière les portes tirées, on récitait la légende de ce Saxon qui n'avait pas eu peur de Jean le Cruel.

A ce moment, un conflit déjà ancien entre le roi et le pape, à propos de l'élection de l'évêque de Cantorbéry, s'envenima au point que l'interdit fut prononcé sur le royaume d'Angleterre. Comme en France quelques années plus tôt, le peuple se trouva privé d'églises et de sacrements, à l'exception du baptême et du viatique aux mourants. On n'enterrait plus. Les corps étaient abandonnés aux charognards et aux vents de la désolation.

Pris de rage, Jean sans Terre envoya ses hommes chasser les évêques, mettre les abbayes et prieurés sous la garde de laïcs – il en confisqua les revenus – et prendre les concubines des prêtres pour en demander rançon. Menacé d'excommunication, il comprit seulement alors ce qu'il risquait : la sanction délierait les barons de leur serment de vasselage, de leur obligation de lui obéir. Il inventa deux parades. La première était sauvage : il prit, dans chaque grande famille, un otage, enfant ou proche des seigneurs dont il craignait la défection. La seconde était naïve : il ordonna au gardien des cinq ports[7] d'empêcher à tout prix l'entrée en Angleterre du porteur de la bulle d'excommunication.

On eût dit qu'il trouvait une sorte de plaisir morbide à susciter de nouvelles haines et de nouvelles défections. Un étudiant d'Oxford ayant dans ces jours-là tué sa logeuse avant de s'enfuir, les officiers royaux s'emparèrent de trois de ses amis, des innocents. Le roi, au mépris de tous les privilèges universitaires, intervint dans l'affaire et les fit pendre. Les trois mille clercs, maîtres et écoliers d'Oxford, en signe d'indignation, partirent alors pour Cambridge ou Reading, livrant l'immense et prestigieuse université, portes battantes, aux chiens errants...

Pendant ce temps, et en dépit de toutes les surveillances, la bulle d'excommunication était parvenue en Angleterre, mais personne n'avait le courage de la lire publiquement, comme il devait être fait. Dans les rues et au fond des esprits, partout était la peur, fille de la folie d'un homme et du zèle de ceux qui le servaient. Geoffroy, archevêque de Norwich, s'aventura à parler, devant ses seuls collègues de l'Echiquier. Pouvait-on sans danger, demandait-il assez cyniquement, rester officiers d'un roi excommunié ? Jean, informé, le fit saisir aussitôt. Il ordonna qu'on le vêtit d'une chape de plomb et qu'on le laissât mourir d'écrasement. Cela prit quelques jours.

Le pape alors dégagea expressément les sujets de Jean Plantagenêt de leur serment de féauté. Et même, il défendit aux barons, chevaliers, clercs et gens du peuple d'approcher leur roi, de manger à sa table ou de s'asseoir à ses côtés.

On en était là en ce printemps naissant de 1211. Abandonné par presque tous ses grands vassaux, condamné par les clercs, détesté par le peuple des villes et des campagnes, craint de tous et même de ses derniers amis, Jean sans Terre n'était plus que le roi excommunié d'un royaume interdit.

Philippe se tenait soigneusement informé et comptait les coups. Il ne manquait d'ailleurs pas, à l'occasion, d'ajouter les siens : c'est ainsi qu'il venait de promettre par charte scellée au connétable de Chester Jean de Lascy de le récompenser richement s'il attaquait Jean sans Terre chez lui, en Angleterre même. Il en attendait justement des nouvelles.

« Le roi ! Le roi de France ! »

On approchait de Paris. Philippe levait le nez, appelait Guérin, son conseiller, à chevaucher près de lui. Il commençait à attendre le moment de passer la porte Saint-Marcel, de découvrir, derrière la colline Sainte-Geneviève, le chœur et les arcs-boutants de Notre-Dame. Comment la cité avait-elle passé l'hiver ?

Le développement et l'assainissement de sa capitale étaient des soucis constants. Il faisait édifier une nouvelle enceinte, plus vaste et plus forte que le vieux rempart de l'île, un nouveau palais royal, pavait les rues. C'était à Paris que battait le cœur du royaume. Il le ressentit une fois de plus alors que le peuple – ailleurs, on eût dit la foule – sortait à sa rencontre par cet après-midi de soleil et d'oiseaux.

Le roi, pourtant, fronçait le sourcil. On suivait la Bièvre depuis un moment déjà, et ses eaux naguère cascadantes n'étaient plus qu'une lenteur opaque et putride qui se traînait jusqu'à la Seine entre deux rangées de saules à moitié morts. C'était là l'ouvrage des teinturiers et des tanneurs, dont on voyait sécher peaux et tissus. Cela dégoûtait la vue et le nez, c'était de plus une offense au printemps. Mais Philippe y voyait aussi le signe que le travail ne manquait pas, la rançon de la prospérité.

Il était en quelque sorte naturellement le roi des marchands. Il croyait à la puissance de l'argent et du commerce autant qu'à celle des armes. La superbe des hommes de guerre le choquait plutôt, lui qui mesurait la vanité de la plupart de leurs prouesses. Ces mêmes seigneurs l'accusaient de manquer à la gloire : au moins construisait-il, prévoyait-il, organisait-il aujourd'hui le royaume de demain. Voilà ce qu'il partageait avec les bourgeois : ce souci d'accroître l'héritage. Sans fracas. A petit bruit.

Il châtiait durement les détrousseurs de marchands, luttait contre les péages abusifs qui entravaient la circulation des biens et le développement des foires. Il prenait sous sa sauvegarde personnelle les négociants italiens ou flamands qui étaient de plus en plus nombreux à venir étaler – et à payer des droits – aux foires de Troyes, de Provins, de Bar ou de Lagny[8]. En toute occasion, il confirmait aux bourgeois les communes qu'ils avaient obtenues dans le passé et leur accordait plus de privilèges qu'ils n'en avaient jamais eus.

L'ancien ordre social se transformait. L'harmonie moines-chevaliers-paysans avait permis de sortir des siècles noirs des invasions et de la barbarie. Aujourd'hui, il fallait aller de l'avant. Après le règne des grands abbés, les cathédrales symbolisaient l'avènement des évêques, mais aussi des cités et des marchands.

Philippe était sans tendresse pour les grands feudataires, qui ne l'aidaient guère. Il gardait le souvenir de ses premières années de règne, quand il était en butte à leur hostilité. Il prenait soin de respecter les formes mais limitait peu à peu leurs prérogatives, introduisant par exemple dans leur serment d'hommage des clauses humiliantes : « J'ai fait jurer à tous mes vassaux sur l'Evangile que, dans le cas où ils apprendraient que je cherche à nuire en quoi que ce soit à mon seigneur le roi de France, ils l'en avertiraient aussitôt et prendraient son parti contre moi... »

Il interdisait les mariages entre fils et filles de trop grands seigneurs, surtout s'ils étaient voisins. Désormais, lorsqu'un fief se divisait par le jeu d'une succession, les héritiers devenaient tous les vassaux directs du roi et non, comme par le passé, de ceux de l'un d'entre eux. On venait de plus en plus souvent lui demander de valider publiquement les contrats, preuve qu'il était seul à pouvoir en garantir l'exécution.

Quant aux paysans, il ne s'y intéressait qu'en tant que producteurs. C'est ainsi qu'ils ne pouvaient partir à la croisade sans autorisation préalable, ou qu'il était interdit aux juifs de prendre en gage les biens ecclésiastiques et... les instruments de labour. Sur son propre domaine, il veillait à ce que ses serfs ne puissent le quitter, tout en encourageant discrètement ceux des alentours à venir s'y installer. Parfois, pourtant, il pensait à leur donner quelque satisfaction, s'engageant par exemple à ne pas repeupler certaines forêts en daims, cerfs et autre gibier pouvant nuire aux récoltes.

Ses soldats, par contre, chevaliers, piétons ou routiers mercenaires, avaient droit à toute sa sollicitude. Partisan d'une armée de métier, aguerrie et toujours disponible, aux ordres des meilleurs chefs, il cajolait ses capitaines et ses sergents, les payait bien, accordait aux plus vaillants d'entre eux des parts sur des moulins ou sur des pêcheries, des revenus de maisons ou de marchés – en viager souvent, de façon à les récupérer à la mort des bénéficiaires.

Pour mener à bien son projet d'adolescent – la grande France – il lui fallait être fort à l'intérieur pour faire face aux menaces de ces trois excommuniés qu'étaient Jean sans Terre, Othon le Germain et Renaud de Dammartin. S'appuyant sur un solide réseau de prévôts, de baillis, de sénéchaux, il commençait d'unifier ses domaines malgré les différences de langues, de monnaies, de mesures, malgré des intérêts et des traditions différents et parfois opposés. A eux tous, ils n'avaient en commun que leur seigneur, ou le seigneur de leur seigneur : lui, Philippe, le roi.

« Largesse aux manants ! Le roi rentre à Paris ! »

Trompettes et hérauts. L'aumônier lance des poignées de piécettes et les gens se jettent jusque dans les jambes des chevaux. Le petit pont est en plein chantier : on y reconstruit les maisons et les moulins emportés quatre ans plus tôt par les eaux de la Seine. Autour du roi se bousculent les hauts dignitaires de la ville, comme Aymar le trésorier du Temple, Pierre l'évêque de Paris, Hugues le doyen de Notre-Dame, Jean l'abbé de Saint-Germain. La presse est telle que les écuyers prennent les chevaux au mors pour passer le pont, au milieu duquel fume une forge. Les maçons et les charpentiers applaudissent, agitent leurs chaperons de bourras.

Gaucher de Châtillon s'approche de Philippe :

« Sire, savez-vous la nouvelle menace du roi Jean ? »

Les conseillers frémissent. Ici aussi, Jean sans Terre fait peur. Mais Philippe ne tourne même pas la tête. Il contemple la Seine, poisseuse, louche de toutes sortes d'écoulements.

« Ce que vous lui avez pris en cinq ans, le roi Jean a juré de le reprendre en un jour ! »

Le brave Gaucher balance entre le rire et l'indignation. Il attend que Philippe donne le ton. Mais le roi pose sur lui son indéchiffrable regard gris, comme s'il n'avait pas entendu ce qui s'est dit. Puis il se tourne vers Guérin :

« Il faudra, dit-il, faire un règlement contre la corruption des rivières. »

II

L'AFFAIRE VERBEROI

Leur Paris n'était qu'un chantier, et Beauvais un cloaque. Guillou faisait grise mine. A Venise, il avait foulé des rues pavées comme des mosaïques, balayées et lavées chaque jour; à Constantinople, il avait traversé à cheval des palais de marbre, parcouru d'immenses chaussées parmi des forêts de statues et des buissons de fleurs. Il ne s'attendait sans doute pas à trouver ici la richesse et la lumière de là-bas. N'empêche, il avait quand même espéré mieux, au bout de son long voyage d'hiver, que cette poignée de maisons de bois fagotées d'un rempart trop serré. Les rues étaient si étroites qu'on aurait pu passer d'une maison à l'autre en enjambant les fenêtres. A cheval, on n'allait pas à deux de front. A pied, on ne pouvait même pas prendre le haut du pavé pour échapper aux seaux d'immondices balancés des étages.

Il s'installa à l'auberge des Trois-Chevaliers, près d'une église en construction, bien décidé à ne pas s'éterniser pour rien dans ces pays de boue figée où la lumière grise des matins et des soirs étriquait tout, l'horizon et l'avenir. Il s'accordait jusqu'à l'été pour se faire une place auprès de l'évêque. De toute façon, son prestige de croisé, son esclave et ses armes, l'idée qu'il se faisait de son destin lui interdisaient de croupir ici. D'autant que s'il s'accommodait de l'envie et de la jalousie des autres chevaliers soldés, il ne supporterait pas leurs sarcasmes.

Il se fit conduire au capitaine des troupes de Beauvais, qui le reconnut avec plaisir et le mena à l'évêque.

Philippe mijotait dans un vaste baquet où des dames l'étuvaient avec des rires et des grâces :

« Ah ! s'écria-t-il, mon espion de Termes !... Dévêtez-vous, chevalier ! »

Quelques instants plus tard, Guillou sautait près de l'évêque, qui apprécia son corps endurci de guerrier, les étoiles blanches laissées aux épaules par les flèches des Infidèles. Tandis que les dames les frottaient d'herbes sèches et de savon, les oignaient d'huiles parfumées, ils récitèrent leurs croisades. L'évêque vivait tout ce que contait Guillou, embuscades et poursuites, beaux pillages; il gémissait, faisait presser l'histoire, se prenait le front dans les mains au récit de la capture de Boniface de Montferrat, éclatait de rire quand une charge emportait tout sur son passage. Guillou ne pratiquait pas encore parfaitement le parler du nord, mais c'était là un détail. Un geste, une mimique et, parmi les éclaboussures, l'évêque faisait signe qu'il avait compris. La bataille était bien le genre de messe que cet évêque-là préférait.

« Nous avons besoin de chevaliers comme vous ! dit-il en quittant le baquet. De grands moments nous attendent. »

Il pencha vers Guillou la toison blanche et fumante de son torse musculeux couturé de cent balafres :

« Renaud de Dammartin, confia-t-il comme on offre un secret... Il s'approche de plus en plus de Beauvais... Ventre ! Je crois qu'il a autant envie de se mesurer à moi que j'ai envie de me mesurer à lui... »

Il se releva :

« Il n'a jamais été battu... La meilleure épée de France ! »

Il asséna dans le dos de Guillou une claque énorme, heureuse, qui vida d'une giclée la moitié du baquet.

Guillou changea vite d'opinion sur Beauvais et sur son évêque. La cité n'était pas aussi pauvre qu'il le paraissait. L'or ne manquait pas, seulement on ne le mettait pas à briller comme dans les pays de soleil. Et qui disait or disait fêtes, tournois, puissance, prouesse et gloire.

L'évêque, qui cumulait les produits de sa dotation de seigneur de grand fief et les privilèges de son évêché, était en réalité un personnage considérable. Son temporel était un comté qu'il tenait de son cousin le roi, avec tous les droits de haute et basse justice. Les revenus des seigneuries, arrière-fiefs, alleux, bans, foires et marchés échéant au comte s'ajoutaient à la part de l'évêque : le quart des dîmes et les successions des tonsurés.

Le comte-évêque, sur l'insistance de Philippe Auguste, était en train de réorganiser sa cour et sa maison. Entre le laïc et le clérical, la confusion était devenue totale, et nul ne savait s'il relevait du heaume ou de la mitre, de la masse ou de la crosse. Il fallait donc réattribuer à chacun des grands serviteurs et des coadjuteurs ses titres et devoirs. Ce qui n'allait pas sans difficultés, des habitudes s'étant ancrées durant les longues absences du comte-évêque pour cause de croisade ou de prison.

Les principaux dignitaires étaient l'archiprêtre et le vicaire général pour les choses de la liturgie et de la religion, le chancelier, détenteur du sceau, qui régnait sur tout un peuple de notaires et de copistes, l'official en charge de la justice, l'archidiacre enfin, homme de confiance de l'évêque. C'est auprès de ce dernier que fut placé Guillou, avec le commandement de sa police, notamment chargée de l'application des décisions de justice. « En attendant... », avait dit l'évêque.

Beaucoup postulaient ce poste que Guillou trouva médiocre. Mais il en prit son parti, conscient d'avoir besoin d'un peu de temps pour apprendre les coutumes, parfaire la langue, écouter, savoir ce qui ici était bien, ou ce qui était trop. Le premier jour, il eut à surveiller la flagellation d'un juif qui, malgré l'interdiction, avait fait allaiter son fils par une nourrice chrétienne. Le lendemain, il vérifia qu'un blasphémateur avait bien été plongé trois fois dans l'eau froide du Thérain. Il n'y avait rien là de glorieux, mais il était dans la place.

Il n'avait que peu d'amis. On se défiait un peu de lui, de sa morgue, de ses silences, de ses façons de prince – mais, après tout, il n'avait qu'un esclave et qu'un valet. Aux exercices d'armes, il prenait soin de ne jamais montrer tout ce qu'il savait. Il ne participa pas aux premiers tournois du printemps. Il étudiait les façons, les forces et les faiblesses des jouteurs : rien là qu'il eût à craindre. Ses sept années de combat dans la guerre d'Orient lui avaient appris à se battre autrement que du bout des lances. Là-bas, c'était pour tuer qu'on empoignait son arme. Aucun de ces courtois rançonneurs ne lui faisait peur.

On était au début de mars quand il dut escorter un convoi allant porter devant le roi une affaire de justice où était impliqué un bailli. La demanderesse était une veuve du Beauvaisis, Yolande de Verberoi. Pour tout le comté, c'était une affaire importante.

Philippe Auguste, à peine rentré à Paris, s'était plongé dans toutes ces petites corvées de roi, audiences, conseils, réponses à dicter, règlements de chicanes couvées tout l'hiver – le printemps était aussi la saison des jérémiades. Il aurait pu se décharger sur ses officiers d'un certain nombre de ces tâches, mais elles lui eussent sans aucun doute manqué. Le pouvoir, c'est tout le pouvoir.

L'arbitrage Verberoi méritait son attention. Un bailli accusé d'avoir volé une veuve du Beauvaisis : il y avait là un conflit à trancher d'urgence, entre l'un des administrateurs royaux et la dame de l'un de ces châteaux du nord dont la fidélité lui était vitale.

La salle d'audience du nouveau palais était froide, et

on y avait allumé un grand feu. Depuis son trône, Philippe regardait tour à tour les flammes et les fenêtres, prenant la mesure des choses, se familiarisant avec les couleurs, les distances. Ses conseillers et ses courtisans étaient autour de lui quand on fit entrer la plaignante.

Yolande de Verberoi était une femme bien vêtue, mais sans grande apparence. Elle avait été mariée vingt ans et n'avait eu qu'un enfant mort-né. La voix nette, elle accusa le bailli du roi de s'être approprié ses meilleures terres. Il jurait les avoir acquises du seigneur de Verberoi juste avant sa mort ? Impossible, disait-elle. Plusieurs fois déjà elle-même et son mari avaient refusé au bailli de les lui vendre. Le bailli s'affirmait en mesure de présenter deux témoins ? Qu'il les présente ! Elle n'y croyait pas.

Les deux témoins étaient là. Guérin avait fait faire une enquête discrète sur leur compte, et on les avait vus, à Beauvais, un peu trop bien vêtus pour des portefaix qu'ils étaient. Mais ils certifiaient avoir assisté à la vente, et le juraient la main sur le Livre.

On les fit entrer. Ils étaient à nouveau vêtus de leurs hardes trouées, presque choquants dans le luxe des tentures et des trophées, parmi tous ces manteaux d'écarlate et de vair, ces bijoux, cette richesse.

« Ayez confiance dans notre justice ! » dit Philippe à la dame de Verberoi.

Puis il se tourna vers les deux hommes, qui se serraient comme pour se donner l'un à l'autre un peu de courage :

« Et vous, craignez la justice de Dieu si vous vous écartez de la vérité vraie ! »

Philippe les regarda attentivement. L'un des deux paraissait plus sûr de lui que l'autre, qui tordait son bonnet dans ses mains. C'est ce dernier que le roi décida d'intimider. Il laissa son regard peser un long moment sur lui, puis se leva soudain et alla poser la main sur l'épaule de l'autre, celui qui faisait l'assuré. Il l'entraîna devant l'âtre, le plaçant face au feu tandis que lui-même, à demi tourné, regardait l'assemblée. A mi-voix, de façon que seul le portefaix l'entendît, Philippe dit, comme une évidence :

« Tu ne connais pas le Pater...

– Si, sire roi.

– Tu connais le Pater? D'un bout à l'autre?

– Oui, sire roi.

– J'espère que tu ne me mens pas.

– Non, sire roi.

– Eh bien, pour me prouver que tu dis vrai, tu vas le réciter deux fois sans t'interrompre, lentement et à voix basse. Prends garde à ne pas te tromper! »

L'homme, croyant à une sorte d'épreuve, commença la prière. Philippe feignait d'être attentif à son murmure. Une fois, il l'interrompit d'une voix forte :

« C'est cela... Très bien... Dis la suite... »

Le premier Pater fini, le roi dit encore :

« Je n'aurais pas cru... Continue! »

L'homme termina. A peine eut-il dit « Amen », le roi le prit par le bras avec une sorte d'affection :

« Tu n'as pas menti... Rien n'y manque!... Tu peux compter sur ma grâce. »

L'autre commençait à comprendre que quelque chose n'était pas normal, mais le roi déjà l'entraînait vers le cabinet des scribes, l'y poussait et fermait la porte sur lui. Il revint vers l'assemblée, le visage sévère. Il s'assit à son trône, prit sa main de justice et en désigna le deuxième portefaix :

« A toi! dit-il durement. J'espère que tu ne mentiras pas non plus!... Ton complice m'a révélé tout ce qui s'était passé... »

Par la fenêtre, il regarda la Seine, haute et pleine. Il ajouta :

« Aussi vrai que s'il m'avait récité le Pater! »

L'homme tremblait de tous ses membres. Incapable de se maîtriser plus longtemps, il s'effondra aux pieds du roi, pleurant et implorant merci.

La vérité de l'histoire, comme on l'apprit de sa bouche, était que le bailli les avait raccolés en place publique, alors qu'ils attendaient en vain un travail. Il leur avait fourni de bons vêtements et leur avait promis de l'argent. Dire non à un bailli du roi qui vous offre de l'argent ?

La nuit suivante, ils l'avaient rejoint au cimetière où le seigneur de Verberoi venait d'être enterré. A eux trois, ils avaient ouvert la tombe et, malgré la puanteur, dressé le mort sur ses pieds. Puis le bailli, s'adressant au cadavre, lui avait demandé s'il consentait à lui vendre son domaine. Comme le mort se taisait, il avait fait constater son silence aux deux témoins réglementaires : « Qui ne dit mot consent. Marché conclu. » Il avait glissé un peu d'argent dans la main droite de son vendeur avant de le replacer dans la tombe. Dès le lendemain, ses hommes avaient pris possession des terres de Verberoi qui l'intéressaient...

Heureux de son stratagème — et peut-être appréciant secrètement une si belle tricherie — le roi se montra plein de mansuétude pour les faux témoins, qui échappèrent au gibet. Le bailli fut condamné au bannissement, et le roi ordonna que tous ses biens fussent attribués à la veuve Verberoi, qui s'en repartit bien plus riche qu'elle n'était venue.

La petite troupe de Beauvais reprit gaiement le chemin à la porte Saint-Denis. A Verberoi, la veuve donna un souper pour tout le monde. Elle seule n'y participa pas : elle était en deuil. Guillou était impressionné par la qualité du château, un de ces nouveaux ouvrages de frontière, ceinturé d'une courtine de sept toises de haut joignant quatre tours d'angle et plongeant à pic dans un large fossé où dormait une eau noire. Au centre, la masse du donjon dominait la ligne des créneaux, avec une échauguette en poivrière et, sur la terrasse, la bannière aux couleurs du fief : mi-partie blanc et vert.

On sait beaucoup de choses dans les salles d'armes. Dès le lendemain, retourné à la cour de l'évêque de

Beauvais, Guillou, posant discrètement quelques questions, apprit que le roi de France avait recommandé à son cousin l'évêque de marier promptement la Verberoi à un bon chevalier : l'été menaçait d'être chaud. On parlait d'un seigneur déjà âgé, Hugues de Clermont, qui avait accompagné l'évêque à la croisade des rois. Le mariage se ferait dès qu'il serait rétabli d'un accident de chasse où il s'était cassé la jambe. On disait le futur époux plutôt rustre et mal embouché, mais quand le roi disait « bon chevalier », c'est « bonne épée » qu'il fallait comprendre.

III

LA BESACE ET LE BOURDON

A CONQUES, mars fit enfin glisser par pans la chape de neige et de silence qui couvrait les toits. Après le long enfermement de l'hiver, l'abbaye s'ouvrit comme une fourmilière sous le soc. Il y avait beaucoup à faire, nettoyer, maçonner, repeindre, jardiner, et Guilhem fut mis à contribution, avec l'homme aux yeux neufs et Quarèmentrant, que sa chèvre suivait comme un chien. Mais en vérité ils étaient tous heureux de secouer leur engourdissement. Seul l'ermite gardait encore le lit. Il pourrait bientôt se lever, marmonnait-il contre toute évidence.

Les premiers pèlerins apparurent avec les primevères. C'étaient des voisins, qui venaient remercier sainte Foy de connaître un nouveau printemps et lui vouaient leurs semailles, leurs enfants, leurs agneaux. Ils furent suivis de ceux qui étaient partis de plus loin, qui déposaient leurs offrandes et s'en retournaient; puis de ceux qui ne faisaient que passer par Conques, sur le chemin de Rocamadour, de Cahors, de Moissac et de l'Espagne; de ceux enfin qui s'étaient rassemblés devant Notre-Dame du Puy pour le grand voyage de Galice. Ils arrivaient par groupes de vingt ou trente, selon leur région d'origine, la langue commune, la date de départ; il y avait des Flamands et des Allemands qui avaient passé l'hiver à l'abri de quelque abbaye ou d'une cité comme Dijon, Lyon, Valence. Ceux-là étaient déjà de vrais pèlerins, endurcis, la peau tannée; le rythme des journées habitait leur corps, le chemin était en eux, comme la houle de la mer est dans les cuisses des marins. Ils sortaient de l'Aubrac et cherchaient des mots pour en dire l'inhumaine désolation, pour raconter comment ils avaient traversé à tâtons, parmi les précipices, la nuit blanche d'un brouillard sans fin, agrippés les uns aux autres. C'est la cloche de l'hospice d'Aubrac qui les avait sauvés, cloche des égarés, voix infime que le vent sauvage déchirait, éparpillait pour mieux perdre les hommes dans ce néant à loups. A les entendre, on comprenait à quoi l'on s'engageait. Pas un pourtant ne revint sur sa décision. L'inquiétude, la détresse, la ferveur, le serment, ou quoi que ce soit d'autre qui pousse au départ l'emporte toujours sur les peurs du chemin. Partir, c'est vivre encore.

Mais cette année-là, les grandes eaux furent tardives. La combinaison des pluies de mars et de la fonte des neiges grossit toutes les rivières. Le Lot était infranchissable, et le Dourdou lui-même gonflait le dos, ronflait et crachait comme un chat furieux. Les pèlerins, obligés de s'arrêter, s'entassaient à Conques. On réserva l'hospice aux plus malades d'entre eux, et ils furent vite trop nombreux : on sortit les châlits, et ils couchèrent par terre, dans la paille. Les autres dormaient où ils pouvaient, dans l'église, dans les granges, dans les greniers depuis longtemps vidés, construisaient des huttes de branchages, des cabanes de rondins, creusaient des trous dans le rocher. Il n'y avait plus à manger pour tous, mais par chance on était en Carême, et on jeûnait un jour sur deux.

Quand partirait-on? Chaque matin, à l'ostension des reliques, on priait sainte Foy pour que baissent les eaux, mais elles ne baissaient que pour remonter aussitôt. Il ne se passait pas de jour qu'un survivant ne revînt raconter comment tel groupe avait coulé à pic, comment tel autre avait été emporté avec le pont qu'il franchissait...

On était déjà en Semaine Peineuse. A mesure que le Christ s'avançait vers sa mort, l'impatience des pèlerins, l'exaltation où les mettait le jeûne, la fièvre des confessions publiques, tout cela se fondait au fil des offices en une ferveur tremblante, unanime.

Vint le soir du Jeudi saint. On approchait du dénouement. L'assemblée des pèlerins s'entassa comme elle put dans l'église où, depuis la chaire, un chanoine lisait en alternance avec les psaumes les récits de la Passion. Sur l'autel, un voile de deuil cachait le crucifix. La lueur des cierges faisait danser la menace des ombres.

On en était au moment où Jésus allait de l'autre côté du torrent de Cédron, où se trouvait un jardin dans lequel il entra, lui et ses disciples. C'était la nuit. Et tous ceux de Conques entrèrent avec eux, les stropiats, les aveugles, les malades, les vieillards, tous enfin suivirent le Christ et les siens au Jardin des Olives, douloureux parce qu'ils savaient déjà, avides pourtant d'entendre encore une fois. Ils avaient tous le cœur dans un étau, une griffe sur la poitrine.

Et Judas l'Iscariote vendit Jésus. Il dit aux soldats où se trouvait Jésus, et les soldats arrivèrent avec des lanternes, des flambeaux et des armes.

Jésus, sachant tout ce qui devait lui arriver, s'avança et leur dit :

« Qui cherchez-vous ? »

Ils lui répondirent :

« Jésus de Nazareth. »

Jésus leur dit :

« C'est moi. »

Et Judas, qui le livrait, était avec eux. Lorsque Jésus eut dit : « C'est moi », ils reculèrent et tombèrent par terre. Simon Pierre, qui avait une épée, la tira et trancha l'oreille droite d'un serviteur du grand prêtre.

La foule vibra. Voilà ce qu'il fallait faire, résister, se battre, chasser ces soldats à coups d'épées, de bâtons, de pierres, de fourches, de faux, appeler au secours, sonner le tocsin, couper les oreilles, les nez, les poings, les têtes. Le peuple viendrait, Dieu armerait les bras et Jésus serait sauvé. Et si une fois, une seule, Jésus voulait bien qu'on le sauvât ?

Mais Jésus voulait que tout s'accomplît. Il dit à Pierre :

« Remets ton épée au fourreau. Ne boirai-je pas la coupe que le Père m'a donnée à boire ? »

Il toucha l'oreille du serviteur du grand prêtre et le guérit.

Alors on se saisit de Jésus.

En attendant le matin, les soldats le frappaient et se moquaient de lui. Ils lui couvraient la tête et disaient : « Devine qui t'a frappé ! » Pierre, pendant ce temps-là, Pierre l'apôtre reniait son seigneur. Dans la cour, on avait allumé un feu car il faisait froid, et les serviteurs venaient se réchauffer. Pierre aussi était là, il attendait que Jésus soit jugé. Une servante lui demanda :

« Et toi, n'es-tu pas des disciples de cet homme ? »

Et Pierre dit :

« Je n'en suis point. »

Trois fois on lui demanda, et trois fois Pierre renia ainsi le Christ. Moi je n'aurais pas renié. Ils auraient pu me frapper, me rouer, me fendre en deux, m'accrocher à la croix, je n'aurais pas renié. Ils peuvent bien me questionner jusqu'à la fin des temps, m'arracher les dents une à une, et les ongles, je ne renierai pas Jésus. Jamais. Jamais.

Jésus comparut devant Caïphe, devant Pilate, devant Hérode, devant Pilate encore. Il n'avait ni tué ni volé, et Pilate voulait le libérer. Mais la foule des juifs lui dit de libérer plutôt Barabbas et de crucifier Jésus. Alors il livra Jésus à leur volonté.

Chaque pas du Christ en chemin vers le Golgotha, chaque mot du récit est un accablement. Sur chaque front l'étreinte brûlante de la couronne d'épines, sur chaque dos la charge écrasante de la croix, les coups, les insultes, les crachats, les rires. Ah! prendre la place de Simon de Cyrène, être celui qui soulage Jésus...

La croix, la sainte croix, l'horrible et sainte croix est là, aux yeux de tous, dressée contre le ciel vide. Le Christ y est cloué par les mains et par les pieds, entre deux larrons pour plus d'infamie. Et Marie la mère est là aussi. Et les soldats, qui jouent aux dés la robe de Jésus de Nazareth. C'est la troisième heure.

A la sixième heure, les ténèbres envahissent la terre, le soleil s'obscurcit.

Le fils de Dieu va mourir et il n'y a rien à faire. Il va mourir pour nous, pour chacun de nous, pour la rémission de nos péchés. Dieu a donné son fils pour qu'on le cloue sur une croix comme une chouette sur une porte, pour qu'il connaisse la souffrance, et la sueur de sang, et la solitude de la mort, et c'est notre faute, à tous et à chacun, c'est ma faute, c'est ma très grande faute.

Mon Dieu, mon Dieu, pourquoi m'as-tu abandonné?

A la neuvième heure, Jésus pousse un grand cri et meurt.

Et voici, le voile du Temple se déchira en deux, depuis le haut jusqu'en bas, la terre trembla, les rochers se fendirent, les sépulcres s'ouvrirent. Et voici, de toutes les bouches jailli, exhalé de toutes les poitrines, le grand cri d'amour et d'épouvantc fait chavirer l'église de Conques où le peuple hébété, noyé, sanglote, suffoque, se frappe le cœur, se déchire le visage, foudroyé se roule au sol, tremblant, halluciné, orphelin, assassin, perdu, éperdu, hanté de Dieu.

Nuit accablée, matin lent et morne. On ne montra pas le reliquaire de sainte Foy. Hagards, fourbus, comme absents, les pèlerins attendaient.

Mais le dimanche de Pâques, quelle fête ce fut! avec ces jonchées de fleurs et ce soleil clair, ces volées de cloches, ces actions de grâce pour celui qui par la vertu de sa toute-puissance ressuscita d'entre les morts et monta aux cieux s'asseoir à la droite de Dieu. On comprenait bien que venait de s'accomplir une fois de plus le plus total mystère de l'histoire des hommes, et que chacun en avait sa part. Au prix de sa souffrance, le Christ avait triomphé de la mort.

Ce jour-là, à l'ostension des reliques, ce fut presque l'émeute. Le chœur de l'église était entouré d'une grille de deux toises de haut, forgée avec les fers des prisonniers libérés par l'intercession de sainte Foy. D'ordinaire, laissant entrer les pèlerins un à un par une petite porte, les moines gardiens en contrôlaient la circulation autour du reliquaire. Mais cette fois, quand, à l'heure promise, ils poussèrent la porte, une vague s'y engouffra, les balaya, tant était grand l'appétit de sacré. On voulait toucher le reliquaire, baiser les pieds d'or de cette statuette aux yeux fixés sur l'au-delà. On donnait du coude et du poing, on s'empilait, on escaladait la grille au risque de s'embrocher. Deux moines comme des bûcherons durent balancer quelques coups de bourdon pour protéger la fuite vers la crypte d'autres gardiens avec leur trésor.

Rien n'était encore fait et la foule aurait tout aussi bien forcé aussi cette entrée-là. C'est alors qu'apparut, fendant devant lui la cohue des pèlerins comme Moïse jadis la mer des Roseaux, un spectre d'homme dévidant dans sa barbe de filasse une obscure litanie : l'ermite, qui s'était levé à Pâques comme il avait promis de le faire. Tous ceux qui le voyaient pouvaient jurer que sa hanche n'était pas guérie, et pourtant, sur ses os disloqués, il marchait. On le suivit et il tira la foule derrière lui jusqu'à sa grotte dans les rochers. Près du parvis de l'abbatiale, l'homme aux yeux neufs reprit sa place sur l'estrade, son chien à ses pieds. C'était Pâques, et tout recommençait.

Le soleil sécha peu à peu toute cette eau qui inondait le pays. On voyait la terre fumer. Le Dourdou s'apaisa, le Lot décrut. Des groupes commencèrent à se former, à se faire bénir et à prendre la route. Guilhem alla demander à l'abbé Pons l'autorisation de quitter Conques. Pons la lui accorda, puique la source de ses rêves paraissait tarie et que l'ermite avait repris son poste. Il lui fit toutefois jurer de revenir si une nouvelle vision éclairait et confirmait la première. Guilhem promit bien volontiers, et dit même qu'il repasserait de toute façon sur son chemin de retour : c'est sans doute, au moment de s'éloigner, une tentation normale de vouloir revenir là où on laisse des amis, des habitudes. Dans la vie blessée de Guilhem, Conques était somme toute une halte heureuse, un repos – le silence de la neige, l'écho feutré des psaumes, la tranquille certitude des heures immuables.

Il décida de partir le dimanche suivant, pour la Quasimodo. Quarèmentrant et sa chèvre Colomba seraient du même voyage.

Ils étaient deux douzaines, dont trois femmes, trois sœurs de Rodez qui avaient été violées par les soldats de la croisade et allaient se purifier à Compostelle. Il y avait aussi un aveugle pleurnichard, un groupe de Danois blonds et un grand homme sombre, Frottard, excommunié par Innocent III en même temps que tous les autres « archers maudits »; ceux-là avaient le pouvoir de percer leurs ennemis d'une flèche invisible, quelle que fût la distance. C'était un privilège qu'ils obtenaient du Diable en prenant pour cible, le Vendredi saint, un crucifix; à chaque flèche qu'ils décochaient sur le corps du Christ, ils devaient penser au nom de ceux qu'ils voulaient tuer. Excommunié, Frottard avait pris peur. Il voulait expier. Allongé le visage dans la cendre, il avait demandé pardon à Dieu et reçu son châtiment : on avait ceinturé ses hanches d'une chaîne de six livres hérissée de pointes de flèches soudées aux maillons. On ne la lui enlèverait qu'à son retour, lorsqu'il rapporterait l'attestation des chanoines de Compostelle certifiant qu'il était bien parvenu au bout de son chemin de repentir.

Ils étaient deux douzaines, à genoux devant l'autel où

priait le père abbé. Tous avaient revêtu la robe de bure et le grand chapeau à larges bords. Ils étaient anonymes, dans la tenue qui à la fois les désignait et les préservait.

Le temps de leur voyage, ils devenaient des êtres à part, voués à Dieu, protégés par les règlements de police, proposés à la charité de tous. Ainsi ceux qui venaient du Puy racontaient comment à l'hospice d'Aubrac douze dames lavaient les pieds des voyageurs fourbus, douze frères les servaient, douze prêtres les assistaient de leurs oraisons, douze chevaliers les protégeaient dans les passages périlleux : ils suivaient la règle des Augustins et portaient une croix bleue sur le cœur. Certains parlaient d'hospices où l'on pouvait prendre trois repas, de passades où l'on servait de la viande en plus du pain et du vin.

Le concile punissait d'excommunication ceux qui dépouillaient le pèlerin, mais les péagiers abusifs, les rançonneurs ne manquaient pourtant pas sur le bord du chemin, et il faudrait se défier des aubergistes, des bateliers, des faux pèlerins, des faux guides et même des faux prêtres, des loups à deux et à quatre pattes.

Ils étaient deux douzaines, dont trois femmes, un archer maudit, un aveugle, quelques Danois taciturnes et méfiants, Quarèmentrant, Guilhem – combien reviendraient? combien même arriveraient à Compostelle?

« Avec humilité et soumission, dirent-il, nous vous demandons de daigner bénir ces besaces et ces bâtons. »

L'abbé Pons fit sur eux un grand signe de croix :

« Recevez ces besaces en signe de votre pérégrination, pour que, ayant mérité votre salut par votre pénitence, vous parveniez au bout de votre vœu de pèlerin... Recevez ce bâton, qu'il vous fasse vaincre les embûches de l'ennemi et parvenir au but... »

Ils reçurent encore chacun un morceau de pain, invoquèrent sainte Foy et saint Jacques le Grand, reprirent avec la foule qui les entourait la prière des départs : « O Dieu, qui avez fait partir Abraham de son pays et l'avez gardé sain et sauf à travers ses voyages, accordez-nous la même protection. Soutenez-nous dans les dangers et allégez nos marches. Soyez-nous une ombre contre le soleil, un manteau contre la pluie et le froid. Portez-nous dans nos fatigues et défendez-nous contre tout péril... »

Ceux dont la famille était là embrassaient en pleurant leurs parents et leurs enfants. Enfin ce fut l'heure. Un moine les guiderait jusqu'au Lot et même jusqu'à Moissac.

On les embrassait, on touchait leur vêtement, on les chargeait de mille bénédictions, de mille vœux. « Priez pour nous à Compostelle ! » implorait-on. L'homme aux yeux neufs vint dire au revoir à Guilhem et à Quarèmentrant : il aurait bien aimé, confia-t-il, partir avec eux.

Sur le parvis, le guide lança le cri de ralliement des marcheurs de Dieu : « E ultreïa ! E sus eia ! Deus aïa nos ! – Et outre ! Et sus ! Dieu nous aide[9] ! »

Devant, le chemin.

IV

YOLANDE DE VERBEROI

« DESSUS la margelle, je reviens toujours, comme papillon qu'attire le jour. Le temps s'en vait et n'ai rien fait, le temps s'en vient, je ne fais rien. Pourquoi, mon Dieu, tant d'ennui entre les matins et les soirs ? Ce printemps me tue. Bavardage et tapisserie au donjon, promenade au verger, repos près du puits, retour au donjon, tapisserie et bavardage. Depuis quand ? Jusqu'à quand ? Sans ces filles, je crois que je ne sortirais plus. Mais il faut bien qu'elles jouent un peu, qu'elles courent, qu'elles tressent leurs couronnes, leurs chansons, qu'elles donnent leurs éclats de rire aux galants qui les guettent depuis les bosquets, là-bas. Dessus la margelle, je reviens toujours, qui m'a mis cet air-là en tête ? C'est près des puits que se passent les choses. Si je n'avais pas peur, je me pencherais, je fouillerais l'ombre verte des capillaires et des mousses et je chercherais mon visage au fond de la terre. Isaut, prends garde à ton couteau ! Tu vas te crever un œil, et ton Rémi ne voudra plus de toi ! Je suis leur servante, on dirait, leur dame de parage, à ces follettes, ces écervelées, ces innocentes, le monde est tout à l'envers, comme si je regardais dans le puits. Elles disent la Dame et je crois qu'elles m'aiment bien, mais comment me voient-elles ? Elles ne me voient pas. Elles voient mes bliauts, mes bagues, mais j'ai l'âge d'être leur mère, on ne voit pas sa mère.

Elles se plaisent avec moi, disent-elles, mais les servantes disent toujours cela. Il me semble parfois qu'elles m'évitent. Je suis généreuse, pourtant, et ne les gronde guère. Mais je ne suis pas assez gaie. Pourtant si, je suis gaie, mais personne ne le sait. J'ai des rires en moi comme on a des larmes, et même davantage. Je suis une volière de rires prisonniers mais personne ne vient ouvrir. Faire pleurer, tirer des larmes, ça les gens savent toujours. Mais rire... L'amour rend les femmes désirables, mais c'est la gaieté qui les rend belles. Les hommes aiment les rires et les sueurs... C'est vrai que je suis en deuil, j'oublie toujours. Mais je ne riais pas non plus avant la mort du baron. Je ne suis ni plus ni moins triste que je l'ai été toute ma vie. La baron est mort, c'est comme s'il était parti pour une croisade de plus, pour un tournoi en Flandre ou je ne sais où. La seule différence, c'est que cette fois il ne reviendra pas... A moins que le bailli du roi ne le ressuscite encore... Pardonnez-moi, cher beau sire. Je ne vous ai jamais aimé, mais je vous aimais bien, avec votre odeur de cuir, votre façon de marcher à grands pas tranquilles, de vous jeter sur votre écuelle comme un chien maigre. J'aimais aussi vos abandons de la nuit. C'est curieux que des barons hauts et forts comme vous l'étiez redeviennent, la nuit, des enfançons qu'un rêve de travers suffit à foudroyer. Alors, le menton aux genoux, ils cherchent leur mère. Comme ils sont drôles, le matin, quand ils font à nouveau sonner leurs éperons, qu'ils versent du vin sur leur soupe, qu'ils crachent dans le feu. Vous me parliez moins qu'à vos chevaux, mais c'est que vous n'aviez rien à me dire. Je sais pourtant que vous aussi, vous m'aimiez bien. Et vous y aviez du mérite, car je ne vous ai jamais donné grande joie, si ce n'est de vous être loyale. Et même, je vous ai grandement peiné quand votre fils est sorti mort de mon ventre. Mais j'étais trop jeune, aussi. Pardonnez-moi pour cet enfant-là, pardonnez-moi pour tous les autres que je n'ai pas su vous donner, et que vous auriez fait grandir à votre convenance, que vous auriez aguerris et qui vous auraient ressemblé... Le temps s'en vait... Mon Dieu, si long temps... Pourquoi donc n'ai-je jamais pu faire d'enfants ? Les prières, les cierges, les philtres, sainte Agnès m'est témoin que j'ai tout essayé, les tisanes amères, les sortilèges des lunes montantes et des lunes descendantes, les recettes à se damner... Ce baron Hugues qu'on me promet maintenant doit vous ressembler comme un frère. Lui ou un autre, vraiment, c'est sans grande importance. Quand la jambe du baron sera ressoudée, on célébrera nos noces. Puis l'un de nous deux mourra, puis l'autre. Ce sera alors comme si rien de tout cela n'avait été... Isaut peut choisir qui aimer. Mais le roi a choisi pour moi, ou l'évêque, ou son conseiller. Ce qui compte, pour eux, c'est l'épaisseur des murs de défense du château, la profondeur du fossé, le nombre de soldats. Moi, je suis la veuve. Je suis celle qui surveille les gens et les choses de tous les jours, qui donne les ordres aux serfs, aux valets, aux servantes. Je suis une voix, je suis un fief. Je hais ce château, je hais toutes les saisons perdues à filer au vent de ces fenêtres... Cent fois, quand j'y pense, cent fois j'aurais pu tomber, l'eau noire d'en bas se serait refermée... Mon Dieu, Isaut s'est coupée. Isaut, donne-moi ce canivet ! Vois, sotte que tu es, tu saignes maintenant ! Que dis-tu ? C'est Rémi qui te l'a prêté ? Mais je te le rendrai... Mon Dieu, que cette Isaut est belle, quel chevalier ne mériterait-elle pas... Son Rémi, elle l'aime parce qu'il ose, mais ce n'est qu'un gaillard... Moi, si je savais chanter, j'aimerais *trouver* pour cette Isaut qui ne sera jamais plus fraîche, plus transparente, plus parfaite qu'en cette saison-ci de sa vie, qu'en cette heure même qui déjà s'écoule avec un peu de son sang... Donne ta main, folle... Regarde, on dirait dans ta paume une petite fleur rouge, laisse-moi la baiser... Là, vois, tu es guérie... Pourquoi cette Isaut me fait-elle battre le cœur ? Non, ce n'est pas Isaut qui me fait battre le cœur, c'est sa jeunesse, c'est sa beauté lisse, c'est l'envie que j'ai d'aimer, d'aimer, d'aimer... Dessus la margelle je reviens toujours... Le temps s'en vait et n'ai rien fait... Isaut, tiens, reprends le canif de Rémi, il me donne trop envie de mourir. Appelle les autres, nous rentrons, je suis lasse. »

V

LES MARCHEURS DE DIEU

GUILHEM et ses compagnons n'ont pas quitté Conques depuis une demi-journée – ils en sont encore à se retourner sur leurs pas, sur leur vie – que les voici arrêtés devant le Lot en furie. Les eaux montent à nouveau depuis deux jours. Elles noient maintenant les deux extrémités du pont en dos d'âne, et il a fallu que les moines installent pour passer le fleuve un système de chaînes et de radeaux : il n'y a plus ici de quoi nourrir l'affluence des pèlerins. Sur la berge, ils sont des centaines à attendre.

A la partie non immergée du pont sont fixées deux fortes chaînes, chacune amarrée à une rive. Au milieu de chacune est prise une autre chaîne, accrochée celle-ci à un radeau fait de troncs assemblés. Chaque radeau, équipé de longues cordes de halage, décrit donc un arc de cercle entre la rive et le pont. Les moines sont répartis en quatre équipes : une au départ, une à l'arrivée, deux sur le pont.

Les pèlerins dont c'est le tour de passer montent sur le radeau, les cavaliers tirant derrière eux leurs chevaux affolés et tremblants. Quand il n'y a plus de place, les moines de la rive de départ relâchent lentement les cordes : le courant écumant s'empare alors du radeau et l'emporte vers le centre du fleuve comme une proie que les moines du pont, à vingt sur une corde, lui disputent maintenant à grandes ahanées. Au pont, les pèlerins doivent changer de radeau pour arriver jusqu'à la berge en face.

Parler de peur n'est rien. On ne sait pas de quoi on parle tant qu'on n'a pas senti, de tout son corps, le radeau se disjoindre au bout de la chaîne vibrante. On peut avoir fait par avance le sacrifice de sa vie et pourtant, la bouche ouverte malgré soi, mêler son cri au grondement du torrent. Sur la rive, ceux qui attendent de passer prient pour ceux qui passent, sûrs qu'on priera de même pour eux tout à l'heure.

On appelle l'endroit Court-sa-vie, c'est dire.

Guilhem et ses compagnons ont le temps de s'habituer au manège : ils ne passeront qu'à l'aube. Toute la nuit, profitant de la lune, les convers ont continué à faire traverser les pèlerins, se relayant de temps à autre, épuisés, les jambes glacées, les épaules rompues, pour dormir ou manger un peu. Interminable nuit. Sur les deux rives, on a allumé de grands feux où l'on vient se chauffer et boire du vin brûlant. Certains dorment un peu, serrés les uns contre les autres. Chants, histoires, récits des miracles de saint Jacques et de sainte Foy, rencontres de pays. Quand un homme tombe à l'eau, tout le monde court à la rive – le temps de voir une tête, un bras là-bas dans le remous, d'entendre un appel vite noyé. Un cheval est parti à la renverse dans le courant, battant des jambes, la bouche grande ouverte, le cou tendu. Son cavalier n'a pas voulu lâcher sa longe : il est parti avec. Mais peut-être s'était-il attaché. Une autre fois, un pèlerin en changeant de radeau a failli être emporté; il s'est raccroché par miracle et maintenant ne veut plus bouger du pont : il est à genoux et prie. Il y attendra la décrue.

Enfin c'est à eux. Il semble à Guilhem que le radeau est près de se disloquer. Quarèmentrant doit porter sa chèvre qui s'arc-boute pour ne pas quitter la berge. Les Danois et les trois sœurs de Rodez se sont soudés en un bloc blond marqué de trois taches noires. Guilhem et un autre ont hérité de l'aveugle : toute la nuit, il a geint, mais ils ne peuvent quand même pas l'abandonner derrière eux. Ils se sont assis tous trois, dos à dos, s'entrecrochant par les coudes, les pieds calés aux troncs. Frottard l'archer maudit reste debout, les jambes écartées, haut et sombre.

Les moines choquent les cordes autour d'un peuplier, commencent à déhaler. Le courant emporte le radeau à demi submergé. Déjà les pèlerins sont trempés.

« Dieu ! halète l'aveugle. Dieu ! Où sommes-nous ? Pourquoi ne nous tiennent-ils pas ? Dis-moi, toi, le manchot ! Tu sais bien que je ne vois pas ! Attention, le radeau se défait ! Ne m'abandonnez pas, vous autres ! Est-ce loin encore ? Saint Jacques, à moi !... La chaîne ! Ecoutez ! La chaîne va se rompre !

– Tais-toi l'aveugle, dit Guilhem. Tais-toi ou je te jette à l'eau ! »

Quarèmentrant est couché sur Colomba, qui bêle à fendre l'âme. On sent sous le radeau l'incroyable force de l'eau, on dirait une chair, des nerfs, des tendons, des muscles liquides, infatigables. On est absolument, totalement démuni, impuissant. L'aveugle maintenant pleure à petits cris de chiot. Guilhem voit, sur la berge juste quittée, la haie des pèlerins à genoux qui prient pour eux sous les peupliers aux feuilles neuves.

Les haleurs du pont, la coule haut troussée sur les cuisses, paraissent à ceux du radeau des sortes d'anges déguisés en lutteurs de foire, chargés de les arracher, brassée après brassée, à l'aspiration tumultueuse de cet enfer.

Ils prennent pied sur le pont, dont ils sentent les arches trembler. Ils embarquent sur le second radeau, que l'eau emporte aussitôt. La tension de la chaîne est si forte qu'on l'entend vibrer dans le déferlement du plein courant.

Enfin, les voici de l'autre côté. Le temps de s'ébrouer, et le soleil se lève, un clair soleil d'avril qui fait bientôt fumer les vêtements. Chacun cherche ce qui lui manque

– un bourdon, un chapel, un couteau. Bon saint Jacques, dans quel état arriverons-nous ?

Ils ont mangé leur pain avant de passer l'eau, de peur de le perdre. Il leur faudra maintenant attendre le soir. On annonce Figeac à cinq lieues. Ils n'avancent pas très vite, ils n'ont pas encore trouvé leur rythme, où doivent se fondre les pas hésitants de l'aveugle, la marche courte des femmes, les enjambées de Frottard, le trottinement de Colomba la chèvre. Devant, le moine qui les guide ne se retourne guère. Il lance des prières dont on apprend à donner les répons. Quand il sent qu'on traîne un peu derrière, il plante son bourdon en terre : c'est le signe qu'on va souffler. On s'assied, on se déchausse, on plaisante, Colomba broute. Les sœurs de Rodez ne peuvent s'empêcher – toutes ces fleurs de printemps ! – de tresser des guirlandes de marguerites et de coquelicots...

Figeac, ils en voient de loin les deux hautes aiguilles de pierre dominant la cité et l'abbatiale Saint-Sauveur. Ils s'hébergent à l'hôpital Saint-Jacques, où on les reçoit bellement, avec de la soupe et du pain, et de la paille pour dormir. Des groupes arrivent d'Aurillac, rien que des Auvergnats, qui se connaissent et ne se mêlent pas aux autres.

Marcilhac, Cahors où l'on prie saint Etienne, Duravel où l'on s'arrête adorer les reliques de saint Hilarion, saint Polémon et saint Agathon, exposées sous la lourde voûte d'une crypte. Déjà ceux qui savent annoncent Moissac. Demain, on partira tôt.

Va pèlerin, accorde ton pas au pas de l'autre, et ta voix à sa voix. Les matins te naissent dans la main, mouillés encore de leur mère la nuit, et déjà tu vas.

Va pèlerin, va compagnon, marcheur de Dieu. Saint Jacques l'apôtre t'appelle de l'horizon, du dernier horizon que connaissent les hommes. Avance-toi vers le bord de la mer qui est aussi le bord de la terre. On dit que le soleil là-bas meurt chaque jour, et qu'il faut ainsi mourir avant de renaître. C'est le plus beau chemin du monde.

Et pourtant, pèlerin, espérant qui vas, quéreur d'éternité, sans tes pieds blessés, sans tes rudes chansons, sans tes rires et tes effrois, sans tes coups de bâton dans les haies, sans tes contes du soir, le plus beau des chemins du monde ne serait qu'un chemin de misère, une écorchure de la terre, de l'herbe un peu, des cailloux, des épines et de la boue. Sans toi, le plus beau des chemins du monde n'est qu'un chemin sans vie, une route vaine. Ce n'est pas le but qui donne son sens au chemin, c'est le marcheur.

Le voyage sera long, dur sans doute. Mais ne t'arrête pas. Rappelle-toi saint Augustin : « Le jour où tu te dis : cela suffit, ce jour-là tu es mort ! » Si tu as froid, si tu as faim, chante. Si tu as peur, prie, appelle, crie. Rêve si tu es las, mais ne t'arrête pas.

Ne t'arrête plus, pèlerin, compagnon, marcheur de Dieu. Maintenant que tu as rompu le mur qui t'enfermait en toi, te voilà libre d'aller au bout du monde, et, si Dieu veut et saint Jacques, au bout de toi-même.

Moissac. La foule reste immobile devant le porche de l'église où est sculptée une des visions de Jean de Patmos. Du groupe de Guilhem se détache un long pèlerin fiévreux qui n'a pas dit un mot depuis le départ. On ne sait de lui que son nom : Jean. Il se place sous le tympan, pointe l'index et commence à déclamer :

« Et je vis un trône dressé dans le ciel, et quelqu'un assis sur ce trône.

« Celui qui était assis paraissait semblable à une pierre de jaspe et de sardoine. Et il y avait autour de ce trône un arc-en-ciel, qui paraissait semblable à une émeraude.

« Autour de ce même trône, il y en avait vingt-quatre

autres, sur lesquels étaient assis vingt-quatre vieillards, vêtus de robes blanches, avec des couronnes d'or sur leurs têtes.

« Du trône sortaient des éclairs, des tonnerres et des voix; et il y avait devant le trône sept lampes allumées, qui sont les sept esprits de Dieu.

« Devant le trône, il y avait une mer transparente comme le verre et semblable au cristal. Et au milieu du bas du trône, et autour, il y avait quatre animaux couverts d'yeux devant et derrière.

« Le premier animal ressemblait à un lion, le second était semblable à un bœuf, le troisième avait le visage comme celui d'un homme; et le quatrième était semblable à un aigle qui vole.

« Ces quatre animaux avaient six ailes. Et à l'entour et au-dedans ils étaient pleins d'yeux, et ils ne cessaient jour et nuit de dire : saint, saint, saint est le Seigneur Dieu tout-puissant, qui était, qui est, et qui doit venir.

« Et lorsque ces animaux rendaient gloire, honneur et actions de grâce à celui qui était assis sur le trône et qui vit dans les siècles des siècles, les vingt-quatre vieillards se prosternaient... »

Il y a plusieurs jours que tous ceux qui sont là, sur le parvis, à boire les mots de la Vision, n'ont pas mangé à leur faim. C'est que la croisade de Simon de Montfort, du côté d'Albi, gonfle ses forces, prend son élan, envoie ses vivandiers de plus en plus loin. C'est que du nord arrivent des troupes fraîches de Bretagne, d'Anjou, de Poitou, avec encore de l'argent pour rafler tout ce qui reste et faire monter les prix. C'est que rôdent, comme des loups, des hordes de routiers de Galles et d'Aragon. C'est qu'arrivent du Toulousain les troupeaux dépenaillés des réfugiés aux villages brûlés, aux maisons rasées : les bonnes gens du Quercy et du Périgord leur réservent leurs dernières noix, leurs dernières couennes, plutôt qu'aux pèlerins – vous donneriez, vous, à ces Danois inquiétants qui grognent comme des bêtes ? Sans compter qu'aux pèlerins, reste la charité des hôpitaux Saint-

Jacques, des hospices, des aumôneries : du vin, un peu de pain, de la soupe et, pour la route, quelques noix et des pommes toutes ridées.

Les trois sœurs de Rodez, on ne sait comment, ont maintenant une poule. Elles la portent chacune un jour, et celle qui la porte a droit à l'œuf. Quarèmentrant, qui a l'habitude des talus et des bois, montre aux autres à manger de l'ail sauvage, des écorces tendres, des racines; dès qu'on s'arrête un peu, il pose des collets dans les buissons. Dans leurs jardins ou au coin des champs, les villageois montent la garde avec des fourches et des chiens.

De tous, c'est l'aveugle qui souffre le plus de la faim. Il ne veut pas croire que le lapin manque et accuse les autres de lui voler sa part. Au dernier village, il a demandé à Guilhem de l'emmener mendier aux portes des maisons. Guilhem frappait, la porte s'écartait pour un œil.

« La charité, bonnes gens, geignait l'aveugle... Celui qui donne à l'aveugle fait son paradis, c'est comme s'il donnait à Dieu... Un peu de pain, par charité, par pitié, par aumône, un peu de pain, saint Jacques vous le rendra... »

Dans l'ombre épaisse des masures, des voix répondaient qu'on était sans farine depuis la fin de l'hiver, qu'on n'avait rien, et qu'il y avait plus à plaindre que les aveugles, que saint Jacques pouvait bien pourvoir à la subsistance de ses pèlerins... Ils avaient peut-être frappé ainsi à dix maisons, et n'avaient reçu que quelques prunes noires, toutes séchées, que l'aveugle avait mangées avidement... Deux ou trois fois, pourtant, on leur avait offert du vin blanc doux, comme on le faisait dans la région. C'était vrai que ces gens n'avaient rien... Ils disaient que plus loin, en Armagnac, en Gascogne, le chemin pourrait à nouveau nourrir les pèlerins, mais c'était peut-être pour se débarrasser d'eux.

La faim pourtant les enfièvre moins, sur le parvis de Moissac, que la Vision brûlante de Jean de Patmos, et le terrible regard de pierre du Christ gigantesque les courbe front à terre. La voix continue :

« Je vis ensuite dans la main droite de celui qui était assis sur le trône un livre écrit dedans et dehors, scellé de sept sceaux.

« Et je vis un ange fort et puissant, qui disait à haute voix : « Qui est digne d'ouvrir le livre et d'en lever les « sceaux ? »

« Mais il n'y avait personne, ni dans le ciel, ni sur la terre, ni sous la terre, qui pût ouvrir le livre, ni même le regarder.

« Je pleurais beaucoup de ce qu'il ne se fût trouvé personne qui fût digne d'ouvrir le livre, ni de le regarder.

« Alors un vieillard me dit : « Ne pleurez point, voici « le lion de la tribu de Juda, le rejeton de David, qui a « obtenu par sa victoire le pouvoir d'ouvrir le livre et « de lever les sept sceaux. »

« Je regardai, et je vis au milieu du trône et des quatre animaux, et au milieu des vieillards, un agneau, qui était debout, et comme égorgé, et qui avait sept cornes, et sept yeux, qui sont les sept esprits de Dieu envoyés par toute la terre.

« Il s'avança et reçut le livre de la main droite de celui qui était assis sur le trône.

« Et après qu'il l'eût ouvert, les quatre animaux et les vingt-quatre vieillards se prosternèrent devant l'agneau, ayant chacun des harpes et des coupes d'or pleines de parfums, qui sont les prières des saints.

« Et ils chantaient un cantique nouveau, en disant : Vous êtes digne, Seigneur, de recevoir le livre et d'en ouvrir les sceaux. Car vous avez été mis à mort, et par votre sang vous nous avez rachetés pour Dieu, de toute tribu, de toute langue, de tout peuple et de toute nation.

« Et vous nous avez faits rois et prêtres pour notre Dieu, et nous régnerons sur la terre.

« Je regardai encore, et j'entendis autour du trône, et des animaux et des vieillards, la voix d'une multitude d'anges, et il y en avait des milliers et des milliers, qui disaient à haute voix : L'agneau qui a été égorgé est digne de recevoir puissance, divinité, sagesse, force, honneur, gloire et bénédiction. »

L'agneau égorgé, au tympan de la belle église, n'est pas un agneau, c'est le Christ glorieux, le seigneur roi dont la souffrance a préparé la gloire.

« Et j'entendis encore toutes les créatures qui sont dans le ciel, sur la terre, sous la terre et dans la mer, et tout ce qui est dans ces lieux, qui disaient : « A celui qui « est assis sur le trône, et à l'agneau, bénédiction, hon- « neur, gloire et puissance dans les siècles des siècles. »

« Et les quatre animaux dirent : amen. Et les vingt-quatre vieillards se prosternèrent, et adorèrent celui qui vit dans les siècles des siècles. »

Amen ! Amen ! La voix de la foule s'enfle, roule, se mêle à toutes les voix du peuple de Dieu, peuple de pierre et peuple de chair, et peuple d'images, vieillards prosternés et animaux couverts d'yeux devant et derrière.

Ce qui se prépare là, au plus profond de chacun de ces hommes à genoux, c'est une revanche qui n'appartient à aucun mais qui procède de tous : la grande vengeance des pauvres. L'agneau égorgé va à son tour châtier et détruire en leur nom la richesse, la beauté, la puissance dont ils ont toujours été privés. Ce qu'ils ont peut-être, secrètement, toujours désiré pour eux-mêmes et qu'ils n'auront jamais, ils veulent en voir dépouiller les autres. C'est quand ils se rassemblent ainsi que gronde en eux le très vieil appel de l'horreur et de la destruction. C'est l'heure de l'agneau[10]. Il se dresse, et devient le bourreau de la fin des temps.

« En même temps, je vis paraître un cheval pâle, et celui qui était monté dessus s'appelait la Mort, et l'enfer le suivait. Et le pouvoir lui fut donné sur les quatre parties de la terre pour y faire mourir les hommes par l'épée, par la famine, par la mortalité, et par les bêtes sauvages... »

La mort, la mort, la mort, la mort. La magie de mots jamais appris libère comme on vomit le flot des images éclatantes.

« Je vis aussi que lorsqu'il eut ouvert le sixième sceau, il se fit un grand tremblement de terre. Le soleil devint noir comme un sac de poil, la lune parut tout en sang.

« Et les étoiles du ciel tombèrent sur la terre, comme les figues vertes d'un figuier secoué par la tempête.

« Le ciel se retira comme un parchemin qu'on roule, et toutes les montagnes et les îles furent renversées.

« Et les rois de la terre, les grands du monde, les officiers de guerre, les riches, les puissants, et tous les hommes esclaves ou libres se cachèrent dans les cavernes et dans les rochers des montagnes.

« Et ils dirent aux montagnes et aux rochers : « Tom-
« bez sur nous et cachez-nous de devant la face de celui
« qui est assis sur le trône, et de la colère de l'agneau.

« Parce que le grand jour de leur colère est arrivé.

« Et qui pourra subsister ? »

Qui pourra subsister ? Depuis qu'il a quitté Conques, il semble à Guilhem que quelque chose bouge en lui, comme si, dans sa poitrine, son cœur changeait de place. Sa vie, sa propre vie, telle qu'il peut la raconter, la jalonner d'événements indiscutables, l'orner du souvenir de rencontres et d'émotions, cette aventure unique qu'est la vie de Guilhem d'Encausse, fils de Raymond et de Ricarde, ancien seigneur de Roquelongue, il lui semble qu'elle se détache de lui, qu'il la laisse par lambeaux au bord de la route, comme une couleuvre abandonne sa peau.

Quand il marche et qu'il se regarde marcher, parmi ces Danois indifférents, avec l'aveugle insupportable, avec ce Jean-qui-brûle, avec l'archer maudit, les trois violées de Rodez, l'ami Quarèmentrant et sa chèvre Colomba, il pressent qu'il est eux autant que lui-même. Non tant parce qu'ils partagent pour l'heure le même chemin, mais parce qu'ils sont les fibres différentes d'un même corps, immense, chair d'une puissante chair profonde et sombre. C'est cet être-là qui frémit quand l'ange ouvre le septième sceau et que le silence se fait dans le ciel :

« Le premier ange sonna de la trompette, et il se forma une grêle et un feu mêlé de sang qui tombèrent sur la terre, et le tiers de la terre et des arbres fut brûlé, et le feu brûla toute herbe verte.

« Le second ange sonna de la trompette, et il parut comme une grande montagne tout en feu, qui fut jetée dans la mer, et le tiers de la mer fut changé en sang.

« Le tiers des créatures qui étaient dans la mer, et qui avaient vie, mourut. Et le tiers des navires périt.

« Le troisième ange sonna de la trompette, et une grande étoile, ardente comme un flambeau, tomba du ciel sur le tiers des fleuves et sur les sources des eaux... »

Jean-qui-brûle se fait plus véhément encore. Il semble avoir grandi, ses yeux jettent des flammes. Il dit presque en suffoquant que furent frappés le tiers du soleil, le tiers de la lune et le tiers des étoiles :

« Alors, je vis et j'entendis un aigle qui volait au zénith proclamer d'une voix forte : Malheur, malheur aux habitants de la terre... »

Sa voix se casse dans un sanglot de joie. Un chanoine de l'église en profite pour l'interrompre : c'est l'heure de dire les prières de vêpres. Un moment encore la foule reste immobile et silencieuse, puis s'ébroue, secoue de ses épaules tout le sang de la Vision. Tandis que des moines emmènent Jean, qui est pris de tremblements, chacun va à ses affaires, cherche à manger, à coucher, à rire un peu.

A Moissac, les passeurs refusent de s'aventurer sur le fleuve Tarn, dont les eaux ont encore monté. Ils prétendent que la Garonne, plus loin, est encore pire, grossie qu'elle est du Tarn et de l'Aveyron. Mais quand des voyageurs viennent dire que l'Aveyron a baissé, ou le

Tarn, ou la Garonne, ils répondent que les eaux ne vont pas tarder à remonter, que c'est leur métier de le savoir, et qu'ils ne voudraient certainement pas être dans le courant à ce moment-là.

Attendre. Les Danois, sur le conseil d'un moine qui parle leur langue, décident de suivre la Garonne jusqu'à Agen, où le pont est peut-être franchissable et où ils pourront trouver la viande dont leurs grands corps ont besoin. Les trois sœurs les suivent, avec leur poule. Il est convenu qu'on se rejoindra un peu plus loin, dans le grand hôpital Saint-Jacques d'une ville nommée Condom. Sinon, on s'attendra pour passer les Pyrénées, au pied du port de Cize.

Attendre. Au bout de deux jours, il faut quitter l'hospice pour faire place aux nouvelles vagues de pèlerins, dont certains arrivent de Brive et de Rocamadour. Guilhem et ses compagnons vont s'installer, à l'écart des murs de la ville, près des eaux du fleuve, dans un bois où Quarèmentrant pense pouvoir attraper du petit gibier. On construit des abris de branchages autour d'un feu, on s'installe. Un jour, une nuit, un jour. Le temps passe, inutilement puisqu'on n'avance pas, mais la halte ne serait pas désagréable si l'on n'avait pas faim.

Les moines ont interdit à Jean de terminer le récit de la Vision. Peut-être pour lui éviter de se briser lui-même, mais peut-être aussi parce que cela dérange leurs offices. Il est revenu et regarde sans un mot le fleuve qui passe. « Il faut se méfier de lui, dit Quarèmentrant, il se prend pour l'apôtre. »

Quarèmentrant a piégé un lapin et un écureuil, aussitôt écorchés, vidés, mis à rôtir, dévorés avant même d'être cuits : le fumet attirait les affamés par dizaines, et les chiens, et la horde famélique des traîne-misère — on n'aurait pas pu en donner à tout le monde. Des moines de Saint-Benoît circulent parmi les pèlerins et racontent des miracles de saint Jacques. A ceux qui ont le ventre vide, ils rappellent l'histoire de ce pèlerin de

Vérone qui se nourrissait d'un pain miraculeux, intact chaque matin dans sa besace : « Sachez le mériter par votre confiance et votre humilité, disent-ils, et saint Jacques vous délivrera de votre faim. » Pour bien faire comprendre que le pouvoir de saint Jacques est sans limite, ils prennent l'exemple d'un marchand dépouillé par un seigneur et enfermé dans une tour. Le marchand implore saint Jacques, et voici que la tour se penche, se penche jusqu'à ce que son sommet touche le sol. Le prisonnier s'enfuit. Les gardes le poursuivent, mais le marchand devient alors invisible à leurs yeux...

Ces prodiges qu'on leur conte, ils ne les oublieront jamais. Pas plus qu'ils n'oublieront les conseils de route, le nom des villes à traverser. Les moines leur lisent des chapitres du Guide du pèlerin de Saint-Jacques de Compostelle, qui énumère les passages périlleux, les eaux dangereuses, les « pays désolés où l'on manque de tout », ceux où « le pain, le vin, la viande, les poissons, le lait et le miel abondent... » Les mots se gravent dans les mémoires[11].

En attendant, ils sont toujours arrêtés entre la ville et la rivière, et la faim les accable. Seule Colomba s'engraisse d'herbe tendre, et il faut maintenant la surveiller : un seigneur à cheval a proposé de l'acheter pour nourrir ses gens; des miséreux rôdent autour de la belle aux yeux d'or. N'importe quoi se mange : déjà l'on ne voit plus guère de chiens errants.

Enfin les passeurs se disent prêts à franchir la Garonne, là où elle est la plus large et la moins violente – mais il faut payer, et cher. Certains donnent leur argent et s'embarquent, d'autres refusent de payer ce qui doit être gratuit pour le pèlerin. Guilhem est de ceux-là. De la petite troupe dont il fait partie, il est le seul qui ait un peu d'argent, et il trouve injuste d'être par conséquent le seul à pouvoir s'avancer sur le chemin de son pèlerinage. Le seul passage à prix fixé est celui des chevaux, dit le règlement; les riches donnent une obole, les pauvres ne paient pas.

« Nous sommes pèlerins, dit-il au passeur. Je te donnerai mon obole, mais tu dois transporter les autres par charité. »

L'homme est trapu, fort d'épaule et de cuisse, mais il regarde par en dessous, et on s'en méfie tout naturellement :

« Bien sûr, répond-il. Je vous passerai par charité. Mais je vais d'abord passer ceux qui me paient. »

Toute la journée ils patientent. Quand le passeur n'a pas de clients et qu'ils se rappellent à lui, il répond qu'il doit se reposer un peu : comment, sans cela, aurait-il encore des forces pour les transporter sur l'autre rive ?

Le soir, ils sont toujours sur la berge. Frottard est fou de rage. Depuis Conques, il souffre le martyre sans une plainte. Sa ceinture de pointes de fer lui entaille la chair et c'est à peine s'il peut dormir : le moindre mouvement l'éveille. C'est encore à marcher qu'il est le mieux, soulageant d'une main le poids de la chaîne et pensant que chaque pas le rapproche de sa délivrance. De tous, c'est lui le plus pressé d'arriver à Compostelle. Aussi ne faut-il pas s'étonner de le voir empoigner le passeur par le devant de sa robe et le décrocher de terre :

« Emmène-nous ! » intime-t-il entre ses dents.

L'autre tremble :

« Justement, dit-il, j'allais vous appeler... »

Guilhem, Frottard, l'aveugle, Jean, Quarèmentrant et Colomba s'installent tant bien que mal dans une barque à fond plat, mal calfatée, à demi noyée d'eau boueuse.

Tout le temps de la traversée, ils craignent de couler. Ils sont proches de l'autre rive quand le passeur lève son aviron. Aussitôt la barque commence à dériver :

« Un denier de Toulouse pour chacun, dit l'homme, ou je vous remmène de l'autre côté ! »

Frottard se lève d'un coup, mais le mouvement qu'il fait déséquilibre la barque. Il se rattrape comme il peut.

Colomba, prise de frayeur, veut sauter à l'eau. Quarèmentrant la retient. L'aveugle glapit de sa voix aiguë, implore saint Romain, dont on dit qu'il protège ceux qui l'invoquent au milieu des flots.

Frottard a repris son équilibre. Il lève son lourd bourdon, qu'il tient par la pointe, et en abat le bout épais sur le passeur, qui prend le coup sur le crâne et tombe en avant. Guilhem le redresse, de façon que personne, depuis la rive, ne donne l'alerte. Frottard, toujours debout, est stupéfait. La barque glisse de travers, va vers les arbres de la rive. Guilhem comprend alors comme une évidence que cet homme, là, qu'il tient à bout de bras, absolument inerte, cet homme est mort. La barque s'échoue. Dans la boue jusqu'aux genoux, ils prennent pied dans un champ et lâchent la barque dans le courant, le passeur adossé au banc de nage pour son dernier voyage.

Ils le regardent s'éloigner, prendre de la vitesse dans le lointain du crépuscule. Guilhem alors sort son argent et jette dans le fleuve une pièce pour Frottard, qu'il ne soit pas plus maudit qu'il ne l'est; une pièce pour l'aveugle, qui n'a rien vu; une pièce pour Jean, qui regarde sans voir; une pièce pour l'ami Quarèmentrant, qui n'est pour rien dans toute cette affaire; une pièce pour Colomba la chèvre, parce qu'après tout elle aussi était dans la barque; et enfin une pièce pour lui-même, qu'on ne puisse l'accuser d'avoir agi par ladrerie en refusant de payer le passage.

Ils ne reparleront jamais du passeur de la Garonne, mais aucun n'est fâché de sa mort. Sur tout le chemin, on dit que les passeurs et les aubergistes sont les ennemis naturels du pèlerin : en voilà au moins un qui ne fera plus le mal.

Il y a tant de pèlerins et si peu à manger que Quarèmentrant propose bientôt de quitter le grand chemin pour passer par l'intérieur des terres et des forêts. Tous acceptent. Il semble que, sans en avoir jamais parlé, ils soient décidés à rester ensemble jusqu'au tombeau de l'apôtre.

Soleils, vents, averses, jours. Les peaux se tannent, se hâlent, tandis que la couleur des vêtements, au contraire, commence à passer. Livrés à eux-mêmes, en plein pays perdu, ils ne chantent plus de psaumes comme au départ de Conques. Ce n'est peut-être plus nécessaire, maintenant qu'ils ont pris leur élan, et leur allure. Et puis ils doivent surveiller sans répit leurs flancs et leurs arrières. Plusieurs fois, ils se sont sentis épiés; ils ont même entendu qu'on les suivait — ours? routiers? pèlerins affamés?

A Condom, ils n'ont pas retrouvé les Danois : les moines de l'hôpital Saint-Jacques ne les ont pas vus passer. Sont-ils restés à Agen? Ont-ils pris un autre chemin? Ils vont leur manquer, les grands pèlerins blonds et silencieux, et même les trois femmes de Rodez, noiraudes et pointues, avec leur caquet.

Ils ont attendu deux jours et ont quitté Condom. Ils ont franchi la Baïse, et la Midouze après Eauze. Ces traversées sont chaque fois une épreuve. Il aurait fallu attendre les gués de l'été, mais alors passer l'hiver en route avant de pouvoir revenir. Sur certains torrents, des villageois ont jeté des passerelles, des ponts de lianes, des cordes. Traversées hasardeuses au-dessus du flot, avec cet aveugle qui sent maintenant l'eau à une demi-lieue et qui piaille avant même de savoir s'il y a un pont.

Un jour, sans que le soleil cesse de luire un instant, il a plu d'énormes grêlons. Aussitôt après s'est levé un arc-en-ciel double qu'il a fallu raconter à l'aveugle. Un autre jour, ils ont vu planer un aigle aux ailes si longues qu'on eût dit dans le ciel une grande croix noire.

Quarèmentrant avait raison : à l'écart du plus grand nombre, et en prenant le temps, ils trouvent dans les vallées giboyeuses qu'ils traversent de quoi ne pas mourir de faim. Ils ont un peu de viande chaque jour ou presque, mais c'est au détriment du pain et du vin des hôpitaux. Une fois ou l'autre, à la poterne d'un château perché, on leur a fait l'aumône d'un gros pain, on a rempli leurs outres – quel bonheur !

Le soir, ils font cuire des pissenlits et, autour du feu, parlent pour ne rien dire :

« Imagine-toi, propose ainsi Quarèmentrant à Frottard, un arbre si grand qu'il faudrait les bras tendus de sept hommes pour faire le tour de son seul tronc. Quels fruits choisirais-tu d'y cueillir ?

– Moi, calcule l'archer maudit, je prendrais tous les oiseaux qui pourraient se percher dans ses branches.

– Et toi, l'aveugle ?

– Moi, je prendrais tous les œufs qu'on pourrait cuire avec son bois.

– On dirait que tu n'as pas mangé aujourd'hui !

– Oui, j'ai mangé aujourd'hui, mais demain ?

– Moi, dit à son tour Quarèmentrant, je prendrais tout le troupeau qu'on peut mettre à son abri.

– Et toi, manchot ? » demande l'aveugle.

Il est le seul à oser ce ton pour s'adresser à Guilhem. Les autres respectent en lui le seigneur qu'il a été – et le chevalier qu'il est toujours. Il ne le leur a jamais dit, mais, à ses mots ou à ses façons, ils ont compris.

« Moi, dit Guilhem, je prendrais... »

Il cherche et s'aperçoit qu'il ne désire rien. Il souhaite seulement que cette existence irréelle se poursuive encore : tout y est préservé, tout y est aboli, Roquelongue est si loin derrière et Compostelle si loin devant... Le temps s'est, dirait-on, décroché des jours anciens comme des jours à venir. Seul l'instant compte, parfois marqué de la morsure de la faim au creux du ventre, ou de crampes dans l'eau glacée des torrents... Quand c'est son tour, la nuit, de prendre la garde, il aime à s'éloigner un peu du feu, à l'écart des formes couchées de ses compagnons, pour regarder au ciel le chemin d'étoiles, jusqu'à s'y perdre...

« Alors ? »

Il faut répondre quelque chose :

« Moi, dit Guilhem, je prendrais bien tous les projets qu'on peut faire dans son ombre. »

Colomba est un autre de leurs sujets de discussion. Si Quarèmentrant lui trouvait un bouc, elle ferait un chevreau et donnerait du lait.

« Avec des herbes, dit l'un, on le ferait cailler. On aurait du fromage.

— Elle nous ralentirait », répond l'autre.

Ils ont pris une écuelle et en ont badigeonné l'intérieur de blanc, de façon que Colomba se méprenne et ait envie de donner du lait, comme les poules se laissent prendre au pounedou de plâtre qu'on pose dans leur nid. Mais une chèvre n'est pas une poule.

L'état de Jean se fait inquiétant. Depuis Moissac, il n'a pas dit un mot. Il roule dans sa tête des malheurs effroyables, des mers renversées, des femmes assises sur des bêtes écarlates couvertes de noms blasphématoires... Tous, ils connaissent la Vision, mais, au contraire de Jean, elle ne les encombre pas. Sur ce chemin, leurs pieds roulant sur les cailloux ou le bout ferré de leurs bourdons se plantant dans la mousse, ils se sentent en paix avec eux-mêmes. L'essentiel est de marcher.

Jours. Va pèlerin, va compagnon. Un matin, demain peut-être, tu verras les lointains du midi barrés de bleu et de blanc. Dans la montagne, tu traverseras le défilé où Roland sonna du cor, tu escaladeras les rochers où passa Charlemagne et tu pourras toucher le ciel de la main.

Si Dieu veut, et saint Jacques, tu seras alors à mi-chemin.

VI

MARIAGE

QUELQUES jours après la Saint-Jean d'été, une petite troupe aux bannières de Beauvais, échiqueté d'or et d'azur à la bordure de gueules, se présenta à Verberoi. L'évêque lui-même en était. Il venait annoncer à la dame Yolande que le sire Hugues de Clermont était mort au tournoi de Soissons. Il n'aurait pour rien au monde manqué le grand rendez-vous annuel des jouteurs. Mais sa jambe n'était pas bien guérie, et il n'avait pas eu le temps de s'exercer. Au premier choc violent, il avait vidé les étriers et les chevaux l'avaient piétiné.

Yolande de Verberoi ne manifestait aucune émotion.

« Ah! dit l'évêque, si vous l'aviez vu dans les fossés d'Acre! Quel compagnon c'était! »

Il faisait tournoyer une masse imaginaire.

« Vous ne me ferez pas pleurer, répondit la dame, je ne le connaissais pas.

– Mais vous deviez l'épouser!

– N'oubliez pas, monseigneur, que je porte encore le deuil de mon mari.

– Ventre! s'exclama gaiement l'évêque, vous ne le porterez plus longtemps! »

Il se tourna vers un jeune chevalier de sa troupe, blond, beau, une licorne d'or brodée sur sa cotte de soie :

« Avancez-vous, chevalier! Dame Yolande, je vous

présente votre nouvel époux, le chevalier d'Encausse. »
La dame, dans son cœur, suffoqua, mais c'est à peine si ses pommettes rosirent.

Les juges diseurs n'avaient pas estimé déloyal le coup de lance de Guillou. Un homme âgé et mal guéri n'était pas en état de supporter un choc pareil, voilà tout.

C'était le premier tournoi auquel Guillou participait. Toute la noblesse se trouvait à Soissons, dames et seigneurs, pour fêter les jours les plus longs et les nuits les plus courtes. L'occasion ou jamais de se faire remarquer, et Guillou n'avait pas manqué son effet : quatre prisonniers, quatre rançons. Sa façon, c'était la plus grande violence. Il attaquait de face, au plus fort de son élan, son cheval croisant au dernier instant de façon que le choc des lances fût de plein fouet. Il risquait autant que son adversaire? Oui, sans doute, mais à vitesse égale, à masse égale, à précision égale, ce qui prévalait, c'était cette force vive qui était en lui, faite d'ambition, de mépris du danger, de volonté de vaincre. Avec ses victoires, ses armes de prince et, pour le servir, cet esclave d'Orient aux yeux de nuit, il eut un grand succès.

L'évêque l'appela dans sa tribune :

« Tripes! Vous m'avez tué un compagnon, chevalier! C'est vrai qu'il aurait mieux été à ma place, ici, avec les dames et les curés, et moi à la sienne... Où donc avez-vous appris à tournoyer?

– En son temps, répondit Guillou, mon père a vaincu le roi Jean d'Angleterre. Je ne l'ai pas connu, mais je suis de son sang.

– Jean d'Angleterre? Tripes! »

Il fronça le sourcil, réfléchit :

« Mon cousin le roi sera trop content... Que diriez-vous de changer d'emploi, chevalier? »

« Oui, je, Yolande, vous prends pour mari. »

Soleil, encens, fleurs, odeur verte des feuillages foulés. Ils sont entre leurs témoins devant le porche de l'église.

« A tout jamais, dit Guillou, dans la foi de Dieu et dans la mienne, saine ou malade, je promets de vous garder. »

Il prend l'anneau que lui tend le curé, le passe à trois des doigts de la main droite de Yolande, au nom du Père, au nom du Fils, au nom du Saint-Esprit, puis à l'annulaire de la main gauche :

« De cet anneau, récite-t-il, je vous épouse, de mon corps je vous honore, de mon bien je vous doue. »

Dans l'assistance, le fiel vient aux yeux et aux lèvres de quelques-uns. Son bien ? Quel bien ? Un cheval et une épée, c'est tout le bien qu'on lui connaît.

Les mariages font toujours des jaloux.

VII

LA PISTE FROIDE

« UNE hache à bois, lançait Simon le sergent.
– Une hache à bois, renvoyait André l'écuyer.
– Un chaudron.
– Un chaudron.
– Un trépied à feu.
– Un trépied à feu. »

Au Temple, le règlement était le règlement. Tout ce qui était prévu devait être observé – et tout était prévu. Partant en mission, le chevalier Thibaut de Montrouge était tenu d'emporter un certain fourniment et un certain trousseau, rien de plus, rien de moins. Son écuyer et le sergent qui les accompagnerait s'occupaient de tout vérifier encore une fois avant le départ.

Nul ne savait combien de temps durerait cette mission. Le frère Thibaut de Montrouge devait retrouver la trace d'un ancien chevalier du Temple excommunié six ans plus tôt. On pensait en effet qu'il détenait, s'il était encore en vie, des renseignements de la plus haute importance pour l'avenir de l'Ordre. On ne savait plus grand-chose de lui, sinon qu'il lui manquait une main et qu'il se nommait Guilhem d'Encausse.

Thibaut de Montrouge, cadet de famille adoubé grâce à la générosité d'un oncle, était entré au Temple pour réaliser un rêve d'enfance : aller combattre en Terre sainte sous le glorieux manteau blanc des chevaliers du Christ. Il était grand – près de six pieds –, puissant de carrure, avenant de visage avec une fossette à chaque joue et un air un peu niais qui cachait en vérité une finesse et une détermination peu communes. Mais son trait le plus remarquable était le goût qu'il avait pour le règlement et la discipline. L'obéissance chez lui n'était pas une vertu, mais une nature.

Depuis qu'il était chevalier du Temple, on l'avait chargé de plusieurs missions délicates où son sens de la manœuvre avait fait merveille, d'autant plus qu'on ne se méfiait que de sa force. Chaque année, au moment de l'établissement de la liste des chevaliers partant servir en Terre sainte, il sollicitait le privilège de faire partie du contingent, mais chaque année frère Hubert, le commandeur de la maison de Paris, repoussait sa demande : il était trop précieux là où il était pour qu'on prît le risque de le voir fendre en deux par les Infidèles. Thibaut ne se résignait pas – il ne se résignait jamais – mais se soumettait de bonne grâce à ce qu'on lui disait être l'intérêt supérieur du couvent.

Un matin frère Hubert l'avait convoqué à son logis. Avec lui se trouvait frère Aimard, le maître du Temple pour toute la France. Frère Aimard était un homme à la tête carrée, aux cheveux gris fer coupés court, aux lèvres minces. Le roi Philippe le trouvait de si bon conseil qu'il lui confiait le soin du trésor royal et lui accordait, disait-on, son amitié. Ce n'était pas un homme à dire trois mots quand un suffisait; pourtant, ce matin-là, il parla longtemps.

Depuis que le Temple existait, dit-il, il n'avait jamais été aussi puissant ni aussi menacé. Dans ses neuf provinces d'Orient et d'Occident, il comptait près de neuf mille établissements, commanderies ou maisons de quelque rapport. S'il le fallait, il pouvait réunir dix mille lances et trois fois plus d'écuyers, de servants d'armes et d'hommes de pied : l'ost le plus puissant du monde, le mieux équipé et le mieux armé, sans compter une flotte et des ports en propre dans les rades de Saint-Raphaël et de Collioure.

Ici même, à cinq cents pas des murs de Paris, le Temple construisait peu à peu une sorte de cité jumelle, avec enceinte de défense, église, donjon. Tous ceux qui venaient y demeurer ou travailler bénéficiaient d'un statut privilégié : pas de corvées de guet ni de service militaire, pas de coutumes ou de péages, franchise pour tous les artisans. La seule loi et la seule justice y étaient celles du Temple.

L'Ordre ne reconnaissait de tutelle que du pape. Pour ce qui était des pouvoirs terrestres, il s'accommodait de tous les gouvernements, mais avait noué d'excellentes relations avec Philippe Auguste et, dans ce qui restait du Royaume latin de Jérusalem, avec Jean de Brienne, le nouveau roi. La politique du Temple était de ne pas se mêler des querelles entre chrétiens; il avait même évité de se joindre à la croisade contre les Albigeois, où il avait plus à perdre qu'à gagner.

Puissance solitaire et orgueilleuse, l'Ordre gérait sa légende comme il accroissait son bien : avec une âpreté d'usurier. On comptait maintenant sous le manteau blanc autant de banquiers que de chevaliers; de notaires qui faisaient procès pour toute redevance non payée, répondant invariablement aux plaintes et aux critiques que les Templiers avaient fait vœu de pauvreté pour eux, pas pour le Temple.

Chacune des innombrables querelles où il était impliqué tournait en sa faveur; d'appel en appel, quand on en arrivait jusqu'au pape, Innocent, comme ses prédécesseurs, se prononçait toujours en faveur du Temple, fût-ce au détriment de clercs ou d'évêques. Il protégeait le couvent, disait-on, pour s'en réserver la puissance. Mais le Temple était l'armée de Dieu, pas celle de son lieutenant. Son but était lointain : instaurer sur terre, quand tous auraient failli, un ordre nouveau, celui du Christ et des Evangiles.

A ce point d'ambition, on est seul contre tous. Mais la coalition des envieux ne pouvait que conforter le Temple dans ses certitudes et dans son orgueil. Car c'est bien de l'orgueil qu'il fallait pour ainsi garder tête haute et nuque raide alors que deux plaies saignaient à son flanc. La première, béante, inguérissable, était Jérusalem, Jérusalem perdue, Jérusalem souillée, foulée aux pieds par les païens, Jérusalem toujours à reconquérir. La deuxième était cette mauvaise rumeur qui, depuis vingt ans, reparaissait comme une fièvre capable une fois ou l'autre d'emporter le malade, et qui parlait d'un dévoiement de la Règle.

Durant ces vingt années, le Temple avait connu cinq grands-maîtres : Gérard de Ridefort, Robert de Sablé, Gilbert Erail, Philippe du Plessis et Guillaume de Chartres. C'est sous la maîtrise de Gérard de Ridefort que Saladin était entré à Jérusalem et que les archives secrètes de l'Ordre avaient été perdues. Sans Jérusalem, le Temple s'offrait à tous les coups; harcelé, en butte aux complots de ses ennemis, il était traversé d'humeurs malsaines. Au point que Philippe du Plessis, succédant à Gilbert Erail, tenta, pour faire taire les critiques du dehors et les rumeurs du dedans, d'imposer une discipline de fer. Réaction si terrible que de nombreux frères, à commencer par les principaux dignitaires de Terre sainte, demandèrent à quitter l'Ordre pour revêtir la coule blanche des moines de Cîteaux. La Règle le permettait, mais la saignée eût été telle que le pape l'interdit.

Un nouveau grand-maître, Guillaume de Chartres, avait réintroduit dans la vie du couvent ce qu'il fallait de souplesse. Mais la crise avait été l'occasion de ressortir une vieille affaire de réceptions mauvaises. Et le pape lui-même, pour la première fois, avait menacé : « Si quelque malheur vous arrive, vous pourrez vous l'imputer à vous-mêmes, et point à nous. » Des évêques demandaient qu'une enquête fût entreprise.

Or une telle enquête avait déjà été menée au sein de

l'Ordre, et on en arrivait là à la mission du frère Thibaut de Montrouge. Près de dix ans plus tôt, un moine avait été chargé par la Curie romaine d'interroger dans les templeries d'Orient et d'Occident les chevaliers reçus en Terre sainte. On trouvait trace de son passage dans les archives et frère Hubert en conservait parfaitement le souvenir.

Egrenant les clefs d'un volumineux trousseau comme les grains d'un chapelet, frère Hubert opinait. A l'époque, précisa-t-il, il était trésorier et se rappelait très bien que le moine n'avait pas payé les hébergements qu'il prenait au Temple. Il avait reçu les dépositions de plusieurs frères de Paris et était parti vers les commanderies de la Forêt d'Orient. Or un Templier le suivait, avec une lettre d'accréditation du grand-maître d'alors, Gilbert Erail. Il se nommait Guilhem d'Encausse et avait jusque-là servi en Terre sainte. Il était à son tour parti en Champagne. On n'avait jamais revu le moine, et le chevalier d'Encausse avait été accusé de l'avoir tué et chassé de l'Ordre. Frère Hubert n'en savait pas plus.

On pouvait donc supposer, dit frère Aimard, que le chevalier d'Encausse avait tué l'enquêteur de Rome pour l'empêcher de faire état de ce qu'il avait trouvé. Si c'était le cas, ce devait être grave, et il fallait absolument savoir de quoi il s'agissait.

« Voilà, conclut-il. La piste est froide, mais il faut la retrouver. »

Il rédigea lui-même l'ordre de mission de Thibaut de Montrouge et y apposa le sceau du Temple.

« Avez-vous des questions à me poser ? » demanda-t-il au chevalier.

Thibaut de Montrouge était resté immobile tout le temps de l'exposé du Maître, au point qu'on pouvait se demander, à voir son air tranquille, si tout cela l'intéressait. Il s'avança d'un pas pour prendre le parchemin :

« Beau Sire Maître, dit-il, j'aurai certainement des précisions à vous demander, si vous voulez bien les entendre, mais j'aimerais d'abord regarder les archives de cette époque pour la maison de Paris. »

Il se tourna vers frère Hubert :

« Le sire commandeur pourrait-il se rappeler si le chevalier d'Encausse avait un écuyer ? »

Le trousseau cliqueta dans les mains de frère Hubert, son visage fut ravagé de tics :

« Oh ! je m'en souviendrai toujours. C'était un Frison gigantesque, il avait tué un ours devant ma tente ! Avec un épieu ! »

Le sergent Simon et André l'écuyer finissaient d'inventorier et de ranger le matériel à emporter. Tout y était, des coffres d'armes aux piquets de tente :

« Nous partirons demain matin », dit Thibaut de Montrouge.

Et comme on sonnait le souper, il se rendit au réfectoire. Depuis la maîtrise de Philippe du Plessis, les repas se déroulaient de nouveau dans le silence absolu, à écouter un frère lire *recto tono* le récit des hauts faits du Temple en Espagne ou en Syrie. Quand on voulait demander du pain à l'écuyer de service, on faisait mine de se mordre le poing; pour demander à boire, on pliait la main en forme de gobelet; et si on préférait le poisson à la viande, on imitait de la main un frétillement.

Thibaut mangea avec application et plaisir. A la fin du repas, il attira l'attention du gouverneur sur un frère qui repoussait devant lui une carcasse de poulet à moitié rongée, alors qu'il fallait ne laisser que des restes assez beaux pour qu'on pût honorer les pauvres en les leur donnant. Le frère demanda pardon à Dieu et à Notre-Dame de ce qu'on l'avait repris et leva de la carcasse la chair qui s'y trouvait encore. Thibaut le regardait faire avec satisfaction, heureux d'avoir pu lui donner l'occasion de s'améliorer.

Au matin, il pleuvait quand les trois Templiers, le chevalier, l'écuyer et le sergent partirent. L'écuyer tirait la longe d'un mulet chargé de deux coffres et des tentes. Au dernier moment, frère Aimard se joignit à eux : ils l'accompagneraient bien jusqu'au Louvre, où il devait voir le roi – ce qui lui ferait l'économie d'une escorte.

Quittant l'enclos du Temple[12], c'est à peine s'ils distinguaient, par-delà les marais et les vergers noyés de pluie, la muraille neuve de Paris et la porte Barbette[13]. Quand ils y arrivèrent, les sergents leur tirèrent la chaîne avec servilité et les regardèrent s'éloigner dans la ruelle. De quelle chair étaient donc faits ces Templiers ? Par ce temps à rester chez soi, ils avançaient la tête droite comme si les trombes que les toits leur pissaient dans le cou étaient de l'eau bénite.

Rue Neuve-Saint-Merri, la plupart des échoppes avaient encore leur volet fermé. Les puisards débordaient. Les pieds des chevaux éparpillaient les oies et les cochons noirs qui se disputaient les immondices charriés par les coulées de boue. Les rares passants, pour éviter les éclaboussures, se jetaient dans des renfoncements ou dans les sentes qui, entre les maisons, menaient aux jardins[14].

Les sergents de la porte Barbette avaient raison, tout au moins en ce qui concernait le chevalier du Temple Thibaut de Montrouge. Son manteau était trempé et sale, son cheval déjà crotté jusqu'au ventre, mais il faudrait autre chose qu'une giboulée pour l'arrêter dans sa mission.

VIII

LA CROIX DE CHARLEMAGNE

L'AVEUGLE, au bras de Guilhem, souffle comme un bœuf. Pas tant de fatigue, sans doute, que de peur : depuis plusieurs jours on entend égrener, aux étapes, la litanie des dangers de la montagne. Le chemin des Pyrénées, dit-on, se faufile entre des gouffres sans fond, escalade des abrupts à chèvre; des vents fous – quand ce ne sont pas des tourmentes de neige – y traquent le pèlerin pour le jeter à l'abîme, des ours et des loups pour le dévorer, des brigands pour le dépouiller.

Dans la rude montée, Guilhem doit tirer l'aveugle, le pousser, l'entraîner, le calmer comme un cheval nerveux : il faut lui arracher chaque pas comme si ce devait être le dernier.

« Pourquoi marchons-nous si vite? geint-il.

– Mais nous ne marchons pas vite! Tous les pèlerins nous dépassent.

– Pourquoi nous dépassent-ils? Ils fuient quelque chose?

– Mais non! Ils marchent plus vite que nous, voilà tout.

– Est-ce encore haut?

– Mais nous venons à peine de commencer à monter!

– Je veux m'arrêter! Demande au guide, dis-lui que je suis fatigué.

– Il faut continuer si nous voulons coucher ce soir à l'hôpital de Roncevaux... »

Guilhem s'efforce à la patience avec cet infirme qui l'insupporte. L'autre fois, comme les compagnons du groupe se plaignaient de devoir l'attendre, l'aveugle leur a suggéré de marcher toute la journée les yeux bandés. Cela s'est terminé dans la confusion, avec des bosses et des rires. Mais on avait compris, et on ne le laissait plus à la traîne. On a même tenté de lui décrire les pays qu'on traversait. Il a dit que c'était inutile, que seuls les enfants savaient faire voir les choses aux aveugles.

« Et le temps ? demande-t-il avec inquiétude.

– Toujours superbe », répond Guilhem.

Dans le ciel bleu, très haut, s'étire une charpie de nuages blancs.

Derrière eux, les vallées s'emboîtent les unes dans les autres, vertes au début, presque bleues dans les lointains. On distingue encore les toits et les fumées de Saint-Jean-Pied-de-Port, et on ne peut s'empêcher d'avoir le cœur un peu serré en se retournant ainsi vers le pays de France. Franchir la montagne, c'est comme franchir la mer : ce qui valait ici ne vaudra pas là-bas. D'ailleurs, devant eux, le moutonnement des croupes boisées remplit le regard à la façon des vagues.

Le guide qui les mène, pèlerin comme eux, s'arrête parfois pour laisser les derniers rejoindre les premiers. Ensemble, on dit une prière, on chante un psaume, et on reprend le lent gravissement.

Jean-qui-brûle n'est plus avec eux mais, en revanche, ils ont retrouvé les trois sœurs de Rodez et le groupe des Danois. Cela s'est passé à Ostabat, à la confluence de trois des quatre grands chemins jacquaires : celui qui vient de Paris par Tours et Poitiers, celui qui vient de Vézelay par Bourges et Périgueux, celui qui vient du Puy par Conques et Moissac. Là, par charité, on a construit un hôpital immense où peuvent passer jusqu'à cinq mille pèlerins à la fois – dit-on. En tout cas, Guilhem n'en a jamais vu autant, tous habillés de même et s'intéressant aux mêmes choses : on cherche des amis de pays, on échange des renseignements, des adresses, on se renseigne sur le cours des monnaies, sur le droit des pèlerins, on se souhaite bonne route et bonne pénitence.

C'est là que, tout à fait par hasard, à une distribution de pain, Quarèmentrant est tombé sur la troupe des Danois et des sœurs de Rodez, toujours avec leur poule. Embrassades, bonheur des retrouvailles : on a pris le souper ensemble. Un des Danois manquait, emprisonné à Agen à la suite d'une mauvaise rixe dans une taverne; ses compagnons le reprendraient au retour.

Quant à Jean, il a un jour confondu Colomba avec l'Agneau immolé de la Révélation. Tombant à genoux devant la chèvre indifférente, il s'est mis à réciter, les yeux renversés :

« Et j'entendis comme la rumeur d'une foule immense, comme la rumeur des océans, et comme le grondement de puissants tonnerres. Ils disaient : Alleluia, réjouissons-nous, car voici les noces de l'Agneau... »

Quarèmentrant, prudent, entraîna Colomba à l'écart. Le lendemain, en plein midi, alors qu'on dormait sous les arbres, Jean se leva soudain, se campa près de la chèvre. Le doigt pointé, accusateur, et tout le bras dans son doigt, et tout le corps tendu derrière, il prit une voix de juge :

« Alors, dit-il, je vis monter de la mer une bête qui avait dix cornes et sept têtes.

« Sur ses cornes dix diadèmes et sur ses têtes un nom blasphématoire.

« La bête que je vis ressemblait au léopard, ses pattes étaient comme celles de l'ours, et sa gueule comme la gueule du lion.

« Et le dragon lui conféra sa puissance, son trône et un pouvoir immense.

« L'une de ses têtes était comme blessée à mort, mais sa plaie mortelle fut guérie.

« Emerveillée, la terre entière suivit la bête.
« Et l'on adora le dragon parce qu'il avait donné le pouvoir à la bête.
« Et l'on adora la bête en disant :
« Qui est comparable à la bête et qui peut la combattre? »

Ils auraient pu jurer que, cette fois, comme un effarement passait dans les yeux d'or de Colomba. Le soir, après une sorte de complot, Frottard, l'aveugle, le berger et Guilhem confièrent Jean à une petite troupe qui remontait vers Lectoure, d'où il pourrait rejoindre Moissac : c'était seulement là, pensaient-ils, sous les sculptures du tympan, en compagnie des vingt-quatre vieillards, qu'il pourrait exorciser toutes ces images qui brûlaient en lui.

Ils n'osaient trop s'interroger à son égard. Qui était-il? Ce qui était sûr, c'était que Babylone la prostituée le hantait plus que la Jérusalem nouvelle, la fiancée, l'épouse de l'agneau. Mais au fond, n'était-ce pas la même chose pour chacun d'eux? Ce qu'ils craignaient de Jean, en tout cas, c'est qu'il finisse par immoler Colomba en la prenant pour l'Agneau ou par purifier quelque taverne sous un déluge de feu et de soufre.

Après Ostabat, ils ont à nouveau cheminé avec les Danois, comme aux premiers jours du voyage. Ils ne quittaient plus le grand chemin, malgré l'affluence de pèlerins, de chevaliers partis guerroyer contre les Maures d'Espagne, de marchands décidés à s'installer dans les nouvelles villes où on leur promettait des privilèges et des franchises.

Laissant derrière eux la Gascogne, avec ses bons vins, ses vallées douces et ses visages ouverts, ils arrivaient au pays des farouches Basques, presque des païens, régnant par la sauvagerie sur leurs forêts sombres où grondaient des torrents. Ils ne respectaient rien, disait-on, et plusieurs fois déjà on avait lu aux pèlerins les passages d'un Guide où le Basque était dépeint comme « plein de méchanceté, noir de couleur, laid de visage, débauché, pervers, perfide, déloyal, corrompu, voluptueux, ivrogne, expert en toutes violences, féroce et sauvage, malhonnête et faux, impie et rude, cruel et querelleur, inapte à tout bon sentiment, dressé à tous les vices et iniquités. »

La première de leurs violences était leur parler, qui ne ressemblait à rien de connu et mettait une barrière entre les autres et eux. « Vin et latin, disait-on, va partout. » Entre Français de Paris et de Toulouse, Italiens, Anglais, Espagnols, Flamands, on pouvait toujours, avec le latin, partager quelques mots. Pas avec les Basques, qui jouaient d'ailleurs de leur réputation pour extorquer par la frayeur qu'ils inspiraient plusieurs fois le montant des péages aux voyageurs. Malheur aux isolés ! répétait-on.

C'est dire si, en arrivant au pied des monts, à Saint-Michel ou à Saint-Jean, les pèlerins serraient les rangs. Les églises ne désemplissaient pas. A saint Jacques on demandait protection, et à Marie sauvegarde. Mais un autre nom était sur toutes les lèvres, celui de Charlemagne. On allait suivre la route glorieuse que l'empereur avait suivie et, au plus haut de la montagne, planter une croix là où il avait, un genou en terre, planté la sienne.

A Saint-Jean, l'hospice était plein, et les malades s'entassaient à trois ou quatre dans des châlits à deux places. Ils se sont installés, avec des centaines d'autres pèlerins, dans un pré bordant la Nive — et sans rien à manger que des truites vendues à prix d'or par des enfants arrogants. Les sœurs de Rodez ont sorti leur poule d'un sac :

« Cacharas aqui, dit l'une, tu coucheras ici !... Grataras aqui, dit une autre, tu gratteras ici !... Ponharas aqui, dit la troisième, tu pondras ici ! » Elles lui avaient attaché un fil à une patte et, tout le temps qu'elle picorait, les grands Danois lui faisaient une sorte de rempart pour empêcher l'un ou l'autre des affamés qui les entouraient de venir lui tordre le cou.

La nuit était fraîche et claire. Des groupes se mêlèrent, on parla autour des feux, on chanta. Et contrebas, on entendait la rivière qu'il faudrait, au matin, passer en barque : il existait bien un pont de bois, mais les dernières crues l'avaient tellement ébranlé qu'il fallait le reconstruire. On raconta des histoires terrifiantes de voyageurs entrant dans la montagne et n'en ressortant jamais, proies de la nuit, de la tempête, des bêtes féroces ou des Basques...

Un des pèlerins, pourtant, en était à son deuxième voyage pour Compostelle, il avait donc déjà franchi la montagne dans les deux sens, et sans rien voir des malheurs annoncés. Au contraire, il gardait le souvenir ébloui de l'arrivée au sommet, d'où l'on pouvait contempler trois pays – le Béarn, l'Aragon, la Navarre – et la mer de l'Occident. A condition, ajoutait-il, de ne pas se tromper de chemin à une fourche, c'était une marche sans danger et même sans trop de fatigue... Huit lieues, quatre pour monter, et quatre pour descendre sur Roncevaux... Des hêtraies comme ils n'en avaient jamais vues, des tapis d'herbe rase, des fleurs, des oiseaux...

Quelqu'un lui demanda avec quel groupe il voyageait. Il était seul, dit-il. Il venait du Gévaudan, et ses deux compagnons s'étaient noyés en passant un torrent, l'un en voulant sauver l'autre. On se signa. On eut une pensée pour tous ces pèlerins qui ne reviendraient pas. Puis on convint de se retrouver au matin pour passer ensemble la rivière et la montagne. Cela valait sans doute mieux que devoir prendre comme guide l'un de ces bergers basques qui proposaient leurs services. Avec leur air sauvage et leurs grands chiens aux colliers bardés de piques de fer, on ne savait s'il fallait craindre davantage la montagne ou les guides...

L'eau de la Nive était trop violente pour qu'on passât à l'aviron. Il fallait haler les barques d'un bord à l'autre de la rivière. L'usage était que ceux qui ne pouvaient payer leur passage aident à faire traverser d'autres pèlerins. L'homme du Gévaudan proposa que les Danois restent seuls en arrière pour s'acquitter de leur dette à tous, tandis que les autres, avec les femmes, l'aveugle et la chèvre, prendraient un peu d'avance.

C'est ainsi qu'on grimpe lentement, et que l'aveugle, d'inquiétude, souffle comme un bœuf. L'un des Danois monte avec eux, sans doute chargé par les autres de veiller sur les femmes. Aux fourches du chemin, le guide n'hésite jamais, alors que devant, derrière, on voit des groupes s'arrêter pour discuter à grands gestes, revenir sur leurs pas, repartir.

« A chacun son chemin, dit l'homme du Gévaudan, plus ou moins long, plus ou moins dur... »

On laisse à main gauche un châtaignier gigantesque et, presque aussitôt, imprévisiblement, le temps se voile, puis se couvre. Une pluie fine et grise commence à tomber silencieusement, assourdit les sons, estompe les distances. Quarèmentrant paraît soucieux. L'aveugle s'accroche à Guilhem :

« Où sont les Danois ? demande-t-il. Ne devraient-ils pas nous avoir déjà rejoints ? Pourquoi ne les attendons-nous pas ? »

Devant, le guide monte à longues et lentes enjambées, jusqu'au moment où il se retourne :

« Si vous voulez, dit-il, nous pouvons tailler ici les croix à planter là-haut... Nous attendrons vos amis... »

Il les mène, à l'écart du chemin, jusqu'à un petit bois, derrière un gros rocher. Un brouillard ténu s'installe dans la clairière où ils s'arrêtent et posent leur besace, heureux de souffler un peu. Soudain, surgis de partout, des bandits. Huit, dix, douze, compte Guilhem. Mal armés : une seule hache, deux ou trois massues, des gourdins, des couteaux.

Tout se fige pour un bref moment d'éternité. Avec cette brume blanche qui s'épaissit d'instant en instant, cela pourrait être un mauvais rêve, traversé par des personnages indistincts sans vraie consistance. Un bruit de la vie, une main amie, quelque chose va venir réveiller les dormeurs, et on reprendra le chemin...

Mais, à un ordre bref, les bandits s'approchent, courbés, l'arme brandie. Comme des loups, ils se mettent à tourner autour des pèlerins, qui s'adossent les uns aux autres, hérissent leur pelote de leurs solides bourdons ferrés.

Le premier coup, c'est le Danois qui le porte, un grand coup de haut en bas, un coup pour tuer. Un des brigands tombe, lâche sa massue; ses jambes s'agitent convulsivement comme celles d'une grenouille. Le Danois a brisé son bâton. Il se baisse pour ramasser la massue de sa victime, un coup de hache lui fend la tête. Le sang jaillit – il n'y aura plus ni peur ni pitié.

Le groupe des pèlerins éclate, les femmes crient, l'aveugle tourne sur lui-même, le visage convulsé d'angoisse, les mains tendues en avant comme des antennes de hanneton.

Guilhem s'efforce d'atteindre le bras de l'homme à la hache. Frottard, droit, jambes écartées comme un bûcheron, tient son gourdin à deux mains et, sans même chercher à parer les assauts adverses, frappe des coups terrifiants. N'empêche, les pèlerins sont dans un mauvais pas. Quarèmentrant, gêné par Colomba, tombe à son tour. Aussitôt, un bandit tire la chèvre. Une des femmes de Rodez est traînée par une jambe, sa cotte remonte sur ses cuisses blanches. Ses sœurs se jettent sur elle pour tenter de la retenir – où est la poule?

Soudain, Guilhem s'enrage. Ses années d'entraînement aux armes lui font revenir dans les muscles les gestes d'attaque et de parade. Et voilà, il frappe, se fend, évite, cogne d'estoc et de taille. Il estourbit l'un des bandits, puis un autre. Chaque coup qui porte lui résonne dans l'épaule – quelle joie de se battre...

Mais ne restent que Frottard et lui. Ils s'adossent l'un à l'autre de façon à ne pouvoir être surpris par-derrière – une fois, à Acre, c'était avec Jean des Douzes, ils étaient ainsi, dos à dos, l'épée à la main, faisant front aux terribles combattants du Loup Bleu. C'est à Guilhem, le manchot, que vient s'en prendre l'homme à la hache. C'est un homme aux bras longs, au torse épais, qui se bat comme un bûcheron abat les arbres : à grands coups lents. S'il parvient à toucher Guilhem, il le fendra de la tête aux pieds, ou bien le coupera en deux par le travers. Mais en attendant, c'est Guilhem qui le harcèle, le frappe au ventre, le pique du bout ferré de son long bourdon, feinte au visage pour frapper aux jambes. L'autre est courageux, il prend tous les coups sans broncher, habité sans doute par la certitude de triompher au bout du compte.

Soudain, Guilhem ne sent plus dans son dos la présence de Frottard. Le grand archer est tombé à genoux. Pourtant il se bat encore. Guilhem essaie d'en finir avec l'homme à la hache. Il s'avance un peu trop, s'expose. Aussitôt la hache s'abat comme sur un billot. Mais Guilhem s'est effacé au dernier moment. Il entend siffler le fer et profite de ce que le bandit est obligé de suivre l'élan de son arme : avec un cri de joie, il abat son bâton sur la nuque de l'autre, qui s'écroule foudroyé.

Guilhem se penche pour ramasser la hache. Il ne se relèvera pas. Un coup formidable l'a atteint à l'arrière du crâne. En tombant, il voit encore l'aveugle, au centre de la clairière, parmi les corps épars. Il est à genoux et, les mains jointes, il regarde le ciel de ses yeux morts. On dit que cela porte malheur de frapper un aveugle.

Une douleur atroce réveille Guilhem. On lui broie la tête dans un étau, des éclairs blancs lui brûlent l'arrière des yeux. Puis des voix lui parviennent, une litanie lointaine. Il reconnaît la prière des morts et, soudain, se redresse : il ne veut pas qu'on l'enterre vivant.

Non, ce n'est pas sur lui que sont penchés les Danois. Dans le brouillard maintenant épais, il voit leurs formes floues qui s'affairent un peu plus loin. Il se lève, manque retomber. Un rat lui ronge la cervelle, un acide, une meule. Une tombe a été creusée à la hâte : il y voit le corps du grand Danois au crâne fendu. Ses compagnons maintenant transportent le corps d'une des femmes de Rodez, morte elle aussi, la couchent à côté de lui, et disent à nouveau la prière. Puis ils vont chercher Quarèmentrant, qui gît dans son sang, la poitrine défoncée d'un coup de hache. Mais Frottard s'interpose : Quarèmentrant, dit-il, respire encore. Les Danois ne lui prêtent pas attention. Guilhem s'approche à son tour, des lueurs aveuglantes plein la tête :

« Laissez Quarèmentrant, dit-il, je m'en occupe. »

Les Danois lâchent le berger à regret. Ils referment la tombe d'un peu de terre, de cailloux, de mousse, de quartiers de rocher. Ils y fichent une grande croix, faite de deux branches mal élaguées – c'est vrai qu'on était venu ici tailler des croix de Charlemagne...

Le temps se gâte encore. Le ciel est bouché, menaçant. Le brouillard vire au noir. Les Danois font signe qu'ils partent. Les deux femmes de Rodez les suivent en pleurant. Le groupe disparaît dans la brume. C'est la nuit en plein jour.

Ne restent, avec Guilhem, que le pauvre Quarèmentrant, Frottard, qui a le front ouvert et à qui une lame a emporté le bout de deux doigts de la main droite, ceux avec lesquels il bandait son arc – « le châtiment a commencé », dit-il, et il s'en réjouit. L'aveugle est assis, adossé à un arbre, le visage tendu vers les bruits, cherchant éperdument à comprendre ce qui arrive.

Comme ils peuvent, Guilhem et Frottard construisent une sorte de brancard, où ils couchent Quarèmentrant. Chacun d'eux doit prendre une poignée avec sa seule main valide, et ils tirent ainsi la litière dans les éboulis du chemin. Ils redescendent vers Saint-Jean. C'est maintenant la pleine tempête, vent, pluie glaciale, tourbillons. Guilhem ne sait plus si tous ces éclairs aveuglants sont dans le ciel ou seulement dans sa tête.

IX

HONTE A VOUS!

THIBAUT DE MONTROUGE ne connaissait pas les automnes du Midi. La fin octobre, en Ile-de-France, c'était déjà presque l'hiver, avec des pluies noires, des boues collantes, des brouillards et des forêts en deuil. Depuis Rodez, les trois Templiers – un manteau blanc, deux manteaux bruns – s'avançaient dans l'éblouissement de l'été jetant ses derniers feux. Arrière-saison glorieuse, accomplie, où la vie à son meilleur n'était pas encore grosse de la mort à venir. Parfois, découvrant une vallée, ou le feu des couleurs d'une pente boisée, ils avaient envie de s'arrêter, mais ne le faisaient pas. Quand ils s'arrêtaient, c'était pour les chevaux.

Thibaut de Montrouge, bercé au pas de sa monture, se prenait par moments à rêver qu'il était en Terre sainte et que ces torrents secs, dans les rochers bleus et bruns, le menaient à Jérusalem. Au printemps prochain, peut-être lui donnerait-on enfin le droit de s'embarquer. Sa mission serait sans doute terminée : maintenant qu'il avait retrouvé la piste de Guilhem d'Encausse, il ne la lâcherait plus.

Ce n'avait pas été très difficile en vérité. Dans la Forêt d'Orient, à Piney, il avait d'abord retrouvé le chevalier du Temple qui avait découvert le corps du moine romain; celui-ci se rappelait d'autant mieux l'affaire qu'il avait témoigné devant le chapitre de la commanderie de Provins qui avait jugé le meurtrier; non, il n'avait vu sur place ni bagage ni besace – sans doute étaient-ils restés dans les fontes de la mule.

A Provins, Thibaut avait lu le compte rendu du procès. Guilhem d'Encausse, accusé d'avoir tué le moine, ne s'était pas défendu : « Vous n'aurez de moi, s'était-il borné à répondre, ni vérité ni mensonge. Que Dieu juge! » On avait trouvé sur lui une lettre signée de Gilbert Erail, le Grand-Maître qui venait de mourir. Scrupuleusement, on avait envoyé un frère fouiller les archives du Temple à Acre, mais on n'y avait trouvé trace d'aucune mission confiée à Guilhem d'Encausse, lequel, excommunié pour avoir tué un chrétien, avait été purement et simplement chassé de l'Ordre. A Provins, on n'en savait pas plus, sinon que Guilhem d'Encausse avait été rattrapé à Mortcerf par une patrouille templière de Coulommiers.

A Mortcerf, un village dans la forêt de Crécy, l'aubergiste du Tourne-Bride avait montré à Thibaut l'endroit, dans une côte, près d'une mare, où les Templiers avaient arrêté Guilhem d'Encausse, déguisé en moine noir et montant une mule. Non, l'homme n'avait certainement pas eu le temps de cacher quoi que ce soit. Thibaut avait pourtant pris le temps de faire fouiller la mare par des paysans.

A Coulommiers, il avait rencontré le commandeur, frère Jehan, qui se rappelait très bien le Templier déchu. Non seulement celui-ci y était resté tout le temps de l'enquête à Acre mais, après son expulsion de l'Ordre, il était revenu participer à la reconstruction de la commanderie. Il travaillait avec les manouvriers, il charriait du mortier grâce à un harnais d'épaules fabriqué spécialement. Non, on ne lui avait jamais connu de bagage ni de besace, mais si le frère voulait voir le harnais... Les fontes de la mule? Si on y avait trouvé quelque chose, lui, frère Jehan, en aurait été averti.

A défaut de la besace, Thibaut avait à ce moment-là retrouvé la piste de l'homme. Guilhem d'Encausse, lui avait dit frère Jehan, était parti racheter son âme dans la croisade toulousaine. Il s'était engagé dans les troupes de Champagne avec un chevalier de l'endroit, Gauché de Coulommiers, qui lui avait donné un cheval et des armes : dans les bourgs, ces choses-là se savent.

Gauché de Coulommiers, par chance, venait justement de rentrer de la croisade, après plus d'un an dans l'ost de Simon de Montfort. Oui, il avait armé Guilhem d'Encausse. Pourquoi? Parce qu'il l'avait connu à Acre, jadis, dans l'armée du roi de Jérusalem, Amaury de Lusignan. L'écuyer de Gauché de Coulommiers, un certain Guiot, était alors intervenu : ce n'était pas à Acre mais à Tyr, et ce n'était pas Amaury de Lusignan mais Conrad de Montferrat. Et de toute façon, si ç'avait été un Lusignan, ç'aurait été Guy, et non Amaury... Oui, Guilhem était allé avec eux jusqu'à Béziers, où il n'avait pas été le dernier à entrer. Il les avait quittés, sa quarantaine accomplie, après la prise de Carcassonne, disait l'un. Avant, corrigeait l'autre.

Ces deux-là, Gauché et Guiot, avaient failli rendre fou Thibaut de Montrouge. Tous deux n'étaient d'accord que sur l'amère constatation qu'il ne valait pas la peine de passer sa vie à combattre en Terre sainte dans l'armée de Dieu, en Normandie dans celle du roi de France, en Toulousain dans celle du pape pour se retrouver au bout du compte comme Job sur son fumier... La guerre n'était plus ce qu'elle avait été... Plus de pillages, plus de butins... Maintenant, on brûlait les femmes au lieu de les violer... Comment? D'où était le chevalier d'Encausse?... Du Rouergue, avait répondu aussitôt l'écuyer... Gauché prétendait que non, qu'il était de Provence, mais c'était peut-être seulement pour contrarier Guiot...

Thibaut de Montrouge était retourné à Paris pour à nouveau consulter les archives et les mémoires. C'est ainsi qu'il avait découvert que Gilbert Erail, l'ancien Grand-Maître du Temple qui avait envoyé Guilhem d'Encausse en mission, avait lui-même été trésorier de Sainte-Eulalie, la grande templerie du Larzac, au cœur du Rouergue. C'est donc là que Thibaut décida de partir : il ne croyait pas aux coïncidences.

Au dernier moment, frère Hubert, le commandeur de la maison de Paris, s'était rappelé, à propos d'ours, que Guilhem d'Encausse et son écuyer étaient allés dans les Pyrénées, où ils avaient passé un hiver, avant de rejoindre en Forêt d'Orient le moine italien. Le renseignement était vague mais, de toute façon, Thibaut n'avait plus rien à faire à Paris. André l'écuyer et le sergent Simon avaient à nouveau inventorié et arrimé le bagage...

La templerie de Sainte-Eulalie-du-Cernon leur apparut dans l'air vibrant de la mi-journée, comme un mirage entre ciel et terre. Plus ils s'approchaient, plus ils voyaient l'importance des bâtiments, l'épaisseur des murs. Ce finit par devenir une forte et rude commanderie dont le porche de pierre s'ornait d'une orgueilleuse croix rouge. On les accueillit avec de l'ombre et du vin frais. On conduisit les chevaux à l'abreuvoir. Il était temps pour tout le monde : le mulet n'en pouvait plus et le sergent devenait violet.

Le commandeur de Sainte-Eulalie, Guillaume Arnaud, ne rentra qu'à la soirante. Habillé comme un palefrenier, un fouet à la main, c'était un vieil homme aux cheveux blancs, robuste et jovial. Thibaut de Montrouge avait déjà remarqué à mille détails qu'on en prenait à son aise, ici, avec la Règle. L'apparence de ce commandeur le choqua. Guillaume Arnaud montra son fouet :

« Je vois que vous pensez qu'il s'agit là d'une étrange épée pour un sergent du Temple... Mais nous avons trois cents chevaux, et j'ai besoin d'exercice, mon sang s'épaissit... »

Il fit claquer le fouet :

« Vous avez raison, je ferais mieux de m'en servir pour dresser les moines... Ceux de Nant nous volent, ceux de Sylvanes et de Nonenque nous accablent de mauvais procès... Gardez-vous du devant d'une femme et du derrière d'une mule, dit-on. Mais ces moines, il faut s'en méfier de tous côtés!... »

Thibaut de Montrouge n'avait pas envie de rire :

« Beau sire frère, dit-il, le maître en France m'envoie à la recherche d'un ancien chevalier du Temple que vous devez connaître, Guilhem d'Encausse. »

Sous le sourcil blanc, l'œil s'alluma :

« Ah!... Je vous parlerai du chevalier d'Encausse... Mais venez donc auparavant visiter notre maison... Vous pourrez en parler à notre Maître... Il y a bien longtemps qu'on ne l'a vu par ici... »

Il glissa un regard de côté :

« Sans doute a-t-il trop à faire à conseiller le roi de France... »

Thibaut dut en passer par les caprices de ce commandeur qui se comportait comme un seigneur de petit fief, régentant tout, gens et choses, à sa seule guise. On visita les écuries, les étables, les bergeries.

« Avant deux ans, le Temple régnera du Tarn au Caylar et du Cernon jusqu'au-delà de la Dourbie. Nous élèverons cinq cents chevaux et cinq mille brebis. Nous aurons notre propre four de fonderie et notre bois pour l'alimenter. Nous ferons nous-mêmes nos outils et mettrons d'autres terres en culture. Il nous faudra trente bœufs de labour... »

De son fouet, il montrait l'horizon que le soir assombrissait. On entendait parfois le roulement d'un lointain tonnerre.

« Aujourd'hui même, poursuivit le commandeur, Arnault de Molnar m'a promis tous ses droits sur la paroisse Saint-Etienne. Je suis sur le point d'obtenir que Guillaume de Séverac et sa femme Aldiars nous cèdent tous leurs pâturages entre Saint-Baulize et la Dourbie... Je leur donnerai un cheval en aumône. »

On visita encore les granges, le bûcher, des remises à outils, le four, l'étuve. La cloche du souper avait sonné depuis longtemps quand Guillaume Arnaud prit Thibaut par le coude :

« Venez, dit-il. Vous devez avoir faim. »

Il l'emmena au logis, où on leur servit un repas de baron.

« Je vois bien que vous auriez préféré manger au réfectoire, mais je ne vais pas changer mes habitudes chaque fois qu'un visiteur vient passer la nuit...

– Beau et doux frère, commença Thibaut...

– Laissez-moi dire aussi que votre réprobation m'indiffère. Vous devez être de ces chevaliers qui rêvent d'aller en découdre en Terre sainte et qui sont bienheureux qu'on leur fournisse le bateau, les chevaux et les armes, sans se demander d'où ils viennent... A Paris, je ne suis jamais allé, mais je voudrais bien savoir si les poules n'y ont pas besoin de grain pour faire des œufs, et si les chèvres gardent leur lait le dimanche pour permettre aux bons chrétiens de se rendre aux offices... »

Thibaut de Montrouge restait interloqué.

« Je veux dire, poursuivit Guillaume Arnaud, qu'il faut peut-être des Templiers de toute sorte... Des chevaliers comme vous, avec votre beau manteau et votre air sévère, et des commandeurs comme moi, qui dressent les chevaux et tirent les agneaux de leurs mères... »

Il finit son pichet, rota et dit encore :

« Bon. Venons-en à votre affaire. »

Thibaut de Montrouge quitta Sainte-Eulalie deux jours plus tard, une fois le sergent et le mulet à nouveau dispos. Il faisait toujours aussi beau et, au plein du soleil, ils s'arrêtèrent dans l'ombre maigre d'une cabane à demi écroulée, toiturée de branchages. Les Templiers en profitèrent pour réciter les soixante patenôtres – trente pour les morts et trente pour les vivants – qu'ils devaient dire chaque jour en dehors des heures. En vérité, seul le chevalier y était astreint par la Règle, mais Thibaut pensait que cela ne pouvait faire de mal ni au sergent ni à l'écuyer : au jour du Pèsement des âmes, ils seraient contents de pouvoir les mettre dans le plateau du Bien. Ceux qui savent doivent aider ceux qui ne savent pas.

Ils firent halte le soir à La Cavalerie, une dépendance de Sainte-Eulalie. Ce n'était guère qu'une immense bergerie, à laquelle étaient adossés une chapelle et un logis. Malgré la saison, la bergerie était encore vide, mais on la sentait longtemps avant d'y arriver. Ils ne trouvèrent que quelques valets du Temple, mal tenus et débraillés. Thibaut ne manquerait pas, dans son rapport de mission, de dire ce qu'il pensait de ces commanderies et de ces frères-là.

En attendant, ils allèrent dormir tôt. Le matin, faute de chapelain, ils remplacèrent l'office par une longue prière à la chapelle et mangèrent un morceau de lard salé, comme ces paysans. Un jeune sergent les accompagna sans enthousiasme jusqu'à l'extrême bord du plateau : là se cassait le Larzac.

Ils durent mettre pied à terre pour descendre la sente vertigineuse qui plongeait en brefs zigzags vers le clocher des Cuns. Tout au fond de la vallée, derrière les peupliers, brillait une torsade d'argent : la Dourbie. Ils longèrent la rivière jusqu'au gué de Gardies : Roquelongue était devant eux, château perché de pierres brunes et grises, solitaire et comme mort dans l'air immobile — rocher tout aussi bien.

A la poterne, un homme d'armes les reçut avec malveillance. Sans doute un sergent de ces Roquefeuil que des querelles de bornage et de troupeaux opposaient à longueur de temps aux templiers de Sainte-Eulalie. La consigne n'était pas à l'amabilité.

« Je cherche le sire d'Encausse », dit Thibaut de Montrouge sans descendre de cheval.

Le sergent disparut sans un mot, plantant là les visiteurs. Il revint avec un vieil homme borgne et un enfant aux boucles noires. Le vieil homme salua prudemment.

« Je cherche le sire d'Encausse, répéta le Templier.
– Le sire d'Encausse ?
– C'est ce que j'ai dit. »
Thibaut de Montrouge, de sa selle, voyait le visage torturé de rides du vieillard. En plus d'un œil, il lui manquait une oreille.
« Réponds-moi ! »
L'autre se voûta sous la dureté du ton.
« Moi je veux bien vous répondre... Mais lequel vous cherchez, des sires d'Encausse ?
– Guilhem d'Encausse. »
Le vieux hocha la tête comme si tout devenait clair :
« Guilhem d'Encausse ? Ah !... C'est que tous deux s'appellent Guilhem... Le père et le fils.
– Celui qui fut au Temple.
– Ah ! sire Guilhem ! »
A Sainte-Eulalie, Guillaume Arnaud avait prévenu Thibaut qu'il aurait du mal à faire parler les gens d'ici, toujours prêts à se fermer devant les étrangers.
– Alors ?
– Eh bien, sire Guilhem n'est pas ici.
– Où est-il ? »
Le vieux fit une vilaine grimace, regarda l'enfant comme pour lui demander son avis.
« Ça... Il y a eu un an aux vendanges qu'il est parti sur les chemins... »
Thibaut de Montrouge n'insista pas. Il savait par Guillaume Arnaud que Guilhem était parti pour Compostelle, mais il voulait donner au borgne le sentiment d'une victoire :
« Je voudrais voir ses coffres, dit-il. Le Maître du Temple en France croit que sire Guilhem détient des choses sans intérêt pour lui et de la plus grande importance pour l'Ordre.
– En partant, répondit le vieux, il a ordonné de distribuer ses biens... C'est moi-même qui l'ai fait... »
Thibaut de Montrouge était sûr que le vieux ne mentait pas.

« A-t-il dit qu'il reviendrait ?
– Il n'a rien dit. »

Les Templiers dressèrent ce soir-là leurs tentes à Gardies, près du moulin. Ils se lavèrent à la rivière et se firent épouiller par la belle-mère de Maurin le meunier, assez ridée pour qu'on n'en eût aucun soupçon. Au fil des mots, la vieille confirma ce qu'avait dit Bertram.

La nuit, après avoir feint de se coucher, ils montèrent dans les éboulis vers les gisants jumeaux. On avait parlé jusqu'à Sainte-Eulalie de ces tombes vides et, en redescendant du château, Thibaut avait pensé que cela ferait une bonne cache : on n'ouvrait pas une tombe sans bonne raison. Pour sa part, il ne le fit qu'après un signe de croix. Sous le premier gisant, il trouva une épée. Dans la seconde, un parchemin roulé, qu'il fallut redescendre lire sous la tente pour ne pas donner l'éveil aux guetteurs du château. C'était la liste des Bons Hommes et des Parfaites immolés sur le bûcher de Minerve par le comte Simon de Montfort et l'abbé Arnaud Amaury. Tout à sa déconvenue, Thibaut faillit brûler le rouleau puis se dit que ces gens avaient déjà assez brûlé. Il pensa le jeter au fil de la Dourbie. Finalement, avec Simon et André, ils remontèrent aux tombeaux et remirent tout en place. Alors seulement ils allèrent dormir.

Cette même soirée, dès que les Templiers eurent quitté le château, l'enfant Tristan avait couru, par le Mazel et Saint-Pierre, jusqu'à Carboniès, où Espérandieu charbonnait dans la pente du causse. « On cherche sire Guilhem ! » avait crié l'enfant. Espérandieu finissait de fermer une fouée avant la nuit. Il s'arrêta. Sa réaction fut la même que celle de Tristan et de Bertram : on ne pouvait laisser quelqu'un chercher sire Guilhem sans tenter de l'en avertir. S'il avait jugé bon de cacher quelque chose, ce quelque chose devait rester caché, voilà tout. Fidélité ? Amitié ? Ce qui les mouvait n'avait pas de nom. C'était l'ordre normal des choses. On n'allait pas laisser Guilhem se faire surprendre comme un gibier à contrevent. Quand il saurait, il déciderait ce qu'il convenait de faire.

Espérandieu quitta sa fouée et, avec Tristan, partit pour Saint-Véran, où, pensait-il, les Templiers ne manqueraient pas de se rendre : il avait lui-même servi assez longtemps dans l'Ordre pour en connaître les façons. La nuit était tombée quand ils se présentèrent à la poterne du château et ils faillirent ne pas pouvoir entrer : Espérandieu n'avait pas pris le temps de se laver et, noir comme il était, il paraissait déguisé pour un mauvais coup.

Enfin il purent voir Aélis et se mirent d'accord : il était vain de vouloir cacher le départ de Guilhem pour Compostelle – toute la vallée était au courant. Mais ce qu'on pouvait faire sans mentir, c'était envoyer les Templiers en direction opposée, à Conques, puisqu'il était parti là-bas prendre la besace et le bourdon... Aélis voulut bien jouer le jeu, mais fit observer que cela ne donnerait que quelques jours de répit.

« Cela me donnera le temps de partir, dit Espérandieu.

– Partir ?... Tu veux rattraper sire Guilhem ?...

– Si vous pensez que les Templiers peuvent le rattraper, alors pourquoi pas moi ?

– Mais il marche depuis un an !... Où le chercheras-tu ?

– Sur le chemin de Galice... Comme les Templiers !

– Mais ils sont mieux équipés que toi... Ils sont montés... Ils pourront compter sur l'assistance de toutes les maisons de l'Ordre...

– Mais moi je connais Guilhem... E que res noun hosardo, qui ne hasarde rien... »

Tristan était en grande conversation avec Audilenz quand Espérandieu l'appela. On leur donna des bâtons ferrés – il pouvait y avoir des loups au ravin de la Garenne – et ils disparurent dans la nuit.

Aélis reçut avec courtoisie le chevalier du Temple. Elle ne fit pas de difficultés pour lui apprendre que son père était parti pour Conques où, à ce qu'elle savait, il se trouvait peut-être encore.

Ne lui avait-il rien confié? Un coffre? Des parchemins? Un secret? Non, il avait ordonné qu'on disperse ses affaires. Et quant aux confidences...

Aélis pressentait que ce chevalier du Temple, avec sa prestance un peu figée et ses fossettes, était plus dangereux qu'il ne paraissait. Comme il était resté sur le seuil, elle lui offrit d'entrer prendre une collation, se reposer un peu devant l'âtre. Il recula comme un cheval devant un serpent. Selon la Règle, un Templier doit se tenir à l'écart des femmes, surtout de celles qui, comme la dame de Saint-Véran, sont avenantes et coquettes. Il la salua donc d'une brève inclination du buste et se détourna. André l'écuyer l'aida à monter en selle. Des enfants les entouraient, sept, huit, dix enfants aux visages fermés. Thibaut avait plutôt l'habitude de voir, sur le passage des Templiers, les yeux s'arrondir et briller devant les manteaux blancs marqués de la croix pattée rouge.

Quand les trois hommes se dirigèrent vers la poterne, les enfants les suivirent. Ils quittèrent le château et descendirent la ruelle pavée qui traversait le village. Les enfants avaient pris un raccourci et les attendaient plus bas, toujours muets, hostiles. Certains serraient des cailloux dans leurs poings.

Thibaut arrêta son cheval et s'adressa à la fille qui semblait mener la troupe :

« Qui es-tu?

– Je suis Audilenz, vous connaissez ma mère.

– La dame du château? »

Audilenz ne répondit pas. Simon et André, impressionnés, se placèrent de façon à surveiller tous les enfants.

« Que nous veux-tu? demanda encore Thibaut.

– Nous voulons que tu ailles à Jérusalem. »

Le Templier resta sans voix.

« Sire Guilhem y est allé, lui, à Jérusalem... Les païens lui ont coupé le bras... Nous, tous les jours nous prions pour Jérusalem, et vous, qui êtes forts et bien armés, vous restez ici au lieu de combattre pour reprendre le tombeau du Seigneur Christ... Vous volez nos terres et nos moutons, et on dit que vous donnez raison à des hérétiques...

– Enfants, dit Thibaut de Montrouge, je fais ce qui est mon service dans le couvent, et qui fait son service ne mérite pas d'être repris... Que savez-vous de Jérusalem ? »

Audilenz se rappelait, elle se rappellerait toujours les mots de sire Guilhem quand il l'emmenait sur son beau cheval noir et qu'il lui disait les choses :

« C'est la perle du ciel, répondit-elle, la splendeur du monde, le saint nombril de la terre...

– Que sais-tu d'autre ?

– Que c'est aussi la honte des chrétiens, le péché de l'Occident...

– Hou ! firent les enfants. Hou ! Hou ! Honte à vous ! »

Du haut de son cheval, avec son écuyer, son sergent et son épée, Thibaut de Montrouge se sentit soudain désarmé : il savait, lui qui demandait en vain à partir en Terre sainte, il savait que les enfants avaient raison. Mais il se reprit vite :

« Vous ne savez pas de quoi vous parlez », dit-il.

Du poitrail de son cheval, il écarta les enfants et partit. Il ne se retourna même pas quand une pierre l'atteignit dans le dos.

X

NOTRE-DAME DU PONT

TRISTAN, qui se dissimulait dans les bosquets derrière Notre-Dame-des-Treilles, regarda les Templiers s'éloigner et descendre vers la rivière. Espérandieu l'avait chargé de les surveiller pour savoir quelle direction ils prendraient. Tout ce qu'il savait des chevaliers du Temple, de leur légende, de leur gloire, l'impressionnait moins que ce qu'il venait de voir : des hommes qui recevaient des pierres sans les renvoyer, sans s'enfuir, sans faire face, sans même paraître s'en apercevoir.

Quand il fut certain qu'ils ne remonteraient pas, il tira par la bride la grosse jument grise sur laquelle il était venu de Roquelongue et rejoignit la bande d'enfants.

« Il a reçu des pierres sans rien dire ! s'exclama-t-il.

– C'est qu'il savait les mériter ! » repartit Audilenz.

La fillette était grave :

« Sais-tu si Espérandieu va partir prévenir sire Guilhem ?

– Je crois. Ce matin, il s'est lavé.

– Il faut que tu partes avec lui. »

Tristan resta sans mots. A la fois parce qu'il n'aimait pas cette idée de quitter Audilenz, et parce qu'il n'était pas certain qu'Espérandieu accepterait de l'emmener. Mais puisque Audilenz disait de le faire, il le ferait. Et si

Espérandieu ne voulait pas de lui, il le suivrait à distance.

« Quand vous aurez trouvé sire Guilhem, dit-elle encore, tu le serviras... Ce n'est pas à lui de chercher son pain ou de réparer ses chaussures... »

En bas, les Templiers arrivaient au grand chemin. Ils prirent, à main droite, vers Millau et Conques. Tristan se hissa sur la jument en s'agrippant à la crinière épaisse. Il aurait voulu dire à Audilenz qu'elle pouvait avoir confiance, qu'il ferait tout ce qu'il pourrait. Mais il se contenta de claquer la langue pour commander la Grise.

Contre toute attente, Espérandieu fut plutôt content d'emmener Tristan : une bonne compagnie n'est jamais de trop et, marchant avec un enfant, il serait moin suspect. Sans compter qu'il savait Tristan serviable et courageux. Seulement, pour ne pas trop se ralentir dans sa marche, il demanda à Bertram de leur prêter l'âne du château, une bête robuste et amicale qui pourrait porter l'enfant une partie du chemin. Bertram se fit prier, discuta, refusa, accepta enfin. L'âne, au fond, lui importait peu. Il cherchait, une dernière fois avant longtemps, l'occasion de dire non quand Espérandieu disait oui.

Pendant ce temps, Vierna préparait un poscado, mouillant de ses larmes le mélange de farine, de sel et d'œufs :

« Je voudrais bien savoir, disait-elle aux servantes, pourquoi ce sont toujours les mêmes qui s'en vont ?... La première fois, nous étions juste mariés quand il est parti pour Paris...

– Il est revenu !

– Oui, mais il est reparti pour Jérusalem...

– Il est revenu aussi !

– Peut-être, mais il est encore parti... Cette fois-là, avec sire Guillou...

– Plains-toi, il t'a pris Constantinople!

– Qu'est-ce que je ferais de Constantinople?... Après, il est parti chercher la Dame dans les montagnes...

– Il est encore revenu!

– Mais je sais bien qu'il est revenu!... Je sais aussi que le Tiphaine du Ruassou n'est jamais revenu, lui... Que le sire des Douzes n'est jamais revenu... Qu'à Nant seulement, il y a aujourd'hui trois femmes qui attendent leur mari depuis cinq ans et plus... Alors, lui qui est déjà revenu quatre fois, je me dis que c'est beaucoup de chance... Et que ça ne peut pas durer toujours... On sait du départ, on ne sait pas du retour...

– A chaque fois qu'il revient, il te fait un enfant de plus. Méfie-toi la prochaine fois!

– Oh! à mon âge... »

Quand même, dans ses larmes, elle sourit et se torcha le nez d'un revers de poignet avant de reprendre sa pâte à belles mains.

Le lendemain matin, Espérandieu et Tristan partirent sans tapage ni conduite. Depuis le porche, on les regarda s'éloigner, l'homme, l'enfant et l'âne. On ne s'attendait pas à les revoir avant l'été suivant, au plus tôt, et ils devraient passer l'hiver quelque part. Vierna ne doutait pas de la débrouillardise de son Espérandieu, mais, si elle pleurait encore, c'est seulement que l'hiver serait long.

Quand même, au moment où ils allaient disparaître, elle courut derrière eux pour donner à son mari des gants en peau de chien qu'elle avait cousus elle-même.

Ils avançaient sans trop parler, l'un ou l'autre se retournant parfois, s'attendant à voir les Templiers surgir dans leur dos. Quand Tristan était las, il montait l'âne qu'Espérandieu tirait par la bride. Leur parti était de ne pas marcher vite, mais de marcher longtemps. Espérandieu avait cloué sur ses sabots ferrés une tige de cuir épais pour protéger la cheville et empêcher la pluie de noyer trop vite le pied. Mais l'assemblage était encore neuf et raide.

« Tu vois, disait-il à Tristan en s'asseyant dans l'herbe, ce qui est bon, dans la marche, c'est de s'arrêter. »

Tandis que l'âne broutait les chardons, il quittait ses sabots et faisait jouer ses orteils. De la besace, il tirait une pomme ou un morceau de poscado qu'ils mastiquaient lentement. Vierna avait mis à manger comme s'ils étaient quatre : du pain, du jambon, du sel, de la saucisse, des œufs cuits, des pommes, des châtaignes...

Tristan montra une montagne dans le lointain bleu pour en demander le nom :

« C'est l'Aigoual, répondit Espérandieu, d'où vient la Dourbie... Si tu étais un oiseau, en passant par-dessus l'Aigoual et en continuant tout droit, tu arriverais en Orient, où sont Jérusalem et le Paradis terrestre.

— Alors, pourquoi allons-nous dans l'autre direction ?

— Parce que sire Guilhem est parti vers Compostelle, et que Compostelle est à l'Occident.

— Jérusalem ne l'intéresse plus ?

— Quand nous l'aurons rattrapé, tu le lui demanderas !

— Mais toi, tu as déjà été en Orient...

— Avec sire Guilhem, oui... Tu n'étais même pas né...

— Tu as donc vu le Paradis terrestre ? »

Espérandieu se tailla un quignon :

« C'est de là-bas, dit-il, que partent les quatre fleuves qui partagent les terres du monde... Mais pour y aborder, il faut traverser des contrées pleines de signes et de mystères, avec des arbres grands comme le ciel, avec des hommes qui ne t'arriveraient même pas au genou et qui vieillissent en sept ans...

— Tu les as vus, toi, en Orient, les hommes qui vieillissent en sept ans ?

— Moi, en Orient, j'ai suivi le roi Richard, on aurait

dit saint Georges avec ses cheveux de feu et sa grande épée...

– Il faut une épée pour entrer au Paradis terrestre ?

– Moi, je te parle du roi Richard !... Le Cœur de Lion !... S'il n'était pas mort, il serait ici, à combattre ce Simon de Montfort et sa croisade...

– Il était de la Nouvelle Religion ? Comme la Dame ?

– Je ne sais pas s'il était de la Nouvelle Religion, mais je sais qu'il aimait le pays, et qu'il ne l'aurait pas laissé détruire...

– Toi, tu es de la Nouvelle Religion ?

– Moi, pour le moment, j'ai mal aux pieds, et je sais qu'il faut repartir. »

Espérandieu n'était certainement pas cathare. Il ne pouvait croire que le monde fût une création du Malin. Mais il ne pouvait pas non plus tourner le dos à ses amis qui eux le croyaient, comme Pan-Perdu et peut-être Bertram. Sans compter que l'exemple que donnaient les Parfaits était autrement édifiant que la façon de vivre des évêques et des prêtres de Rome.

En vérité, Espérandieu n'était pas de ceux dont on fait des martyrs. Il croyait en un certain nombre de choses qui lui paraissaient sûres, comme l'existence du Christ et de la Vierge Marie et, pour le reste, faisait passer avant tout sa fidélité à son seigneur et à ses amis, jalonnant son monde d'un certain nombre de proverbes et d'adages péremptoires qui avaient parfois la sagesse de se contredire.

Le premier soir, ils atteignirent l'Hospitalet du Larzac. On les reçut à l'hôpital Guibert, où ils s'enfouirent dans la paille. Tristan s'endormit avant même de manger. Espérandieu calculait sa route : les Templiers, partant de Conques, suivraient très certainement le chemin des pèlerins par Figeac et Cahors. Or, il pensait que si Guilhem, parti depuis un an déjà, n'était pas rentré, c'est qu'il était arrêté en chemin, et assez loin pour qu'on ne l'ait pas appris par les voyageurs. Lui, Espérandieu, pariait pour l'Espagne. Il était donc décidé à couper au plus court vers les Pyrénées. Le danger était, entre Castres et Albi, d'avoir à traverser le pays en guerre. Mais si on avait peur de tout, autant valait rester chez soi.

Il s'endormit en pensant à Vierna, et aux gants en peau de chien. Ces gants, il n'avait jamais voulu les porter, pour la bonne raison que le chien, Pataud, avait été un ami, et qu'il aurait préféré le savoir enterré en terre bénite que dépecé, tanné et cousu. Mais les femmes ne comprennent pas ce qui se passe entre les hommes et leurs chiens.

Il éveilla Tristan avant le jour, avec une bonne soupe réchauffée dans l'âtre de la salle. L'enfant avait des cernes bleus sous les yeux et marchait difficilement. Mais il était dur au mal et ne se plaignait pas. Espérandieu lui-même était comme un vieux : on n'abat pas ses huit lieues dans la journée sans en avoir, dans les débuts, le corps moulu.

Ce matin de novembre était noir et froid. L'hiver arrivait soudainement. Par Cornus, Montpaon et la vallée de la Sorgue, Espérandieu voulait gagner l'abbaye de Vabres, où ils pourraient s'héberger. Longue, longue journée. Tristan n'en pouvait plus. A force d'être sur l'âne, il en avait les fesses tannées. Il fallait s'arrêter souvent, et il était toujours plus difficile de repartir.

« Réveille-toi, disait Espérandieu, ou je pars sans toi.

— C'est encore loin, Vabres ?

— Derrière cette colline.

— Tu me dis la même chose depuis ce matin !... Tu t'es peut-être trompé de chemin ? »

On les coucha à Vabres. On leur conseilla de ne pas s'entêter à vouloir aller vers Albi, où se trouvait l'armée des croisés. Tout y était haine et ruine, désolation. Ils n'y trouveraient ni pain ni amis. La guerre, dit le moine, est la fête du diable.

Ils continuèrent quand même. Ils trouvaient peu à peu leurs habitudes de chemin, savaient quand il fallait s'arrêter, pour eux ou pour l'âne. Par chance, si les jours étaient courts, il ne faisait pas encore trop froid. Temps de saison. Au creux des vallées, leurs pas bruissaient dans les jonchées de feuilles mortes, levant des odeurs sures.

Le plus souvent, ils marchaient en silence, Espérandieu devant, Tristan accroché à la bride de l'âne, dont les hochements de tête semblaient donner la cadence aux enjambées de l'enfant. C'est seulement aux pauses que Tristan se délivrait de toutes les questions du chemin :

« Comment, demandait-il, comment l'eau peut-elle monter jusqu'en haut des montagnes avant de redescendre par les sources et les rivières ? »

Espérandieu n'était pas homme à rester sans voix :

« Parce que, disait-il avec assurance, l'eau de la terre est comme le sang dans notre corps. Tu vois bien que nous en avons autant dans la tête que dans les pieds !... Que tu fasses une plaie tout en haut ou tout en bas, elle saigne... Eh bien, pour la terre, c'est pareil... »

Ils approchaient de Castres. Le pays était ravagé. Partout, les arbres fruitiers étaient arrachés, ou abattus à la hache, ou brûlés sur pied, les puits bourrés de cadavres d'hommes ou de bêtes, sans qu'on sache lequel des deux camps essayait d'affamer et d'assoiffer l'autre — ou de l'épouvanter. Les chemins s'emplissaient d'errants et de rôdeurs. Les chefs des deux partis, ne trouvant plus à nourrir leurs routiers, les lâchaient sur les routes.

Entre Toulouse, Carcassonne et Albi, la croisade tournait sur elle-même comme un dragon fou de rage, donnait des coups de patte ici, crachait ses flammes là, dévastait tout sur son passage. Deuil, cendres. A Lavaur, au printemps, l'abbé Arnaud Amaury et Simon de Montfort avaient brûlé quatre cents Parfaits et Parfaites sur un bûcher de fin du monde. Ce qui s'enracinait dans ces terres saignées était inexpiable. En été, Simon avait mis le siège devant Toulouse pour frapper à la tête, mais le morceau cette fois était trop gros pour lui, et il lui avait fallu se retirer sans gloire. A Castelnaudary, les deux armées venaient de se livrer bataille, et chacune revendiquait la victoire. La croisade se gonflant et se dégonflant au gré des quarantaines, Simon de Montfort, l'inlassable, passait son temps à perdre les cités et les châteaux qu'il venait de conquérir et à reconquérir ceux qu'il venait de perdre.

Espérandieu et Tristan trouvèrent, assis sur un muret, un homme plutôt bien mis, mais défiguré par la souffrance. Il appelait à l'aide. Il leur dit qu'il venait du côté de Lagrave, près de Rabastens, et leur conta ce qui s'était passé. A Lagrave même, dit-il, un tonnelier avait invité un homme de Montfort à se pencher sur un tonneau et lui avait tranché le cou. Représailles. Représailles de représailles. On ne savait plus où on en était.

D'une voix sans intonation, l'homme dit que, dans son village, ils avaient vu arriver l'un des leurs, le nez coupé, un œil arraché : les Français le chargeaient d'annoncer leur arrivée. Les villageois s'étaient barricadés. C'est alors qu'était apparue une troupe aux bannières de Toulouse : ils avaient ouvert les portes et s'étaient élancés, délivrés, vers leurs sauveurs. Par malheur, ce n'était pas le comte Raimon, mais son frère Baudouin, un traître celui-là, qui s'était rangé dans la croisade[15]. Du village, ne restaient que les os.

L'homme dit encore qu'il avait cru pouvoir s'enfuir avec sa fille en achetant un soldat, mais celui-ci avait trahi aussitôt, partageant avec les autres l'argent et la fille. Ils l'avaient violée devant lui, puis lui avaient coupé les seins et lui avaient dit d'aller donner du plaisir à ceux d'en face.

L'homme se tut. Dans le ciel, les corbeaux se laissaient porter par les vagues du vent.

« Moi, dit Espérandieu, je ne voudrais pas être à votre place, Dieu sait. Mais si j'étais à votre place, j'irais leur manger le foie. »

L'homme tira lentement sa robe sur ses jambes : il

avait un pied tranché, emmailloté de chiffons sanglants.

« On ne pouvait pas savoir, dit Espérandieu.

– Les soldats sont les soldats, dit l'homme. Mais le pire est arrivé ce matin...

– Qu'est-ce qui peut être pire ?

– Des enfants... Ce sont des enfants qui m'ont volé ma béquille... Ils jouaient ! »

Ils mirent l'homme à califourchon sur l'âne et le conduisirent au prochain village. Ils le laissèrent près d'une fontaine, en face de l'église.

« Pourquoi ne l'emmenons-nous pas avec nous ? demanda Tristan.

– Parce qu'on ne court pas deux lièvres à la fois. Nous, nous cherchons sire Guilhem. »

Ce même jour, ils suivaient, en fond de vallée, un chemin de creux entre les peupliers. Au loin, sur une hauteur, un château brûlait. Soudain, trois hommes furent devant eux, trois efflanqués, le coutelas au poing, qui barraient le passage.

Il n'y eut pas un mot. Tandis que deux des bandits tenaient en respect Espérandieu et Tristan, le troisième attrapait la bride de l'âne. Déjà ils s'enfuyaient, disparaissant derrière le coteau. Espérandieu tomba à genoux et toucha la médaille qu'il portait au cou depuis son voyage en Terre sainte :

« Remercie Dieu, dit-il à Tristan. Remercie Marie aussi.

– Mais ils nous ont pris notre âne, et toutes nos provisions, et même les gants que t'a donnés Vierna... Pourquoi faut-il dire merci ?

– Parce qu'ils auraient pu nous prendre beaucoup plus.

– Tu veux dire qu'ils auraient pu nous tuer ?

– Tu l'as dit.

– Voilà pourquoi tu les as laissés faire.

– Ils étaient plus forts que nous.

– Que vont-ils faire de notre âne ?

— Ils se le feront voler par plus forts qu'eux... S'ils ne le mangent pas avant! »

Tristan s'agenouilla, pria, puis reprit :

« Tu ne crois pas que nous avons été punis parce que nous avons abandonné l'homme au pied coupé? »

Espérandieu, interloqué, regarda l'enfant. Dans son savoir patient, appris de son père et enrichi au long de sa propre vie, il avait réponse à tout — sauf, décidément, aux questions de Tristan. Il se réfugia en terrain connu :

« Mieux vaut, dit-il, ne pas chercher à comprendre ce qu'on ne peut pas comprendre... Allez, viens, nous perdons du temps... »

Ils n'avaient plus rien à manger et, malgré son courage, Tristan était abattu. Ils passèrent la nuit dans un petit bois, engourdis de froid et de faim. Espérandieu resta en éveil jusqu'au matin. Tristan, ce jour-là, souffrit beaucoup. Espérandieu lui déterra des racines, mais il les vomit. Au prochain bourg, quel qu'en soit le risque, ils s'arrêteraient.

Mais le prochain bourg, ils n'y furent que le lendemain. Ils le virent de loin et, à l'idée de manger, ils salivaient déjà. Tristan était très affaibli. Il serrait ses poings sur son ventre creux.

C'était un bourg perché, aux murs grisâtres sous le ciel bas. Ils comptaient y demander la charité d'un peu de pain, mais aussi y apprendre où se trouvait Montfort, de façon à choisir leur route par le nord ou par le sud de Castres. L'idée d'Espérandieu était qu'à tout prendre le moindre danger était au cœur de la croisade. On dit qu'au plus profond de la tempête, Dieu ménage ainsi toujours un endroit de repos. Les routiers devaient être plus loin, là où il y avait encore à piller.

Le chemin montait en lacets vers le silence. Pas une fumée. A la poterne, grille haute, pas un soldat, pas un veilleur. Rien, pas un bruit, pas un mouvement. Tristant ne voulait pas avancer, tant ce vide était oppressant.

Ils restèrent un moment à la porte, en alerte, pour

apprivoiser leur propre peur. Puis ils s'avancèrent lentement dans une rue sans personne, sans même une poule, sans un claquement de volet. Les maisons étaient désertes, les échoppes béantes et vides, portes enlevées.

« La place a été abandonnée, remarqua Espérandieu à voix basse.

– Comment le sais-tu ?

– Quand une ville est prise de force, dit-il, les vainqueurs chient toujours partout. »

Sans doute les habitants avaient-ils fui en même temps qu'une armée en repli. Il ne restait pas une charrette. On avait tout rassemblé et tout emporté, soigneusement, méthodiquement. C'était pire que tout, ce figement, ces foyers froids, cette absence, pire qu'un pillage ou qu'une destruction. C'était comme ce sera peut-être à la fin du monde, quand les hommes seront morts. Il n'y aura plus sur terre que leurs coquilles vides.

Devant l'église, où même la cloche avait été décrochée, ils trouvèrent un cadavre, un homme égorgé d'une oreille à l'autre. Probablement un règlement de comptes de dernière heure. Espérandieu fit un signe de croix.

Ils fouillèrent les maisons une à une, les greniers, les caves, trouvèrent une longue saucisse oubliée dans une soupente, une tresse d'aulx et, par une chance incroyable, au fond d'un pétrin, une pâte à pain encore crue et qui leur parut bonne à manger. Ils en firent des galettes et les mirent à cuire sous la cendre d'un petit feu qu'ils allumèrent dans une cheminée : ils craignaient que trop de fumée ne les dénonce. Ils se relayaient, l'un dedans l'autre dehors, à veiller. Ils se brûlèrent les doigts, et la bouche, mais enfin ils mangèrent. Le vin ne manquait pas : les habitants n'avaient pas pu emporter les gigantesques foudres assemblés sur place, dans les caves, une fois pour toutes. Mais c'était du vin nouveau, et ils firent attention.

Ils n'osèrent pas passer la nuit dans ce bourg irréel où pourtant ils régnaient. Ce silence était une malédiction. Ils allèrent dormir un peu plus loin, dans une cahute de vignerons. Au matin, ils frottèrent d'ail les galettes qui leur restaient et les finirent avec la saucisse.

Ils rejoignirent à Moissac le chemin de Saint-Jacques : ils étaient sauvés. Ils prirent la passade à l'hospice, et demandèrent au portier s'il n'avait pas le souvenir d'un pèlerin au poignet coupé, passé là dans l'année. Le portier était serviable, et ravi de trouver, parmi tant d'Allemands, de Flamands et de Français quelqu'un de sa langue. Il aurait bien aimé leur rendre service, mais des manchots, il en passait autant comme autant... S'il devait tenir le compte de tous les béquillards à qui on donnait la passade, de tous les bancroches, les stropiats, les bossus, les contrefaits, les essorillés... Un Chevalier du Temple était-il venu, ces derniers jours, poser la même question ? Non.

Espérandieu n'aurait jamais imaginé qu'il fût difficile de décrire quelqu'un qu'on aime. D'un étranger aperçu une fois, on peut dire : « Il a la tête ronde, ou le cul trop bas, ou des yeux de verrat. » Mais un ami est un ami, on ne le regarde pas de la même façon. Et il ne savait même pas si Guilhem, en ce moment, portait la barbe !

Ils se reposèrent une demi-journée à Moissac avant de reprendre leur route. Sur le parvis de l'église, ils écoutèrent en frémissant un personnage halluciné qui montrait le tympan en déclamant la Révélation de Jean : « Venez, disait-il, rassemblez-vous pour le festin de Dieu, afin de manger la chair des rois, la chair des puissants, la chair des chevaux et de leurs cavaliers, la chair de tous, libres et esclaves, petits et grands... »

Ils s'arrêtèrent à chaque hospice, à chaque église, à chaque aumônerie du chemin et demandèrent. Le soir, ils interrogeaient, aux haltes, les pèlerins qui s'en revenaient de Compostelle : n'auraient-ils pas croisé... A cette saison, on ne partait plus guère, et les jacquets, bardés de coquilles et de médailles, tenaient la route à eux seuls. Ils étaient gais, comme délivrés, faisaient chanter des noms de cités, échangeaient des récits de miracles. Ils parlaient aussi de peurs, de pluie, de longues nuits, mais c'était pour en rire ensemble. Ils étaient les pèlerins de Compostelle, et partout on les enviait, partout on les honorait.

A Condom, Espérandieu apprit qu'un manchot était installé depuis l'hiver passé avec la veuve d'un cordonnier. Ils allèrent, Tristan et lui, le dénicher au fond d'une impasse. Ce n'était pas Guilhem. Ce manchot-là était un homme jovial et tout rond qui mendiait chaque matin à la porte de l'église. Il paraissait si heureux, content de tout et de tous, que c'est à lui qu'on donnait le plus. Il invita Espérandieu et Tristan à souper : « Pour la charité, dit-il, c'est bien mon tour! »

A Navarrenx, on leur parla d'un autre pèlerin manchot. Celui-là était chevalier, on le soignait à l'hospice. Ils s'approchèrent avec appréhension d'un lit où gisait une forme abandonnée. Ce n'était pas Guilhem, mais cette fois ils en furent soulagés : le chevalier n'avait pu supporter le cilice qu'il s'infligeait en pénitence. Ses plaies s'étaient infectées et il pourrissait lentement.

La troisième fois qu'on leur parla d'un pèlerin manchot, c'était à Saint-Jean-Pied-de-Port, juste avant les montagnes. « Vous le trouverez à Notre-Dame-du-Pont », leur dit-on.

Celui-ci était bien Guilhem.

« Amis, dit Guilhem, cette affaire de Templiers ne me plaît guère... Quelqu'un comme moi doit quitter son passé en même temps que ses coffres... Je n'ai pas trop envie de savoir ce qu'ils veulent...

« Espérandieu, tu me raconteras comment vous m'avez retrouvé. Vous voyez, j'habite ici avec Quarèmentrant et Colomba la chèvre... Quarèmentrant est chevrier, et Colomba tout ce qui lui reste de son troupeau... Et même, on nous l'avait volée aussi! Un jour, elle est revenue toute seule, Dieu sait d'où... Nous avons construit nous-mêmes cette cayula en attendant de nous remettre en chemin... Ici, nous avons été bien malades tous deux et on nous a soignés par charité. C'était bien juste que nous les aidions à refaire leur pont... Ah! si vous aviez vu cette tempête, le jour de l'embuscade! Et notre équipage! Quarèmentrant et sa poitrine défoncée, Frottard en sang, avec des doigts en moins et le front ouvert, l'aveugle qui pleurait, et moi, des éclairs plein la tête... Je ne sais pas comment nous sommes redescendus jusqu'ici... Les Danois? La tempête a duré trois jours, peu sans doute auront survécu. Plus tard, Frottard et l'aveugle sont repartis. Avec sa chaîne, Frottard était pressé de finir le voyage... Un chevalier du Temple, dites-vous, avec un écuyer et un sergent?... Que devient Bertram le borgne? Et Audilenz ma préférée? Et le curé Massols?... Tristan, tu me regardes comme si j'étais encore malade... Mais non, je vais bien maintenant, je n'ai presque plus jamais mal à la tête... Je peux encore te parler de Sahuquet le forgeron de Nant, ou de Valdebouze le fournier, tu vois... Ma robe est trouée? Les pèlerins riches ne sont pas des pèlerins... Tiens, trempe encore du pain dans ton bol, il te faut bien manger pour être fort... Tu feras un beau chevalier, je t'adouberai...

« Vous dormirez là. En nous serrant, nous aurons de la place. Et au moins nous nous tiendrons chaud. »

Guilhem d'Encausse ne sait comment dire à ses amis qu'il est devenu un homme sans projet et presque sans souvenir, immobile absolument dans le chemin de sa vie. Bien sûr qu'il ira à Compostelle, puisqu'il en a fait le vœu. Mais ce n'est après tout pas si facile d'aller toujours au bout des choses et des serments.

Dans la nuit, Guilhem réveille ses compagnons :

« Amis, dit-il, il commence à neiger. Ceux qui ne passeront pas la montagne aujourd'hui devront attendre le printemps... Moi, je pars... Pour vous, faites comme vous voudrez... »

Quarèmentrant est obligé de rester : Colomba est sur le point de chevretter. Mais le jour n'est pas encore levé que Guilhem, suivi de Tristan et d'Espérandieu, s'arrête à l'oratoire de Notre-Dame-du-Pont pour y faire, en adieu, une brève prière. Puis tous trois traversent la Nive. Guilhem, du talon, fait familièrement sonner les planches du pont auquel il a travaillé, puis lève les yeux vers la montagne. On ne voit pas très loin dans cette lumière pâle où paressent de gros flocons tranquilles. Espérandieu sourit :

« C'est le Bon Dieu qui plume ses oies », dit-il.

TROISIÈME PARTIE

LA CROISADE DES ENFANTS

(1212-1213)

I

COMME UNE MER

Tout le temps qu'avait duré le sommeil noir de l'hiver, ils s'étaient tenus tranquilles – enfin, comme se tiennent tranquilles les enfants. Puis, alors que le printemps commençait à sourdre de la terre en travail, ils devinrent différents, capricieux et graves à la fois, comme absents. A peine s'ils mangeaient, s'ils jouaient encore, s'ils cueillaient des fleurs. On aurait dit qu'ils écoutaient en eux une rumeur secrète, une voix lointaine peut-être qui appelait. Et un matin, un soir, n'importe quand en vérité, ils laissèrent là leur troupeau ou leurs échasses et partirent comme ils étaient, sans besace, sans gourde, sans chaussures pour la plupart, sans rien. Ils partaient, voilà tout.

Ils forçaient les portes, arrachaient le chaume des greniers où leurs parents les enfermaient, creusaient la terre avec leurs ongles pour s'échapper des caves. Il n'y avait rien à faire pour les retenir.

S'il n'y en avait eu qu'un, on aurait pu dire qu'il ne tenait pas en place, qu'il s'agissait d'un coup de lune, ou n'importe quoi. S'il n'y en avait eu que quelques-uns, et du même endroit, on aurait pu conclure qu'un faux prophète leur avait monté la tête. Mais tant! Et de partout! De Flandre, d'Occitanie, d'Anjou, d'Auvergne...

Et rien ne les arrêtait, ni les larmes des mères, ni les

coups, ni les sermons ni les chaînes. Les aveugles se demandaient qui désormais mendierait pour eux, et les paysans, qui les aiderait à gratter la terre. Eux, c'était comme s'ils n'entendaient pas. « Mais pourquoi partez-vous ? » Ils disaient que l'heure était venue, et qu'ils ne pouvaient pas faire autrement. « Et de quoi vivrez-vous ? » Ils répondaient qu'on leur ferait la charité, ou que les oiseaux du ciel n'emportent pas de provisions.

Aux carrefours, ils rejoignaient d'autres enfants et continuaient ensemble comme si tout cela était prévu depuis longtemps. Ils avaient tous le même air, et les mêmes mains vides. Leur mot de passe était Jérusalem.

De Saint-Véran, on vit les premières bandes un peu avant Pâques, qui tombait tôt en cette année 1212. Elles allaient vers Millau.

Au début, on voulut croire qu'il s'agissait d'enfants de Castres ou d'Albi qui fuyaient les bûchers et les sièges. Mais un matin, le petit Elie Sahuquet, le fils du forgeron de Nant, partit à son tour. Son père le rattrapa aux Cuns et le remmena à la forge. L'enfant parut se soumettre – son père aurait pu le broyer d'une seule main. Mais trois jours plus tard il avait à nouveau disparu, et cette fois on ne le retrouva pas. Puis ce fut le tour d'un bâtard d'Arnaud de Roquefeuil, puis du dernier des quatre enfants du charpentier de Saint-Sauveur, une fille. Elle aussi fut une première fois rattrapée par ses frères et sœurs : « Pourquoi, leur demanda-t-elle, vous étonnez-vous de me voir partir ? Pourquoi ne vous étonnez-vous pas, chaque année, quand les truites remontent la Dourbie ? »

Les vieux fouillaient l'ombre de leur mémoire, mais ils n'avaient jamais entendu parler d'un prodige de ce genre. Il était arrivé, disait-on, que les grenouilles, ou les papillons, ou les abeilles, partent ainsi, chacun à son tour, de dix ans en dix ans, mais cela ne se produisait plus depuis très longtemps, et en tout cas, ce n'était jamais arrivé aux enfants des hommes, jamais.

Des voyageurs parlaient d'un extraordinaire rassemblement de chiens, quelque part dans une plaine immense. Ils s'étaient divisés en deux camps et s'étaient battus et entredévorés jusqu'au dernier, qui était mort de ses blessures. Ils ajoutaient qu'on disait la même chose pour des chenilles, pour des rats aussi, du côté de la Hongrie. Les bonnes gens se signaient : « Mais nos enfants ne sont ni des chenilles, ni des rats, ni des grenouilles ! Ce sont nos enfants, nés de nous, de notre semence et de notre douleur ! Et nous ne les avons pas nourris pour les voir partir ainsi, sans un mot ! »

On avait tellement besoin d'une explication, d'un rassurement, qu'on trouvait des signes partout, dans la forme des nuages, dans le nombre des ricochets d'un galet sur la rivière. On courait les rapporter aux curés, aux devineurs, aux guérisseuses. Mais ils n'y comprenaient rien non plus et disaient n'importe quoi. On n'avait pas besoin d'eux pour réciter les litanies de la Sainte Vierge, coudre des charmes dans les vêtements des enfants ou leur faire boire de la tisane des quatre fleurs avec trois gouttes d'eau bénite. Surtout que cela n'y changeait rien : ceux qui entendaient l'appel, on ne pouvait les retenir.

Au fond, ce qui était si inquiétant, dans cette surgie, c'est qu'on ne savait pas s'il fallait l'attribuer à la part divine qui existe en tout homme, ou à la part sauvage, ténébreuse, qui demeure en chacun de nous.

Un soir qu'il y avait fête au château de Saint-Véran, les invités se disputaient, au souper, à propos de ces enfants errants.

« Il est des choses qui ne s'expliquent pas ! dit un troubadour.

– Alors, qu'en fais-tu, si te ne les expliques pas ? tonna le sire de Lanuéjols.

– Sire, je les chante ! »

Et il donna un accord sur sa harpe. Le sire s'emporta, balaya l'accord d'un revers de main :

« Par Dieu ou par le diable, tout doit s'expliquer! Si ton fils partait, tu chercherais à comprendre! Moi, si mon fils s'en va, je saurai bien le rattraper et le faire parler.

— Sire! l'interrompit sa femme. Vous allez nous porter malheur. »

Cela donna l'idée à Bernard de Saint-Véran d'interroger Audilenz devant ses invités. Il était fier de sa fille aînée, de son front têtu, de sa rousseur d'écureuil. Et il voulait qu'on sache qu'il n'était pas un père que ses enfants abandonnent.

Elle vint à côté du troubadour, au creux de la grande table en fer à cheval. De là, elle voyait la nappe couper les convives en deux : sur le dessus, en pleine lumière, les bustes, les effets de manches, les bijoux, les visages rouges déjà de vins et de viandes, les minauderies des lèvres grasses; en dessous, dans l'ombre, les pieds, les robes remontées sur les genoux pour plus d'aise, les chiens, les poules et les deux mendiants admis ce soir à disputer aux animaux les os et les couennes.

« Ma fille, dit Bernard de Saint-Véran, savez-vous pourquoi tous ces enfants de votre âge prennent la route?

— Sire père, dit-elle, c'est sans doute qu'il le faut.

— Mais qui leur en donne l'ordre?

— Seuls ceux qui sont partis peuvent dire pourquoi ils sont partis... Pardonnez-moi, mais je ne peux parler pour eux! »

Bernard de Saint-Véran, du coin de l'œil, vérifiait que ses invités appréciaient les reparties d'Audilenz.

« Mais vous, reprit-il, si vous partiez? »

Aélis plaqua sa cuiller sur la table. Dieu que son mari était sot!

Audilenz regarda tranquillement le sire de Saint-Véran :

« Sire père, dit-elle, si je pars, vous le verrez bien. »

On n'en tira rien de plus. A la nuit, la servante chantait en préparant la paillasse des filles :

« Au lit, la paille a froid ! Au lit, les poux ont faim ! Au lit, les puces ont soif ! Au lit, les damoiselles, au lit ! »

Audilenz l'interrompit :

« Tais-toi, Lireille, écoute ! »

Le vacarme épais de la fin du repas traversait le mur. Mais sans doute y avait-il quelque chose d'autre à entendre, car, au matin, on ne trouva que Raimonda dans la couche des filles. Audilenz était partie, et la petite Faïs avec elle.

Ils passaient. Les femmes en lessive au bord des rivières se redressaient et s'essuyaient les mains à leur sarrau, les paysans s'immobilisaient dans les sillons, les seigneurs interrompaient leur chasse ou leur tournoi. Ils les regardaient sans comprendre et les voyaient s'éloigner, indifférents à tout, dans le soleil de mai ou sous les giboulées. Souvent, on leur faisait la charité d'un quignon ou d'une peau de bête – qu'ils ne prennent pas froid. C'est à peine s'ils remerciaient. Là où on ne leur donnait rien, ils ne réclamaient pas, ni ne maudissaient. Simplement, ils prenaient. Ils partageaient sans se battre de quoi calmer leur faim. Quand le chemin traversait des vergers et des champs, on voyait leur troupe soudain s'élargir, s'égailler aux limites des cultures, arracher de la terre les choux et les navets, cueillir les cerises vertes. Puis ils repartaient. Qu'y faire ? Contre les routiers, on aurait pu s'armer de fourches, défendre son bien, son travail, et la nourriture de sa propre famille. Mais là ! On priait seulement pour qu'ils passent leur chemin et que les enfants de la maison ne partent pas avec eux.

Ils étaient de plus en plus nombreux. Les villes avaient le choix : leur laisser le passage et risquer la dévastation, ou s'enclore dans les murs et regarder le flot se diviser de part et d'autre de la cité pour s'écouler vers l'horizon. A Millau, les consuls décidèrent de nourrir tous les enfants qui se présenteraient : Audilenz et Faïs eurent ainsi chacune une grosse tranche de pain et un oignon. Mais, à Millau, ils n'étaient qu'un ruisseau. Les grandes rivières coulaient dans le centre et dans le nord.

A Saint-Quentin, ils furent tant à se présenter, et si affamés, que les chanoines cachèrent en hâte les provisions de vivres et bouclèrent la grange aux dîmes. Au dernier moment, ils décidèrent même de fermer les portes de la ville. Mais les femmes ne purent supporter qu'on tournât ainsi le dos à des enfants – et si les leurs partaient un jour? Elles dressèrent leurs hommes contre les chanoines et les gens d'armes de l'évêché. L'affaire se finit au bâton et à la hache. Les enfants avaient depuis longtemps éventré les portes de la grange et vidé les réserves qu'on se battait encore à Saint-Quentin pour décider s'il fallait les nourrir ou les chasser.

Ils passaient. Des chiens les suivaient et même maintenant des miséreux, des sans-lieu, des sans-rien, des inutiles, des abandonnés, comme des prostituées usées qu'on ne regarde plus. Des hommes et des femmes maigres les rejoignirent : le peuple blême des ouvriers tisseurs qui fuyaient les caves des grandes villes où les tenaient les marchands de Flandre. Aucun de ceux-là n'essaya de diriger la marche des enfants. Il leur suffisait d'en partager l'émotion et le destin. A eux aussi, les pauvres du royaume terrestre, Jérusalem était promise.

Quand les soirs étaient beaux, les enfants allumaient des feux près des rivières et se piquaient des fleurs dans les cheveux. Ils oubliaient leur fatigue. Ils disaient le nom des étoiles, ils dansaient et s'aimaient de toute leur peau nue, sans honte ni péché. Puis ils s'endormaient dans l'herbe du printemps et le matin leur accrochait aux cils des gouttes de lumière.

Ils passaient, et il leur arrivait même de revenir, comme s'ils tournaient en rond. En vérité, ils attendaient que l'un d'eux, un berger nommé Etienne, leur donne le signal. Lui savait.

Etienne avait été l'un des premiers, le premier peut-être, à quitter son village – Cloyes, dans la tranquille vallée du Loir. Ils s'était mis en route et d'autres l'avaient rejoint, et d'autres, et d'autres. Il avait peut-être quatorze ans, il était robuste, endurant et, avec sa tête ronde et ses cheveux raides, il ne se distinguait pas de tant d'autres bergers de son âge. Mais il ne faisait de doute pour aucun de ceux qui le suivaient que c'était lui qui les mènerait à Jérusalem.

Parfois, il s'arrêtait pour mesurer du regard la foule des enfants. Son chien s'arrêtait aussi, attendant par habitude l'ordre d'aller presser les traînards ou rabattre ceux qui sortaient du chemin. Mais Etienne n'était plus berger de brebis. Etienne ne voulait plus qu'une chose, n'avait plus qu'un but : reconquérir Jérusalem, la cité de Dieu abandonnée aux païens par les rois, par le pape, par les barons, les évêques, par les chevaliers. « Comment ferons-nous ? » demandaient parfois ses compagnons. « Priez que Dieu nous aide, disait-il, et Dieu nous aidera ».

Des clercs, des hommes d'église parmi les plus pauvres commencèrent à le suivre à leur tour, des ermites qui sortaient des forêts et qui croyaient venue la fin des temps. Ceux-là entreprenaient d'enseigner aux enfants des prières et des psaumes. « Laissez-les, disait Etienne à ceux des siens qui s'en inquiétaient, laissez-les, nous ne craignons rien, nous sommes purs. »

A la fin de mai, ils étaient peut-être vingt mille avec lui, peut-être trente mille. Les plus faibles mouraient au bord des chemins, de faim et d'épuisement, mais les autres continuaient, comme s'il était important de ne pas s'arrêter. Et ils savaient qu'aux carrefours suivants, de nouveaux enfants les rejoindraient. Car il s'en trouvait toujours pour laisser là leur troupeau ou leurs échasses et partir comme ils étaient, sans besace, sans vivres, sans chaussures pour beaucoup, sans rien. Ils forçaient les portes, arrachaient le chaume des greniers où leurs parents les enfermaient, creusaient la terre avec leurs ongles pour s'échapper des caves.

Il y avait une source en chacun d'eux, et tous ensemble, ils étaient la mer.

Un matin, Etienne le berger se retourna, mesura du regard l'interminable ruban des enfants en chemin. On n'en voyait pas la fin. Alors il dit qu'il allait rencontrer le roi de France, et qu'ensuite ils partiraient pour Jérusalem.

II

EL CAMINO FRANCÉS

GUILHEM, Espérandieu et Tristan ont passé à Roncevaux un hiver d'enfouissement. En novembre, quittant Saint-Jean-Pied-de-Port, ils ont été parmi les derniers à franchir la montagne. Les flocons paresseux du matin de leur départ étaient devenus l'après-midi une tourmente d'autant plus implacable qu'elle était silencieuse. Ils n'avaient trouvé le grand hospice que grâce à la cloche des égarés, qui appelait inlassablement dans la nuit blême. Il était temps : l'enfant Tristan, hagard, secoué de tremblements, ne sentait plus ses mains ni ses pieds, demandait qu'on le laisse dormir sous les sapins. A la fin, Espérandieu et Guilhem le portaient entre eux deux. A Roncevaux, les moines augustins l'avaient aussitôt plongé dans un bain chaud et couché à l'infirmerie, où il reprit vie peu à peu.

Le lendemain, il neigea encore. Le jour suivant, on ne pouvait plus ouvrir les portes. L'hiver s'était assis sur la montagne. Personne ne passerait plus avant le printemps.

Une fois déjà, Guilhem est resté tout un hiver dans les Pyrénées. C'était à Gavarnie, avec Roelof le Frison – paix à son âme! – quand il cherchait le village des lépreux. A cette époque, il était encore chevalier du Temple – qui eût dit alors qu'il s'enfuirait un jour devant un manteau blanc?... Gavarnie... Le silence de

Roncevaux est différent, plus feutré, sans les stridences bleues des parois glacées. La voix des loups y est plus sourde aussi, et les vents ne crient pas. Là-bas, la neige brûlait; ici, elle pèse. D'un versant à l'autre de la montagne, de Béarn en Navarre, on a changé de monde. Pour mieux dire aux pèlerins, peut-être, que derrière eux une porte s'est fermée.

L'hiver précédent, Guilhem était à Conques. Celui d'avant, à... Il ne sait plus... Coulommiers, le sac de Béziers, les bûchers de Simon de Montfort... Il ne sait plus... Ce n'est pas dans la mémoire que les hivers laissent leur trace, mais dans le cœur et dans le corps, des hommes comme des arbres.

Guilhem cherche comment prendre ce temps qui passe ainsi, quel sens lui donner. Il ne distingue pas en lui la frontière entre ce qui espère et ce qui désespère. Se mêlent et se confondent des élans et des abandons, des ébauches de révolte. A l'hospice, on a appris que les Infidèles s'apprêtaient à conquérir l'Espagne. Les Infidèles! A ce seul nom Guilhem tend l'oreille et sa jeunesse remonte en lui.

Cette fois, le grand émir En-Nâsir a débarqué en Andalousie avec une formidable armée réunie en Afrique. Il a brûlé ses vaisseaux, passé Séville et pris Salvatierra après trois mois de siège, s'ouvrant la Castille. Il est retourné à Séville pour l'hiver. Guilhem, sous tant de neige, n'est pas sûr de démêler à coup sûr le réel de l'illusion, mais ces affaires de guerre lui remuent le sang comme un vieil appel – à cela près que Séville n'est pas Jérusalem, et qu'un vœu de pèlerin ne se transgresse pas.

Cette condition de pèlerin, il est assez lucide pour comprendre qu'elle lui est un refuge contre les incertitudes de l'âme. Il s'y engourdit comme un ours en décembre. Si Espérandieu n'avait pas surgi à Saint-Jean-Pied-de-Port, il aurait pu y rester jusqu'à la fin des temps. Le pont terminé, il aurait attendu qu'une prochaine crue l'emportât pour le construire à nouveau, ou bien se serait assis sur le bord du chemin pour casser au marteau les cailloux d'empierrage. N'importe quoi en vérité. Il était devenu sans désir.

Neiges, soleils, vents, averses, quignons de passades : avec les histoires de pèlerins de rencontre, et même ces éclairs au fond du crâne qui parfois le foudroient et l'aveuglent pour quelques instants, il peut en faire son ordinaire. Les pénitents comme le grand Frottard ont tout intérêt à se presser : il leur faut se délivrer du poids de leurs péchés et de celui de leurs chaînes; de même que se hâtent ceux qui courent demander un bienfait à saint Jacques, ou qui tâchent d'approcher le plus de reliques possible, ou encore ceux qui veulent rentrer parce qu'on les attend chez eux. Mais lui ? Il a perdu sa place dans le monde. Son château ne sera plus jamais sa demeure. Sur son chemin d'éternité, un hiver de plus ou de moins ne compte guère...

A la confession de Noël, il s'est accusé de désespérance. Le chanoine lui a dit sévèrement qu'il s'agissait de l'une des épreuves que le Démon met sous les pas des hommes de peu de foi. En pénitence, il a demandé que le chapitre affecte Guilhem au service du cimetière, afin qu'il comprenne que l'homme fait son salut durant sa vie terrestre, pas après.

Chaque fois donc qu'un pèlerin rendait son âme à Dieu, on disait sur lui le service des morts, puis Guilhem et un compagnon devaient transporter sa dépouille en traîneau jusqu'à l'église du Saint-Esprit. C'est une construction carrée, à deux étages; sur chacune des faces de l'édifice, un portique s'ouvre par des arcs en plein cintre. A l'intérieur, une fresque vient d'être peinte : elle représente la bataille de Roncevaux. C'est dans cette chapelle que, quatre cents ans plus tôt, Charlemagne a lui-même enterré son neveu Roland, et le grand quartier de pierre qui s'y trouve est un morceau du rocher fendu par Durandal. Le cimetière des pèlerins jouxte la chapelle, veillé par une lanterne des morts. Ceux dont les corps reposent là, en si glorieuse compagnie, n'ont certainement pas la plus mauvaise place pour attendre la Résurrection des corps.

L'établissement, jadis voulu par le roi d'Aragon et l'évêque de Pampelune, comporte l'hospice proprement dit, les bâtiments conventuels, une auberge pour pèlerins riches, une chapelle Saint-Jacques. Une grande église collégiale est en construction; elle sera dédiée à la Vierge par son donateur, le roi de Navarre Sanche le Fort, qui a juré de s'y faire enterrer en compagnie de son épouse Clémence, fille de Raimon VI de Toulouse.

Pour concurrencer le grand hospice du Somport, les moines de Roncevaux lisent aux voyageurs tous les avantages de leur établissement, à charge pour ceux-ci de le faire savoir sur le chemin : « Il n'est pas, disent-ils, d'établissement comparable à l'hospice de Roncevaux pour ceux qui se rendent à Saint-Jacques, il n'en est pas de plus fréquenté... La porte est ouverte à tous, malades et bien portants; non seulement aux catholiques, mais encore aux païens, aux juifs, aux hérétiques, aux oisifs, aux frivoles, en un mot, aux bons et aux profanes. Dans cette maison, on lave les pieds des pauvres : on leur lave la tête et on leur coupe les cheveux; on rapièce le cuir de leurs souliers. Des femmes parfaitement honnêtes, et auxquelles on ne saurait reprocher ni leur saleté ni leur laideur, y sont chargées du service des malades qu'elles soignent avec une égale piété. Les maisons des malades sont éclairées, le jour par la lumière diurne, la nuit par des lampes qui brillent comme la lumière du matin. Les malades reposent dans des lits moelleux et bien parés. Aucun ne s'en va sans avoir recouvré la santé. »

L'effectif des hospitaliers est de soixante-douze prêtres, frères, chevaliers et sœurs servantes. D'après la charte de fondation, l'accueil est de trois jours au plus. Mais, peut-être pour ne pas rester seuls entre eux durant les mois difficiles du creux de l'hiver, les moines laissent les pèlerins s'héberger jusqu'aux premiers beaux jours, sous réserve qu'ils ne restent pas sans rien faire. L'essentiel du travail qu'on leur réserve est le transport des bûches et l'entretien des accès à l'église, aux granges, à la chapelle du Saint-Esprit et à l'auberge, où résident ceux qui peuvent payer.

Ils étaient pour Noël une centaine, des Flamands, des Allemands, des Français du Nord, des Occitans, des Poitevins, avec des chevaliers moitié pèlerins moitié coureurs de butin, qui avaient entendu parler d'une guerre possible contre les Maures d'Espagne. Après les jeûnes et les offices de l'Avent, on leur donna un repas de fête et, à la messe du lendemain, on leur fit visiter le trésor de Roncevaux : ils purent admirer les chaussures de l'évêque Turpin, compagnon de Charlemagne, et le cor dans lequel Roland avait soufflé à s'en déchirer la gorge.

Tristan était ce jour-là par exception sorti de l'infirmerie où, tout à fait rétabli, il passait des journées douillettes, choyé par les servantes. Son voisin était un vieil impotent qui occupait un lit à lui tout seul et qui n'avait rien trouvé de mieux, pour se rendre utile à sa façon, que de couver des œufs à la chaleur de son corps. D'une voix bizarrement caquetante, il prétendait ainsi être la mère d'une bonne partie de la basse-cour de l'hospice! Tristan, qui avait entendu de Guilhem l'histoire des sœurs de Rodez et de leur poule, avait demandé au vieux un poussin de sa prochaine couvée. Il pensait déjà au plaisir qu'il ferait, en chemin, à sire Guilhem et à Espérandieu, en leur offrant des œufs pondus du jour.

A l'hospice, on échangeait des proverbes, des paroles de chanson, on apprenait des mots espagnols ou navarrais — en Navarre, le pain se dit *orgui,* le poisson *aragui,* le blé *gari,* l'eau *uric...* Espérandieu ne parvenait à retenir qu'un seul mot de basque : *chahakoa,* qui signifie une outre, et deux mots d'espagnol : *vino tinto,* vin rouge. Il prétendait que, pour le reste, on pouvait se faire comprendre par signes.

Il y eut d'interminables discussions, encore compliquées par les traductions, pour décider si l'on pouvait faire aumône de gains d'usure, et si le corps, œuvre de Dieu, pouvait être la demeure du démon. On ne trouvait pas de réponses définitives, mais enfin on parlait, et le temps passait.

Ceux qui étaient sur leur chemin d'aller se firent répéter vingt fois par ceux qui revenaient les règlements des pays à traverser : Navarre, Castille Vieille, León, Galice. La bonne nouvelle était qu'en Castille et en León, les détrousseurs de pèlerins sont le plus souvent pendus. Le roi Alfonse de Castille venait de décider que les pèlerins, jusqu'alors assimilés aux marchands pour leur protection, *tienen derecho a la hospitalidad,* ont droit à l'hospitalité.

« Droit ? Vous êtes sûrs que c'est un droit ?

– Oui, parce qu'ils vont avec l'intention de servir Dieu et de gagner le pardon de leurs péchés et le paradis ! Désormais, les juges et alcades doivent réparer rapidement le dommage causé aux pèlerins pour que leur voyage ne souffre aucun retard.

– Sinon ?

– Sinon, ce sont les juges et les alcades qui paieront eux-mêmes double dommage et les dépens. »

On n'en croyait pas ses oreilles, et Espérandieu cherchait ce que cela pouvait bien cacher.

De toute façon, les pèlerins de France avaient intérêt à s'adresser en priorité à tous les Francs installés sur le chemin, moines, commerçants, artisans – ils étaient tant que de Pampelune à Compostelle, on parlait du *camino francés,* le chemin français.

« Et les aubergistes ? »

Bras au ciel, moues, hochements de tête : l'aubergiste tond le pèlerin, le gruge au change, le trompe sur la qualité du vin – en lui versant un vin moins bon que celui qu'ils lui ont fait goûter – ou sur la quantité – en lui servant un pot qui paraît grand et contient peu –, le vole et l'exploite de toutes les façons possibles.

Un voyageur de Paris, faisant les questions et les réponses, mimait l'arrivée du pèlerin affamé dans une auberge espagnole :

« Je voudrais bien prendre quelque chose, dit-il en entrant.

– Prenez un tabouret, répond l'aubergiste.

– J'aimerais mieux quelque chose de plus nourrissant.

– Qu'avez-vous apporté ?

– Rien.

– Comment voulez-vous que je fasse à manger !... Le marché est là-bas, le four est plus loin... Allez chercher du pain et de la viande...

– C'est tout ?

– Du bois, aussi, si vous voulez faire cuire votre viande ! »

Le pèlerin crie, tempête, et l'aubergiste lui compte pour commencer six réaux de tapage[16]...

Quand même à la mi-janvier, l'ennui commença à peser. On connaissait par cœur les légendes, les récits de miracles, les chansons et les farces. Il y eut quelques altercations, notamment entre les pèlerins et les maçons navarrais obligés d'attendre le dégel pour reprendre leur chantier. A propos de dés, on en vint aux mains et même aux lames. Le prieur dut désigner un homme sage de chaque pays pour constituer une sorte de conseil chargé de veiller à la discipline et à l'hygiène.

Ceux qui étaient reconnus coupables de violence ou de larcin étaient condamnés à passer une nuit dehors. Cela se produisit quatre fois. L'un des expulsés mourut de froid : au matin, on le trouva à genoux, raide, contre le bois de la porte. Un autre fut à demi dévoré. Un troisième disparut totalement sans même laisser de traces dans la neige. Quant au quatrième, qui revenait de Compostelle, il avait eu si peur qu'il décida d'y retourner...

Un peu avant les Quatre-Temps, Espérandieu un soir alerta Guilhem en lui montrant le ciel :

« Luno roujo, dit-il, l'auro se boujo, lune rouge, l'air bouge. »

Il voulait parler du vent de la mer, le mori. De fait, deux jours plus tard, le dégel commençait.

Guilhem, Espérandieu et Tristan sont les derniers à partir. C'est que Guilhem a dû, pour accomplir sa pénitence, parcourir avec son compagnon de corvée les abords de l'hospice. Le dégel faisait apparaître quelques corps de pèlerins perdus et gelés dans les premières nuits de l'hiver. Ils devaient encore les ensevelir avant d'être en règle.

Son équipier est dit l'Ami-Loup. Il est en pèlerinage de pénitence, avec une large croix rouge dans le dos. Chez lui, en Margeride, il était berger. Il s'avisa, un jour qu'il avait faim, de faire savoir qu'il parlait le langage des loups. De ce jour, on ne lui refusa plus aucune des « charités » qu'il demandait : du jambon, un morceau de lard, du boudin frais quand on venait de tuer le cochon, et même de l'huile ou du sel. On craignait qu'en cas de refus il n'appelle ses « amis ». Dès qu'il avait tourné le dos, on posait des braises sur la trace de ses pas. Il vécut ainsi plusieurs années, descendant peu à peu vers le sud. Jusqu'au jour où l'évêque de Mende entendit parler de lui, le fit prendre et l'excommunia : on ne joue pas avec les loups, dont chacun sait qu'ils sont l'une des formes visibles du Mal. Repentant, le berger fut admis à l'absolution sous condition d'un pèlerinage pénitentiel à Compostelle. Mais son nom lui restait, Ami-Loup, l'ami des loups.

Il était malin, disert et plutôt agréable, avec une bonne tête et des yeux vifs. Pourtant, Guilhem restait méfiant : un jour où, suivant deux grands chiens de l'hospice, ils fouillaient la neige au col d'Ibañeta, les chiens s'étaient soudain dressés, en arrêt : au loin, à la lisière de la forêt, bougeaient des formes sombres. Ami-Loup jeta un coup d'œil à Guilhem puis mit ses mains en conque devant sa bouche et modula une plainte qui glaçait le dos. Les formes sombres, là-bas, disparurent. Ami-Loup éclata de rire :

« Je ne sais pas si c'étaient des bêtes ou des gens, dit-il, mais en tout cas je leur ai fait peur ! »

Ils quittent donc Roncevaux ensemble. Les servantes de l'infirmerie accompagnent Tristan jusqu'au chemin. Du temps où le couveur « attendait » la poule à donner à Tristan, elles lui avaient cousu un sac de toile pour le voyage. La couvée éclose au fond du lit, le vieux avait fièrement offert à Tristan un poussinet jaune pâle : il l'avait regardé sous tous les duvets et affirmait que ce serait la meilleure pondeuse du lot – et il s'y connaissait. Comme elle était née le Jour des Rois, Tristan la nomma Epiphanie, la nourrit de pain trempé dans du lait, de grains de blé écrasés et de mots doux. Au bout de trois semaines, la poussine prenait un drôle de genre. Elle avait maintenant trois mois, et c'était un coquelet blanc, déjà agressif et orgueilleux. Rebaptisé Tiphaine, il suit Tristan comme un jeune chien. Trahi, le couveur de l'infirmerie a demandé aux servantes des œufs de cane pour le printemps – déjà il commence à parler du nez.

Le chemin. Ils n'ont pas été malheureux à Roncevaux, Dieu sait, mais c'est pourtant comme s'ils sortaient d'une prison. Le chemin les reprend dans sa liberté. Leur propre mouvement donne sa dimension au monde des grands sapins et des rochers gris. Ils se savent en pays étranger, mais ces cascades, ces verts triomphants, ces écureuils, ces oiseaux, ces perce-neige, ils connaissent : ils les portent dans leurs veines depuis leur enfance. Eux aussi, ils renaissent.

Burguete. Ils y trouvent des moines rouergats – l'hospice dépendait naguère de Conques – qui leur donnent une petite gourde de vin du pays.

Viscarret, Linzoain. Ils vont coucher sur les dalles de

l'église Saint-Sernin, dont le curé est toulousain. Il revient de la pêche et leur fait cuire des *truchas al jamón,* des truites au jambon. « Profitez-en, dit-il, on ne les prépare bien qu'en Navarre. »

Zubiri au matin, une léproserie avant le pont sur l'Arga, un hospice après, où des moines farouches distribuent une passade de pain et de poisson. Ils vont manger plus loin, au bord du chemin, et Tristan lâche Tiphaine qui s'étire, bat des ailes et prend lui aussi dans l'herbe sa passade d'insectes et de vers.

La vallée d'Esteribar doit les mener à Pampelona par Larrasoana, Troz, où il faut repasser l'Arga, et Arleta. Malgré sa fatigue, Tristan s'amuse à répéter les noms comme s'il arrangeait un bouquet de fleurs curieuses et chatoyantes. Pampelona est la capitale des Navarrais, mais ils savent devoir y trouver deux quartiers francs, Saint-Nicolas et Saint-Sernin, où se sont établis des marchands d'Auvergne, de Quercy et de Provence.

Au contraire d'Espérandieu et de Guilhem qui avancent régulièrement, attentifs aux ornières et aux cailloux, Ami-Loup va tantôt devant tantôt derrière, d'une démarche silencieuse et, pourrait-on dire, mystérieuse. Les hommes ne ralentissent pas pour attendre Tristan : c'est la preuve qu'ils l'admettent parmi eux et qu'ils respectent sa vaillance. Quand même, il n'a pas refusé quand Espérandieu l'a déchargé du sac où dormait Tiphaine, prétendument pour le faire rôtir au prochain arrêt.

Tristan est étonné; il s'imaginait ce voyage d'Espagne comme une épreuve de tous les instants, dans un pays noir, parmi des gens hostiles. Il l'a dit à Espérandieu, qui a craché trois fois par terre :

« Il ne faut pas chômer les fêtes avant qu'elles ne viennent! »

Ils arrivent tard à Pampelona, dont les murailles ocre surplombent la vallée. Ils ne sont pas encore aux portes que des valets d'auberges s'abattent sur eux, leur arrachent les bras, crient des promesses, annoncent des prix. Ils ne s'en tirent qu'en brandissant leurs bourdons ferrés et s'enfuient dans la ville. Ils vont vers la cathédrale, mais c'est le quartier des Navarrais, et ils ne s'y sentent guère en sûreté. Ils trouvent le bourg Saint-Sernin, dont le marché ferme à l'approche du couvre-feu, et échouent dans un petit hospice, annexe d'un monastère, où un portier maussade leur sert une soupe à l'ail et les conduit dans un de ces dortoirs à mendiants où pullule la vermine. Ce n'est pas l'accueil qu'ils attendaient de compatriotes en terre étrangère.

Mais ces compatriotes-là, ils le comprendront le lendemain, sont venus s'installer sur le *camino* non par charité, mais pour faire de l'argent. Ils ont profité des privilèges et des avantages qu'on leur offrait pour les attirer : c'est ainsi que les Francs ont seuls le droit de vendre du pain et du vin aux pèlerins. Des escarmouches quotidiennes les opposent aux Navarrais, et même, aux frontières des quartiers, des batailles rangées.

A la cathédrale, où ils vont faire leurs dévotions, ils entendront aussi parler des Maures. La Navarre est loin de l'Andalousie, mais Alfonse de Castille a conclu un accord avec les rois de Navarre, d'Aragon et de León. L'archevêque de Tolède est parti solliciter le soutien du pape et l'aide de Philippe Auguste. Déjà, dans toute la Castille, les chevaliers et les soldats ont reçu l'ordre de prendre les armes.

« Ce bruit-là me rappelle un autre bruit, bougonne Espérandieu.

– Quel bruit ? demande Tristan.

– La guerre ! »

Pour une fois, Tristan reste sans question. La guerre, pour lui, c'est l'armée de Simon de Montfort investissant la forteresse de Minerve et dressant le bûcher où brûla sa mère Aveline de Cantobre.

Puente la Reina, maisons de terre aux toits de chaume. La rue unique, étroite, commerçante et chaleureuse, mène droit au rio Arga. Elle le franchit sur un pont à six arches qu'une reine fit construire pour éviter aux pèlerins les rançons des passeurs et les dangers d'un gué profond. Au milieu du pont, une statue de la Vierge qu'un oiseau parfois vient laver en mouillant ses ailes dans la rivière. C'est signe, dit-on, que l'année sera prospère.

Ils voudraient bien rester un peu à guetter l'oiseau, mais sur les rives les voyageurs attendent pour passer, se bousculent, s'impatientent, et il faut décamper. Le plus déçu est Tristan. On lui promet qu'il y aura d'autres miracles – ainsi est le chemin de Compostelle. En route, devant une chapelle, ils ont écouté un moine raconter l'histoire de Guillaume et de Félicie : celle-ci étant partie en pèlerinage sans la permission de ses parents, son frère Guillaume fut chargé de la ramener. Il la poursuivit, la rattrapa, mais ne put la convaincre de faire demi-tour. Il la tua. Puis, soudain, repentant, termina le pèlerinage à sa place. Au retour, il se fixa comme ermite sur la montagne d'où, tout le reste de sa vie, il verrait l'endroit où il avait tué sa sœur, et où, comme à Paul sur le chemin de Damas, lui était venue la lumière divine. Devant la chapelle dressée à cet endroit, les pèlerins tombent à genoux, invoquent saint Guillaume et sainte Félicie, touchent le sol où ils ont marché, eux que Dieu a touchés de son doigt. Plus que des passades mirobolantes, ces prodiges et ces merveilles apaisent la fringale du pèlerin, sont sa récompense et son encouragement : il n'y a pas dans cette vallée de larmes d'endroit où l'Eternel ne puisse atteindre, de péché qu'il ne puisse remettre.

A Puente la Reina, on les reçoit à l'hospice de la Trinité, juste construit, presque en face de l'église Saint-Jacques. Un peu plus loin, Plaza Mayor, un clerc perché sur une charrette harangue les voyageurs en plusieurs langues. Il dit que le pape Innocent III a ordonné à tous les évêques et archevêques de France et de Provence d'inviter leurs fidèles à venir au secours de la

Castille. Que le roi Alfonse attend à Tolède tous ceux, chevaliers et piétons, qui refusent de laisser les Maures faire la loi en terre chrétienne. Que Tolède ne manque ni de vivres ni d'argent, et qu'on ne combat jamais en vain pour Dieu.

Tristan remarque le regard qu'échangent sire Guilhem et Espérandieu.

L'Etoile, ville fortifiée sur la rivière Ega. Cinq grandes églises, le palais des rois de Navarre, des récits de miracles, des tympans à déchiffrer. Mais la cohue est telle que les pèlerins, par bandes, s'accrochent les uns aux autres pour ne pas se perdre. Un peu avant Puente la Reina, le chemin d'Italie et de Provence a rejoint le leur, y déversant son flot de pèlerins, mais aussi de seigneurs et de leurs gens, de contingents de soldats et de chevaliers se rendant en Castille, de messagers hurlant pour avoir le passage, de commerçants venus comme chaque année au printemps chercher à s'installer : on trouve beaucoup de Provençaux à l'Etoile.

Bousculades, jurons, coups de gourdin. Les alcades placent leurs gens d'armes aux croisements pour éviter que les querelles ne dégénèrent. En vérité, à cet endroit et à ce moment, le pèlerinage paraît compter moins que la guerre qui se prépare et la prospérité du commerce. A la sortie de l'hiver, les réserves sont épuisées, la nourriture et les marchandises sont rares et chères. Les valets d'auberge et les prostituées racolent jusque sur les parvis, des trafiquants proposent à la convoitise des pèlerins tout ce qui peut faire leur plaisir ou leur bonheur – des reliques, des indulgences, des filles garanties pucelles, du pain blanc, des récits de miracles inédits, des prédictions, des places d'hospice contre un peu à manger... Les mendiants doivent faire le coup de poing avant de pouvoir tendre la main... Et là-dessus le ciel se plombe, couve un orage.

Guilhem, Espérandieu, Tristan et Ami-Loup décident de quitter L'Etoile sans attendre la nuit. A la sortie de la ville, ils s'arrêtent à Notre-Dame-de-Rocamadour. Il leur suffit d'une prière devant la vierge de bois pour se retrouver au pays. Ils dorment dans l'église. Dalles glacées. Mais au moins sont-ils à l'abri : il pleut enfin. Ce soir-là, seul Tiphaine a mangé.

Logroño – par malice, les Français disent « le groin » –, grosse bourgade sur les eaux épaisses de l'Ebre. Il a plu tout le jour. Pays de brume et de boue sous le ciel bas. Au bord d'une rivière, ils ont vu deux chevaux morts, sans doute empoisonnés, tête rejetée en arrière, lèvres bleues tirées sur les gencives, yeux révulsés, jambes roidies dans leur galop immobile – les chevaux, la mort ne les a jamais beaux.

L'hospice déborde. Il n'y a plus de pain à distribuer. Il faut se contenter d'une soupe suspecte, déguisée au safran : on se demande ce que cela cache. Espérandieu sait maintenant demander l'aumône : « *Una limosina, per amor de Dios.* » C'est façon de dire, car aucun d'eux ne se résout à mendier. Une fois encore, ils dorment au fond de l'église, à même le sol, grelottant dans leurs vêtements trempés.

Au matin, messe et soupe. Ciel incertain. A la sortie de la ville, des Espagnols entretiennent par charité un grand feu où les pèlerins peuvent se chauffer et se sécher. Tout est couleur de boue.

Navarrette. A l'hospice, ils arrivent par chance au moment où l'on distribue du pain encore chaud, très blanc, très serré, assez peu salé, avec une croûte lisse et légèrement dorée. Ami-Loup dévore son morceau, les autres le sentent, le goûtent à petites bouchées, le mâchent interminablement, le tournent dans leur bouche et l'avalent avec regret. Le vin est violent, épais, il chauffe le ventre.

Najera, entre le rio Najerilla et une falaise rouge où se trouve comme sertie l'abbaye Santa-Maria, dépendance de Cluny. Alternance d'éclaircies et de *chubascos,* c'est-à-dire d'averses. Devant l'église, un attroupement attentif. Un évêque, ou un personnage important, se tient sous le tympan comme pour solenniser ce qu'il dit, et qui n'est pas rien : Alfonse de Castille a dressé un défi à l'émir En-Nâsir. A la tête de son armée, il l'attendra dans l'octave de la Pentecôte, entre Séville et Tolède.

Clameurs, cris, chapeaux jetés en l'air, embrassades : le roi de Castille a bien fait, vive le roi de Castille, sus aux païens, à ces Maures arrogants qui viennent piller nos pays! Et qu'a répondu l'émir? Il a demandé la paix? C'est bien dans la manière de ces gens-là. Mais on ne leur fera pas de quartier!

L'évêque brandit l'index, soigne ses effets, devient terrible :

« L'émir En-Nâsir a répondu qu'il subjuguerait l'Espagne... Puis qu'il irait de conquête en conquête... Jusque dans l'église Saint-Pierre de Rome... Qu'il la purifiera dans le sang! »

Cette fois, on montre les poings et les dents, on lève les bourdons, les chevaliers portent la main aux épées...

Le soir, autour des feux, les hommes parlent batailles. Leurs vêtements fument comme des chevaux les matins d'hiver. Des moines d'Espagne circulent entre les groupes, rappelant que tout près d'ici, à Clavijo, peu après le temps de l'empereur Charlemagne, les Maures ont déjà été défaits une fois. Ç'avait été une grande bataille. Les chrétiens déjà se débandaient, les Infidèles croyaient avoir triomphé quand on vit dans le ciel apparaître un chevalier étincelant qui pourfendit tant et tant de païens qu'il les épouvanta et les mit en déroute.

C'était saint Jacques lui-même, saint Jacques Matamore, le tueur de Maures[17]...

Santo Domingo de la Calzada, l'un des hauts lieux du chemin. L'endroit était jadis redouté de tous les pèlerins : désert de marais et de forêts, repaire de loups, d'ours et de brigands. Un moine bénédictin, Domingo, vint bâtir un ermitage au cœur de cette désolation. Il construisit aussi une *calzada* – une route – puis un pont, puis un hospice. Une bourgade peu à peu s'assembla. A la mort du moine-cantonnier, son disciple, Juan, éleva une chapelle en son honneur et y exposa son tombeau.

Or, peu après, une famille de pèlerins allemands vint à passer à Santo Domingo, le père, la mère et le fils, Hugonell. Ils s'arrêtent à l'auberge, où une servante s'enflamme pour Hugonell et lui propose de coucher avec elle. Tout à son pèlerinage, il refuse. Dans la nuit, pour se venger, la servante dissimule dans la besace du jeune homme une coupe d'argent. Au matin, la famille allemande juste partie, elle feint de découvrir la disparition de la coupe et accuse le pauvre Hugonell. On le rattrape. Il s'étonne, il nie. On fouille sa besace, on trouve la coupe.

On traîne Hugonell devant le juge, qui le condamne à être pendu. On l'emmène au gibet, en dehors de la ville. Devant ses parents éplorés, on le pend. Les parents poursuivent leur pèlerinage, priant saint Jacques à chaque pas et faisant des aumônes. Peut-être un mois plus tard, sur leur retour, ils s'arrêtent à Santo Domingo et demandent où leur fils est enterré. Ils le trouvent au gibet. Toujours pendu. Et vivant !

Ils courent chez le juge, installé à sa table, attendant que finissent de rôtir une poule et un coq, déjà bien dorés.

« Votre fils vivant ? » s'exclame le juge.

Il désigne l'âtre :

« J'y croirai quand ce coq chantera! »

Alors le coq quitte sa broche, saute sur la table du juge et lance un éclatant cocorico.

Le juge, frappé de terreur, se rend au gibet. Hugonell est bien là. Le juge le fait dépendre.

« C'est saint Jacques qui m'a soutenu », explique le jeune homme.

Le juge convoque la servante. Elle avoue : oui, c'est elle qui a caché la coupe dans le bagage d'Hugonell. Par justice, c'est elle qu'on pend maintenant. Tout le village est autour du gibet et acclame saint Jacques.

La chapelle naguère élevée par Juan est devenue, grâce aux offrandes des pèlerins, une église grande comme une cathédrale. Le tombeau de santo Domingo, entouré de grilles, y occupe le chœur. En face, dans une niche spécialement construite, un coq blanc et une poule blanche rappellent le miracle du pendu dépendu. Les pèlerins leur apportent du pain, des graines. Il a fallu les protéger derrière des barreaux pour ne pas qu'on leur arrache, en souvenir, toutes leurs plumes.

Tristan, qui ne connaissait pas la légende, en est émerveillé. Tandis que Guilhem et Espérandieu vont prier santo Domingo, il approche son Tiphaine de la cage – et manque tomber à la renverse quand le gros coq blanc se dresse sur ses ergots et chante comme pour un matin.

On est maintenant en Castille Vieille, et on ne peut plus traverser un village sans qu'il soit question de la guerre contre les Maures. Guilhem et les autres écoutent sombrement.

« Pourquoi n'allons-nous pas chasser les païens? » demande Tristan.

Guilhem, une fois de plus, répond que seul le pape a pouvoir de délier un pèlerin de son vœu. Et que de toute façon il est trop vieux, sans entraînement et qu'aucune armée ne voudrait d'un soldat comme lui, un manchot obligé de s'asseoir quand des maux de tête lui broient les tempes...

Villamayor del Rio. Le chevalier qui, du haut de son cheval, leur donne le nom de l'endroit, ajoute que c'est la ville aux trois mensonges : premièrement, ce n'est pas une ville; deuxièmement, elle n'est pas grande; enfin troisièmement, elle n'a pas de rivière. Villamayor del Rio, c'est seulement un village que traverse un ruisseau :

« Les Castillans sont ainsi », ajoute-t-il.

Belorado, peuplé de Francs. Comme ils se reposent sur une petite place, une enfant sort d'une maison voisine et vient leur porter à chacun une omelette aux piments sur une tranche de pain. Soient loués Dieu et saint Jacques.

Villafranca. Des moines regroupent les pèlerins et les accompagnent à travers les monts d'Oca. Le soleil tendre, la bruyère des bords du chemin cachent le danger : on ne revoit jamais ceux qui se perdent dans ces solitudes.

Longue montée. Les moines font chanter ceux qu'ils emmènent. Leurs chants sont rudes, avec des effets de voix difficiles à prendre. Au col de la Pedraja, on bascule vers San Juan de Ortega : c'est ici que Juan, le disciple de Santo Domingo de la Calzada, s'était installé. En mer, pris dans une terrible tempête, il avait fait le vœu, s'il en réchappait, de construire une église et un monastère au service des pèlerins de Compostelle. Exaucé, il choisit cet endroit désolé qu'on nommait Ortega – ortie. Comme celui de Domingo, son tombeau est fertile en miracles. Tout autour, la camomille a remplacé les orties, et les abeilles ne piquent pas.

Jours. Pluie, faim, un arc-en-ciel d'un bord à l'autre de la terre. Le plaisir, quand l'herbe est sèche, de s'allonger un peu aux heures de midi et de tout oublier. Bientôt, dressée dans un immense paysage de lentes collines, apparaît Burgos la fière, la cité du Cid Campeador [18], la ville aux trente hospices.

Aux portes, des hérauts et des crieurs annoncent la nouvelle : le pape Innocent, de la part de Dieu, ordonne aux chrétiens de tout quitter pour rejoindre l'armée d'Alfonse de Castille. Que cessent les querelles, que s'éveillent les endormis, que s'interrompent les voyages. Les vœux de pèlerinage sont suspendus. Tous ceux qui rejoindront Tolède seront armés et nourris par le roi. Leurs biens seront protégés tout le temps de leur absence.

Tristan, comme l'autre fois, voit Guilhem et Espérandieu échanger un regard de vieille connivence :

« Dommage, dit Guilhem, que je n'aie plus rien à protéger...

– Dépêchons-nous, répond Espérandieu. Ils ne prendront peut-être pas tout le monde. »

III

ISAUT

« Isaut, viens me coiffer, veux-tu, au lieu de bouder[19]... Rémi t'a fait des misères ? Tu vois comme est l'amour : il n'y a pas un an qu'il est ton ami et déjà il t'ennuie ! Pourtant, rappelle-toi comme tu l'attendais, comme tu le guettais... Quand il devait venir, je n'existais plus... Vous échangiez des gages, vous vous regardiez dans le blanc des yeux et rien d'autre ne comptait... Tu ne savais pas, mais vous viviez alors la meilleure part de l'amour...

« L'amour, c'est vrai, vieillit mal... Il s'use, il s'abîme. Tu as entendu parler de ces femmes qui, pour un regard reçu, se font enclore dans l'épaisseur d'un mur, avec un soupirail pour qu'on leur jette des quignons quand on y pense. Des recluses. Tout le temps qu'il leur reste à vivre, elles exaltent le souvenir de ce regard sans que rien jamais ne le vienne souiller...

« Tu n'en serais pas capable ? Les hommes n'en valent pas la peine, dis-tu ? Les hommes, peut-être as-tu raison, mais l'amour, je crois bien que si... L'amour vaut toutes les peines... Moi, je saurais le faire... L'autre fois, tu sais, quand sire Guillou m'a regardée en souriant, j'aurais dû fermer aussitôt les yeux et appeler le maçon Bertrand... Je me vois très bien, immobile dans la pierre et le mortier, à garder en moi, comme le

Saint-Sacrement, le visage de sire Guillou mon mari, ses épaules, avec leurs cicatrices blanches, l'odeur de sa peau... Tu sais, la nuit, quand il lui arrive encore de dormir au château, j'approche la chandelle et je peux le regarder jusqu'au matin... Au fond de la muraille, je continuerais de le regarder ainsi sans craindre qu'il ne s'éveille pour dire que je ferais mieux de dormir...

« Mais ne crois pas ce que je dis... Je suis bien trop lâche, et j'aime bien trop le voir en chair, même si c'est son dos... Je suis lâche jusqu'au vertige, Isaut... A toi, je peux bien le dire, mais rien d'autre ne compte plus pour moi que lui... Quand je vais prier Jésus à la chapelle, et que je le nomme mon Admirable, mon Irremplaçable, mon Très Splendide, mon Magnifique, que Dieu me pardonne, mais c'est Guillou que je vois...

« Je t'ai déjà raconté ces cours d'amour que nous tenions, nous les dames, à Senlis ou à Montdidier. Nous tranchions de tout pour le plaisir des mots. Nous décidions qu'une dame, pour être digne de ce nom, ne peut donner son amour à un chevalier qui ne saurait pas le mériter!... Alors nous accablions nos amants d'épreuves, nous les envoyions gravement combattre des démons du bout du monde, ou même s'entre-tuer pour nous! Une fois, le baron mon époux avait battu un chevalier en tournoi et en avait exigé une rançon telle que le pauvre n'avait pu la payer. Le temps que ses amis la réunissent, il était resté ici, au château, prisonnier sur parole... Tu étais trop jeune, tu ne peux pas te rappeler... Eh bien, ce chevalier me dit un jour que sa seule ambition, quand il aura payé sa rançon à mon mari, est de devenir mon servant d'amour. Je fais des mines, je lui offre une écharpe et je lui donne comme épreuve, pour me mériter, de ne jamais chercher à me revoir... Figure-toi qu'il a tenu parole! Je ne l'ai jamais revu. A-t-il cessé de vouloir me servir? Je préfère croire qu'il continue, là où il est, à penser à moi et à m'aimer.

« Nous disions aussi qu'il est honteux pour une dame

d'aimer un époux qu'elle n'a pas choisi, qu'il ne faut pas tout confondre... Et je n'étais pas la dernière à vouloir réglementer l'amour... J'ignorais de quoi je parlais... Depuis que l'évêque de Beauvais est arrivé ici avec sire Guillou, je suis la plus heureuse des femmes du royaume... Je sais bien que l'évêque ne pensait qu'à la sauvegarde de ses places fortes, qu'il se moque de savoir si, mon mari et moi, nous couchons ensemble, mais moi je lui saurai toujours gré de nous avoir mariés... Tu ne le diras pas, mais chaque jour je remercie le roi d'Angleterre et ce Renaud de Dammartin : sans leurs menaces, je serais encore veuve, et mon château serait vide.

« Au début de notre mariage, rappelle-toi, je savais bien que sire Guillou ne m'épousait pas pour mes beaux yeux... Je pourrais presque être sa mère, et de toute façon, je n'ai pas le genre des femmes qu'il connaît... Je pensais qu'il épousait le château... Je me trompais... Le château ne l'intéresse plus depuis qu'il en a fait trois fois le tour... Pendant quelques semaines, il s'est forcé à regarder les comptes, à visiter les fermes, à évaluer les rentrées d'argent et les dépenses à engager... Puis il s'est détourné... Il lui suffit de pouvoir dépenser son revenu... Le mien avec, d'ailleurs, mais j'en suis heureuse parce qu'ainsi il a besoin de moi... Aux femmes, tous les moyens sont bons pour garder ceux qu'elles aiment. Il n'y a jamais déloyauté. Certaines utilisent des philtres ou sont prêtes à se damner, d'autres flattent les manies des hommes, créent peu à peu de ces petites habitudes qui survivent au temps et même à l'indifférence... S'il appréciait les myosotis, je lui en planterais des prairies, s'il demandait une seule fois du basilic dans une sauce, je ne l'oublierais jamais... Mais rien de ce genre. Il échappe comme de l'eau dans le poing, et pour tout dire, je suis bienheureuse qu'il ait besoin de mon argent...

« En vérité, je ne sais pas si quelque chose au monde l'intéresse vraiment. La gloire, peut-être, la victoire, le parage... Dans tout ce qu'il entreprend, il me fait l'effet d'essayer de se vaincre lui-même... Une fois, à table, il a dit que son rêve était d'affronter ce Renaud de Dammartin, mais peut-être veut-il seulement lui ressembler. Se faire craindre d'un roi!... Quand je pense que, selon la coutume, il fait à l'hôtel de l'évêque le service de la viande! Comment est-ce possible? C'est l'évêque qui devrait le servir, lui lacer son haubert, lui tenir son cheval...

« Tu sais, il ne me parle pas beaucoup, et quand il me donne un mot, je m'en sers longtemps... Il n'est pas souvent à Verberoi, dis-tu... Tu as raison, mais pour moi ce n'est pas très important, il me suffit de savoir qu'il existe, et qu'il reviendra... L'absence est à l'amour ce que le vent est au feu : éteint le petit, fait flamber le grand...

« Quand mon mari passe au château, entre deux tournois, entre deux escarmouches aux marches du royaume, entre deux séjours à la cour de Beauvais, il me salue comme il convient, mais son regard me traverse sans me voir... Nous soupons, et à peine sommes-nous couchés qu'il s'endort... Quand il me fait l'amour, je ne sais jamais si c'est par devoir conjugal ou par charité... Ou seulement parce qu'il est dans un lit, et que dans un lit on fait l'amour... Le matin, il se vêt de linge neuf et part pour la chasse ou pour la guerre, me souhaitant avec gentillesse mille félicités, mais ne me laissant dans mon lit que son odeur et son esclave, avec sa peau de Grec et son regard triste, comme une fourrure à caresser...

« Que dis-tu? Qu'il est courtois? C'est bien la moindre des qualités pour un chevalier comme lui... Mais pourquoi le défends-tu?... Toi aussi, tu... Isaut, dis-moi la vérité, vous le voulez toutes, n'est-ce pas?... Je vois bien comme vous êtes quand il arrive, et comme vos broderies vont de travers... Dommage que Verberoi soit son domaine, et non le tien... Si tu étais la dame de ce château, vous iriez bien l'un à l'autre... Ton héritage, à toi, c'est la jeunesse et la beauté... Vous auriez tout pour être heureux...

« Et puis non, ce n'est pas vrai. Avec sire Guillou, on ne peut pas être heureux d'amour... Toi aussi, tu te mettrais à haïr ces tournois où toutes les femmes le regardent, et crient quand il entre en bataille, lui jettent leurs manches... Tu ne vivrais plus à l'idée que d'autres se l'approprient, même un seul instant... Non, ce n'est pas de la jalousie, je ne suis pas jalouse de ces filles sans lendemain que pratiquent les vainqueurs... La jalousie, ce serait s'il se mettait à vouloir les séduire, ou simplement à leur plaire... C'est d'autre chose dont je te parle, une souffrance dont je ne sais pas le nom, mais qui te dévorerait comme elle me dévore, t'épuiserait, te ferait mourir chaque fois à l'idée qu'une autre femme, ailleurs, pose sur lui son regard...

« Arrache donc ce cheveu blanc! L'an prochain, il y en aura tant qu'il faudra les laisser...

« Ce que je voulais te dire, c'est que la souffrance que sire Guillou a mise dans mon cœur est maintenant une bonne amie... Et même à mon âge, telle que je suis, avec ces cheveux bientôt gris, toute la souffrance que je lui dois me fait battre le cœur bien plus fort qu'un amour ordinaire... Ne crois pas que j'aie du plaisir à souffrir, mais ce que j'éprouve est à la fois infiniment âpre et infiniment doux, et jamais l'un sans l'autre... L'amour n'est pas une paix, Isaut, ou je n'en voudrais pas... L'amour est un tourment...

« Maintenant, écoute-moi! Pose ta brosse, viens ici... Tu te souviens, je t'avais fait promettre de ne jamais coucher avec lui, même s'il te le demandait... Eh bien, je crois que j'ai changé d'avis... Tu rougis, Isaut, tu as raison, tu es encore plus belle quand tu rougis... Isaut, mon oiseau, mon Isaut tendre et lisse, la prochaine fois que sire Guillou viendra, je veux qu'il ait envie de toi, parce que tu es la plus belle de toutes et que je t'aime, toi aussi...

« Que personne, tu m'entends, que personne ne l'apprenne jamais! Invente une histoire pour Rémi. Si je t'en voudrai? Non, bien sûr, puisque c'est moi qui te l'ordonne, et que j'aurai autant de bonheur que toi... Ne crains rien... Il n'y a que moi qui risque quelque chose, et c'est de te perdre aussi... »

IV

LE BERGER ET LE ROI

On était en juin. Le cortège prodigieux des enfants approchait de Paris. Leur nombre, disait-on, passait cinquante mille. Ils portaient à l'épaule droite une croix de laine rouge depuis qu'ils s'étaient juré les uns aux autres de délivrer Jérusalem.

Leur entreprise inquiétait moins, maintenant qu'on en connaissait le but et le chef, mais elle indisposait ceux dont elle rendait la faillite éclatante : les chevaliers, les clercs, les pères. Ces innocents, ces inconscients étaient bien audacieux de penser réussir là où avaient échoué les armées réunies de Philippe Auguste, de Richard Cœur de Lion et de Frédéric Barberousse, avec les troupes d'élite du Temple et de l'Hôpital, et toutes les prières de la chrétienté.

Et pourtant, on ne pouvait les voir passer sans s'émouvoir. Tout le monde en France avait entendu parler de leur foisonnement, et les gens prenaient parti de loin, sans les avoir vus. Mais quand ils arrivaient, on avait beau être prévenu, on était bouleversé. Ils s'approchaient, la peau tanée, les cheveux blondis, maigres comme des loups, s'entraidant à marcher, se donnant la main, portant les plus petits et les malades. Ils étaient indifférents à tout ce qui n'était pas leur certitude éblouissante, leur élan, leur partage. Ils vivaient sur la note la plus aiguë d'eux-mêmes, et leur fatigue nourissait leur émotion. Ils passaient sans vous voir et vous laissaient là, au seuil de vos habitudes, en proie à un malaise inconnu, un vertige. Ah ! avoir leur âge et courir derrière eux...

Ils contournèrent Paris, puisque le roi se trouvait à Saint-Denis, et traversèrent le village d'Argenteuil. Ils suivaient la Seine, dépassant les lents bateaux plats qui remontaient livrer le poisson de mer aux Parisiens. Les chasse-marée leur faisaient des signes d'amitié et eux couvraient de fleurs les gros chevaux de halage. Bientôt surgirent les deux tours de l'abbatiale Saint-Denis.

Des enfants et des pauvres sortirent de la ville à leur rencontre. Tandis que, aux portes, des soldats prenaient position, dans les ruelles, les marchands repliaient leurs étalages, les artisans abattaient sur leurs échoppes les gros volets de bois. Mais il n'y avait rien à craindre. Etienne s'avança seul vers les gardes et dit qu'il venait rencontrer le roi.

Un capitaine s'enfonça dans les profondeurs de la cité. Etienne entendait, dans son dos, un moine haranguer la foule. Beaucoup de tonsurés maintenant suivaient les enfants, convaincus que Dieu marchait au milieu d'eux. Ils essayaient de se rendre utiles en disant des prières, en exhortant les gens des villes à leur donner du pain. Etienne aurait pu les chasser, mais ces moines avaient choisi de quitter leurs abbayes pour l'accompagner, et ils croyaient bien faire. Celui-ci, dans son dos, criait que les braves gens devaient donner cinq aumônes aux enfants, à raison des cinq plaies de Notre-Seigneur, d'où a coulé le sang de notre rançon. Le capitaine revint : le roi, dit-il, tenait conseil, on ne pouvait pas le déranger.

Etienne, déconcerté, retourna vers les siens. Ils avaient tous eu, ce jour-là, un peu à manger, tant les gens avaient donné. Ils se retirèrent vers les champs, dans l'odeur des foins coupés. A la nuit, ils allumèrent des feux aux bords de la Seine. Plus tard, ils jouèrent à cogner des bûches à demi consumées contre des troncs d'arbre : les bouquets d'étincelles les faisaient crier de joie.

Les bonnes gens, du haut des remparts de Saint-Denis, les regardaient. En même temps qu'ils s'effrayaient pour eux de les voir ainsi sans toit sur leur tête, sans murailles ni guetteurs pour les protéger, ils ne pouvaient s'empêcher de se sentir des fourmis dans le cœur. D'autant que cette nuit-là, une de ces courtes nuits bleues du mois de juin, n'incitait guère à s'enfermer au creux des lits. C'était une nuit de plein ciel, et là-bas, dans les champs, les enfants dansaient, bondissaient deux par deux, en se donnant la main, par-dessus les brasiers – on dit qu'ils furent beaucoup à se marier.

Le matin, trois sergents vinrent chercher Etienne : le roi allait le recevoir.

Philippe, roi de France, trônait dans un imposant faudesteuil surmonté d'un dais azur semé de lys blancs. De part et d'autre s'alignaient les prélats en mitre et les barons, devant une rangée de clercs, de moines noirs, d'officiers du palais. Derrière encore se tenaient les scribes, à leurs pupitres.

Etienne s'avança sous les solives sculptées et peintes, parmi les tapisseries où brillaient des fils d'or et d'argent, les capes de soie, les manteaux d'écarlate au col de fourrure blanche. C'était là un palais dans l'éclat de sa pompe ordinaire, mais Etienne n'aurait pas été plus dépaysé de s'avancer au fond de l'océan, parmi les grandes algues et les poissons géants.

Les gardes, tout à l'heure, l'avaient salué avec déférence : le roi le recevait. L'entrée de l'abbaye se faisait par un étroit passage entre deux tours, sous la voûte d'une porte fortifiée. Suivant les sergents, il avait pris à droite, était passé devant les cuisines, où des frères convers, manches troussées, lavaient des chaudrons. Le palais de l'abbé se trouvait un peu en arrière. Il avait fallu monter un étage par un escalier de pierre neuf. En haut, d'autres gardes lui avaient demandé de leur laisser son bâton de marche. Puis une porte à deux battants s'était ouverte, et il s'était avancé dans la salle du conseil – ou bien au fond de l'océan. Aux fenêtres, des verres de couleur teintaient le soleil en bleu et en rouge...

Etienne s'agenouilla et courba le cou. Sur les dalles, il vit la jonchée de feuilles et de fleurs tendres, de grandes marguerites blanches, du millepertuis, des feuillages de frêne, et la tête lui revint. Après tout, ce roi, sans sa couronne et sans son sceptre, ne serait qu'un homme lent au teint rouge de gros mangeur.

« Lève-toi, dit Philippe. On m'apprend que tu veux me rencontrer. »

Les conseillers et les grands du royaume, sévères, attentifs, se penchaient vers cet enfant en robe de toile qui portait une croix de laine rouge à l'épaule. Il leur en imposait, parce que le chef d'une armée de cinquante mille soldats en impose toujours à des conseillers royaux, et que celui-ci, de plus, n'était pas de leur monde : ils ne savaient encore quel marchandage lui proposer.

« Sire, répondit Etienne, nous voulons reprendre Jérusalem.

– Par la lame Saint Jacques! Mais nous aussi voulons reprendre Jérusalem! Et qui te l'a commandé?

– Dieu. »

Les évêques semblèrent avoir avalé des frelons. Dieu, c'était leur affaire. D'un geste, le roi leur imposa silence.

« Sais-tu au moins où se trouve Jérusalem?

– Au centre du monde, sire. »

Il y eut de nouveaux murmures. Philippe avait l'art des questions qui réduisent tout à rien. On comprenait que le roi allait mettre en pièces ce rustaud à tête ronde.

« Et Dieu t'a commandé aussi de me rencontrer? »

Etienne sentit que quelque chose avait changé dans l'attitude du conseil :

« Sire, dit-il, c'est à nous que revient de prendre Jérusalem parce que nous sommes purs, et que votre armée a failli... »

Exclamations, brouhaha indigné. Philippe se redressa au fond de son faudesteuil :

« Tu n'étais pas né, berger, que je me battais déjà dans les fossés d'Acre! »

Il prit l'évêque de Beauvais à témoin :

« Dites-lui, mon cousin, que nous étions ensemble en Terre sainte, et que nous y avons taillé du Sarrasin tant et plus!

– Ventre! s'exclama Philippe de Beauvais.

– Mais Jérusalem, dit Etienne, est toujours aux mains des païens... »

Philippe prit le parti de rompre :

« Et comment, demanda-t-il, Dieu t'a-t-il commandé?

– J'ai toujours su qu'il faudrait partir délivrer Jérusalem... Dieu m'a seulement averti que le temps était venu... A la fin de l'été, j'ai vu une pluie d'étoiles... J'ai prié tout l'hiver, que les enfants se tiennent prêts... Au printemps je suis parti... »

Les prélats et les barons échangeaient des remarques à voix basse.

Le roi se taisait. Il n'y avait pas si longtemps, c'était lui, Philippe, qui faisait contre sa personne l'unanimité des conseillers et des grands du royaume. Il leur disait qu'il ne pouvait pas vivre avec la reine Ingeburge, qu'il était uni à Agnès par son corps et par son âme, il plaidait, il rusait, se débattait. Il n'avait en face de lui que ces mêmes visages murés, qui récitaient des clauses de divorce et des menaces d'excommunication. L'amour? Ils laissaient tomber le mot de leurs lèvres grises, disaient qu'il y avait des trouvères pour cela et qu'il s'agissait du salut du pays. Agnès avait fini par en mourir.

Comme il comprenait, le roi de France, la solitude d'Etienne à ce moment! Et pourtant, il livra aux mâchoires de ses conseillers le berger qui voulait délivrer Jérusalem. Il se tourna vers les évêques et leur demanda s'ils pensaient qu'une pluie d'étoiles peut être un signe de Dieu commandant de partir pour Jérusalem. C'est le plus vieux des prélats qui répondit — visage de poupée fripé et chiffonné où brillait l'éclat noir d'un regard de faucon. Il évita de se prononcer sur le signe :

« Encore, dit-il, faudrait-il qu'il eût assurément vu une pluie d'étoiles !

— Et quand bien même, dit un baron, prodige n'est pas miracle !

— C'est sur cette pluie d'étoiles que tu prêches ta croisade ?

— Je ne prêche pas, sire.

— Mais...

— Je marche, ils me suivent.

— Qui t'a élu ? »

Tous maintenant :

« As-tu une lettre du pape de Rome ?

— As-tu parlé à ton évêque avant de partir ? T'a-t-il béni ?

— D'où viens-tu ?

— De Cloyes, sire.

— Comment dis-tu ?

— Cloyes.

— Comment t'y prendras-tu pour passer la mer ? demanda un baron. As-tu des bateaux ?

— La mer s'est bien ouverte devant Moïse, dit l'enfant.

— Voilà qu'il se prend pour Moïse ! Blasphème !

— As-tu de l'argent ? Des armes ? Des chariots ? As-tu signé des traités avec les Italiens ? Avec les Vénitiens ? »

Les questions arrivaient comme des flèches. Etienne regarda le roi et se heurta au mur du regard gris.

Impitoyable, Philippe leva la main et s'adressa aux barons :

« Croyez-vous possible que ces enfants, à supposer

qu'ils franchissent la mer, vainquent les armées sarrasines ? »

Les barons haussèrent les épaules, pincèrent les lèvres :

« Pas un n'arriverait vivant sous les murs de Jérusalem. »

Le roi se tourna ensuite sur sa droite, vers les prélats :

« Croyez-vous possible que Dieu envoie ainsi ces enfants à une mort certaine ?

– Dieu aime les enfants, dit le vieil évêque. Il ne voudrait certainement pas que nous les aidions à se faire massacrer ! »

Du deuxième rang, un moine noir alors s'avança et demanda la parole.

« Mes seigneurs, dit-il, pardonnez-moi, mais êtes-vous sûrs qu'il n'est pas dans le plan de Dieu de promettre ces enfants au sacrifice du sang ? Qu'ils ne sont pas les hosties de la nouvelle rédemption ? « Laissez venir à moi les enfants », a ordonné le Christ Notre-Seigneur... »

Les évêques regardaient le moine comme des poules en rond devant un couteau. C'était un jeune bénédictin aux épaules pointues; il louchait un peu et rougissait de son audace.

« Et rappelez-vous, continuait-il, les paroles de Joachim de Flore : « Je te loue, Seigneur, d'avoir caché ces « choses aux sages et aux intelligents et de les avoir « révélées aux enfants. »

Le vieil évêque l'interrompit :

« Nous vous remercions de nous rappeler les paroles de l'Ecriture... Mais il faudrait nous garantir que cet enfant n'est pas malgré lui la demeure du démon... Satan a pu tromper ce berger, pervertir son âme fragile... Comme le pêcheur trouble l'eau pour que le poisson ne puisse voir sa nasse et s'y jette, il a pu troubler l'âme de ces enfants pour qu'ils ne s'aperçoivent pas du mal qu'ils font... »

Le vieillard se tourna vers le roi :

« ... et parviennent à abuser jusqu'à des hommes d'Eglise! »

Etienne ne comprenait plus ce qui se disait. Il voyait les bouches s'ouvrir pour des mots qu'on lui jetait comme des pierres :

« N'entends-tu pas? On dit qu'hier, à Argenteuil, tu as embrassé un enfant lépreux. Pensais-tu le guérir?

– Dieu l'a mis sur mon chemin. Il fera ce qu'il voudra.

– On dit que vous vous livrez à des sabbats sous la lune?

– Nous dansons. Parfois, nous nous marions.

– Comment expliques-tu que tant de bossus, tant de disgraciés vous accompagnent?

– Dieu les a faits comme ils sont. Ce sont des pauvres, et ils entreront avec nous dans Jérusalem.

– Ne crois-tu pas plutôt que ce sont des suppôts de Satan? Et ces manouvriers des villes de Flandre? Sais-tu qu'ils ont brûlé leurs maisons derrière eux? »

Etienne n'avait plus envie de répondre. Le soleil jouait dans les couleurs des fenêtres. Il pensa à la foule innombrable de ses compagnons qui l'attendaient dans les prés.

C'était maintenant le roi qui parlait. Il disait qu'il était impossible que les bandes d'enfants continuent ainsi d'errer et de tout piller sur leur passage. Tôt ou tard, un seigneur ou un évêque les recevrait d'une volée de flèches, lancerait contre eux une mainade de routiers... Etienne devait comprendre qu'on n'arrivait pas à Jérusalem simplement parce qu'on le désirait. La route était longue, difficile. Si le pape et les rois préparaient bientôt une croisade puissante et bien armée, les enfants seraient invités à s'y joindre. Mais pour l'heure, lui, Philippe, était assez occupé à déjouer les manœuvres de Jean sans Terre : la collusion du Plantagenêt et de Renaud de Dammartin était de plus en plus claire, et à quoi servirait d'aller prendre Jérusalem si pendant ce temps l'ennemi prenait Paris? Non, le mieux, sans aucun doute, était que les enfants rentrent chacun chez soi pour y accomplir modestement les tâches de leur âge et de leur ordre.

« Mais nous avons fait vœu! dit malgré lui Etienne.

– J'obtiendrai du pape qu'il vous relève de votre serment, tu peux le promettre à tes amis. »

Le roi dit encore que des vivres allaient être distribués à tous, et que s'il y avait du surplus, ils pourraient l'emporter.

L'audience était terminée. Etienne se retrouva à la porte, où les gardes lui rendirent son bâton. Il longea les cuisines, qui baignaient dans l'odeur du chou. Le soleil était presque au zénith.

A la poterne, les sergents avaient déjà appris son échec. Et ceux-là mêmes qui le matin l'avaient salué bas se moquaient maintenant de lui :

« C'est le roi des enfants, disaient-ils avec un air faussement obséquieux. Sire, avez-vous signé un traité avec le roi de France? »

Etienne retrouva avec soulagement ses compagnons. Il dit qu'on partirait le lendemain pour Jérusalem. Il dit aussi qu'il ne faudrait compter sur personne que sur eux-mêmes – et sur Dieu.

V

PYRÉNÉES

Depuis qu'il avait quitté Paris sur la piste froide de Guilhem d'Encausse, le chevalier du Temple Thibaut de Montrouge n'avait pas passé deux nuits de suite au même endroit.

De Saint-Véran, il avait gagné Conques, où il avait appris qu'un manchot du nom de Guilhem était resté tout l'hiver à la suite d'une vision qu'il avait eue. C'était, disait-on, un homme solitaire, renfermé, et il n'avait guère comme ami qu'un chevrier, en chemin comme lui pour Compostelle. Tous deux avaient quitté Conques au printemps.

Ces six mois de retard n'inquiétaient pas Thibaut de Montrouge. Il est bien rare qu'un homme disparaisse totalement. Il suffisait de ne pas se décourager. Mais seuls ceux qui doutent se découragent. Thibaut ne doutait pas. Une mission est une mission.

Il prit à son tour le chemin des pèlerins. Cahors, Moissac, Condom, Eauze. Interrogeant les portiers d'hospice, les servantes, les aumôniers, il apprit vite que quelqu'un le précédait de quelques jours, posant les mêmes questions et cherchant le même pèlerin manchot : un homme et un enfant aux cheveux noirs bouclés.

Il força l'allure. A Condom, il arrivait à l'hospice quand ils en sortaient, l'homme et l'enfant aux cheveux bouclés. Il reconnut l'enfant : il l'avait vu à Roquelongue. Sans doute voulaient-ils seulement prévenir

Guilhem d'Encausse qu'un Templier le cherchait. Non seulement il n'avait pas à s'en inquiéter, mais il calcula qu'il lui suffisait de laisser faire ces deux-là : ils trouveraient la piste à sa place.

Cela lui donnait le temps de courir jusqu'aux deux templeries des Pyrénées, Gavarnie et Montsaunès, rechercher trace d'un voyage que le chevalier d'Encausse, aux dires du commandeur de la maison de Paris, y aurait fait.

A Gavarnie, il ne trouva qu'un frère convers : le commandeur, les deux chevaliers et trois sergents de la garnison, dit-il, étaient partis à la chasse. Mais il se rappelait parfaitement le passage d'un Templier manchot et de son immense écuyer. Ils s'étaient perdus dans la tourmente et c'est lui, tirant la cloche des égarés, qui les avait sauvés. Ils cherchaient un lépreux — paix à son âme! — et l'avaient retrouvé dans la montagne. Ils avaient fait écrire par le notaire d'Argelès il ne savait quel témoignage, mais la neige les avait pris et ils avaient dû passer l'hiver ici.

« Ce lépreux est donc mort?

— Lui et les autres. Les gens des vallées se sont entendus pour les chasser vers les loups... Ils craignaient que leur présence ne désigne le pays à l'attention de Dieu... »

Thibaut aurait bien voulu attendre le commandeur, mais il avait peur de se laisser enfermer lui aussi par l'hiver :

« Vous rappellerez à votre commandeur, dit-il, que la chasse est interdite aux chevaliers du Temple.

— Mais...

— Sauf la chasse au lion.

— Mais nous n'avons pas de lions par ici! Seulement des ours et des isards... »

Le notaire d'Argelès était un cupide et un sot : Thibaut l'acheta pour presque rien. Il lui fallut la journée pour retrouver, parmi ses archives, la première copie qu'il avait faite de l'interrogatoire du lépreux. Il ne voulut pas s'en dessaisir, et la transcrivit à nouveau, moyennant cinq deniers par ligne – il en voulait sept – étant donné le caractère urgent du travail.

« Moi, Raoul d'Ibos, présentement pour mon malheur lépreux vivant dans la montagne, je certifie par Dieu, par Son fils, par la Vierge Marie et par tous les saints, que ceci est la vérité. J'étais sergent dans l'Ordre, et je commandais la voûte du port d'Acre... »

Ce que lut Thibaut avait suffisamment d'importance pour qu'il décide de retourner à Paris sans plus attendre : sans avoir eu besoin de trouver Guilhem d'Encausse, il connaissait son secret. Pourtant, il prit la précaution de repasser par Sainte-Eulalie du Larzac, chargeant le commandeur aux chevaux de faire surveiller Roquelongue et Saint-Véran.

Frère Aymard complimenta le jeune chevalier pour sa diligence et pour l'importance de ce qu'il rapportait. Il lui demanda de garder le secret le plus total et le chargea de consigner par écrit tous les manquements à la discipline qu'il avait constatés dans les lointaines templeries.

Thibaut, au printemps, demanda une fois de plus à faire partie du contingent qui partait en Terre sainte. Une fois de plus cela lui fut refusé. Frère Aymard préférait garder près de lui ce chevalier qui s'acquittait si bien des missions qu'on lui confiait.

N'empêche que Thibaut, reprenant ses compagnons quand il le fallait afin de les aider à faire bellement leur salut, Thibaut le consciencieux, le Templier sans reproche, gardait un regret : ne pas avoir rencontré ce Guilhem d'Encausse : on ne piste pas un homme pendant plusieurs mois sans essayer de le comprendre, sans entrer dans sa peau et vouloir le confronter à l'image patiente qu'on s'est faite de lui. Le monde du causse l'avait fasciné, lui le Parisien, avec ses châteaux perchés, sa terre à vif, ses paysans secrets, avec ce Templier déchu et ces enfants qui jetaient des pierres à qui oubliait Jérusalem.

VI

LE SOLEIL DES CŒURS

A MILLAU, Audilenz et Faïs avaient suivi une petite bande d'enfants que menait Elie Sahuquet, le fils du forgeron de Nant. Ils avaient pris vers Meyrueis le chemin escarpé qui longeait la Jonte, tantôt au fond des gorges, tantôt à flanc de montagne. Ils devraient traverser la Cévenne avant d'atteindre un large fleuve qui les conduirait à la mer.

Aux Douzes, on leur avait offert le pain et le coucher : ils s'étaient contentés du pain, craignant encore qu'on ne tentât de les enfermer. A Meyrueis, ils avaient retrouvé Claroeil, le dernier des fils de Pan-Perdu, parti du Ruassou deux jours plus tôt et qui avait traversé seul le Causse noir. Ils étaient maintenant une bonne douzaine.

Meyrueis était, avec Millau, Le Vigan, Le Caylar, une des bornes de leur univers. Au-delà, ils ne savaient plus rien. En escaladant les abrupts du Causse Méjean, ils eurent l'impression qu'une autre aventure commençait. Tous les chemins devenaient les chemins d'ailleurs. Au moment d'affronter les dangers de l'inconnu, leur seule certitude était en eux.

Ils n'avançaient pas très vite – Faïs n'avait que huit ans, Audilenz et Claroeil dix, Elie Sahuquet douze – mais ne s'inquiétaient pas. L'essentiel était de se savoir en route pour l'Orient.

Durant quelques jours, ils se mêlèrent à un immense troupeau de moutons qui gagnait pour l'été les herbages de montagne. Les bêtes venaient d'être tondues et, avec leurs gros ventres et leurs pattes grêles, elles paraissaient toutes nues – sauf les béliers à qui les tondeurs avaient laissé des floucats, de gros pompons de laine, sur la tête et sur le dos. Deux ânes suivaient, bâtés de façon à pouvoir porter une brebis malade ou un agneau juste né. Faïs s'y faisait monter de temps en temps, autant par plaisir que par fatigue.

Les bergers ne s'étonnaient pas du grand voyage des enfants. Ils connaissaient assez la nature pour en accepter les mystères : comment les oies sauvages saventelles où elles vont? qui ordonne la mise en route des colonnes de fourmis? Il n'y avait pas plus à expliquer cette levée d'enfants que le flamboiement des étoiles filantes dans un ciel d'août. C'était ainsi. Et si Dieu avait choisi Jérusalem pour y faire mourir son fils, on n'allait pas s'étonner que les enfants des hommes s'y donnent rendez-vous.

Sans compter que bien des choses ordinaires trouvaient en Orient leur explication ou leur aboutissement :

« Quand vous serez là-bas, leur dit un vieux berger, regardez si vous trouvez la fontaine aux aigles. »

C'était un matin. Tandis que le troupeau broutait, les bergers et les enfants mangeaient du pain frotté d'ail sauvage. Un couple d'aigles planait très haut.

« Les aigles, dit le vieux, peuvent regarder le soleil sans baisser les paupières, et leur vue est si perçante qu'ils voient les poissons au fond des rivières... Quand ils deviennent trop vieux, ils vont se plonger trois fois dans une fontaine qui se trouve en Orient et redeviennent jeunes. »

Les enfants regardaient les aigles avec un respect nouveau, suivant en silence leur lent manège noir au bleu du ciel.

Ils étaient en bonne entente, les bergers, les brebis et

les enfants. Ils auraient pu cheminer ainsi longtemps, mais il leur fallut se séparer quand les enfants entrèrent dans la grande forêt qu'ils avaient à traverser.

Après l'échec de sa visite au roi de France, Etienne passa la nuit parmi la multitude de ses compagnons, qui fêtèrent comme si de rien n'était le bonheur d'être ensemble. Il ne dormit pas. Le dos dans l'herbe, les yeux dans les étoiles, il connaissait le moment de sa plus grande solitude.

Il pensait aux rois, aux barons, aux évêques, les supposés gardiens du Saint Sépulcre. Leur attitude au fond ne l'étonnait pas. La richesse et les honneurs, pensait-il, pèsent si lourd aux épaules des hommes qu'ils ne peuvent plus se lever de leurs faudesteuils sculptés. Ils ne savent plus la brûlure du vent sur la peau ni la couleur des ancolies dans la rosée. Ils n'ont plus envie de Jérusalem.

Le matin, ils prirent le grand chemin chaussé d'Orléans et du Midi.

Malgré le mépris du Conseil royal, la foule immense des enfants s'accroissait sans cesse de nouveaux venus : des enfants encore, mais de plus en plus de pauvres, de malades, de femmes, de ceux qui n'avaient rien et qui n'étaient rien, de ceux dont nulle ambition n'avait encore racorni le cœur. Leur passage ressuscitait l'émotion prodigieuse, faite d'inquiétude et d'espérance, qui avait un siècle plus tôt jeté le peuple des pauvres gens derrière Pierre l'Ermite.

En terre d'Empire, une autre croisade d'enfants — trente mille, disait-on — s'était formée, elle aussi surgie du fond de l'hiver. Un certain Nicolas la conduisait présentement vers l'Italie.

« Ils nous reprochent d'être plongés dans le sommeil », avait regretté le pape avec diplomatie. Et, pour profiter de leur élan, il ordonna que l'on fît des processions le dimanche dans l'octave de la Pentecôte :

célébrées partout à la fois dans le même esprit de contrition, elles obtiendraient du ciel la paix de l'Eglise universelle et la défaite des Sarrasins d'Espagne. Là encore, ce furent les enfants les plus fervents. Ils marchaient en tête des cortèges, portaient les cierges et les bannières. On eût dit qu'ils avaient, et eux seuls, conscience d'une formidable urgence. Ils étaient comme des animaux avant un tremblement de terre. Ils savaient.

En Normandie et dans le Centre de la France, ceux qui étaient restés se groupèrent en compagnie de pénitents et entreprirent d'élever des églises pour la prochaine venue de Dieu sur terre. Ils s'attelaient par douzaines aux timons de fardiers chargés de pierres et s'épuisaient dans le sable ou les gués. On voyait bien que leur entreprise était sainte. Les malades imploraient d'eux leur guérison. Si le miracle ne se produisait pas, ils s'accusaient d'indignité, jetaient leur chemise et se flagellaient les uns les autres jusqu'au sang; ils se précipitaient alors devant les autels et imploraient la Vierge : « Voyez la dévotion de vos enfants! Exaucez-nous! Nous vous offrons notre vie avec joie pour le salut de la chrétienté! C'est à notre tour d'expier les péchés du monde! »

Les gens d'Eglise ne pouvaient plus se contenter de mépriser cet immense mouvement. Il leur restait à le déconsidérer. Dans leurs prêches, ils en firent un effet des forces du monde inverse. On se répéta bientôt une explication terrifiante : les enfants avaient été envoûtés par le Vieux de la montagne. Au seul nom du Maître des Assassins, on se signait, on baissait la voix. On ne savait que trop qu'il pouvait, du fond de son château dressé dans les montagnes sauvages d'Arménie, faire disparaître ceux qu'il voulait dans toutes les parties du monde. On savait aussi qu'il était un précurseur de l'Antéchrist et qu'il s'acharnait à la ruine des chrétiens : Philippe Auguste lui-même s'en faisait protéger jour et nuit par une garde spéciale. On disait cette fois que le Vieux de la montagne avait libéré deux clercs prisonniers contre la promesse qu'ils attireraient par maléfice dans son royaume tous les enfants d'Occident. Et les innocents, incapables de juger le vrai du faux, s'abandonnaient là à des sorciers bien plus redoutables que des meneux de loups.

Mais les enfants ne prêtaient pas attention à ce qu'on disait dans leur dos. Ils marchaient.

Dans la forêt cévenole, Elie Sahuquet, Audilenz et les autres s'épuisaient à couper par le travers des serres et des vallons, à dégringoler des éboulis barrés de ronciers. Déchirés, sales, affamés, il leur semblait parfois qu'ils tournaient en rond sous la voûte des chênes tors.

Les villages et les fermes se faisaient de plus en plus rares et, pour se nourrir, il ne fallait plus compter sur la charité. Ils mangeaient des baies et des racines qui leur faisaient la bouche amère et leur retournaient les entrailles. La nuit, à l'écoute des bruits, ils dormaient mal et regrettaient l'abri des palissades où ils avaient pris l'habitude de s'entasser avec les moutons pelés du grand troupeau. Ils n'avaient même pas de quoi allumer du feu pour écarter l'obscurité ou sécher au matin leurs vêtements trempés.

Un jour qu'ils allaient, un cri les arrêta net. Ils se regardèrent. La petite Faïs avait disparu. Ils comprirent vite : elle était tombée dans un gouffio, un piège à loups. C'était une fosse puante dont l'ouverture, camouflée sous des branches mortes, était moins large que le fond; les murs de pierres sèches, montés en contrepente, interdisaient d'en sortir. L'odeur venait de l'appât qu'on y jetait : ordinairement une charogne ou, mieux encore, le délivre d'une vache.

Ils se penchèrent. A ce qu'ils pouvaient voir, Faïs était étendue, inerte, parmi des ossements blancs et des branchages. Dans un coin, on aurait dit une forme de loup, avec deux yeux luisants.

« S'il y a un gouffio, finit par dire Claroeil, c'est bien qu'il y a des gens... »

Ils trouvèrent, non loin, un petit village d'écorceurs et de résiniers. On les appelait des ruscaïres, c'étaient des hommes qui vivaient de la forêt, charbonnant, levant l'écorce des arbres pour la vendre aux tanneurs, saignant les troncs pour en tirer la résine dont on faisait les cierges et les torches. Ils étaient rudes et peu parlants.

Ils se munirent de cordes et de haches et suivirent les enfants. Aucun d'entre eux ne voulut descendre dans le gouffio. Ils commencèrent par attraper le loup dans une boucle et le remontèrent : le fauve était d'une maigreur fascinante, presque mort. Il n'avait même plus la force de montrer les dents. Dans son regard jaune pourtant une étincelle infime parlait encore de la vie. A coups de haches et de bâtons, les ruscaïres le frappèrent avec haine, interminablement, lui brisant les os et les dents, continuant de le tuer longtemps après qu'il fut mort. En lui, au nom de tous les hommes, ils tuaient tous les loups de leurs nuits et de leurs peurs.

C'est seulement après qu'ils s'occupèrent de remonter Faïs. Elle respirait, mais elle était sans connaissance. Les ruscaïres firent une sorte de litière et transportèrent l'enfant jusqu'à leur village : des huttes de branches dans une clairière, avec une chèvre, un âne croûteux et un cochon dans un enclos. Deux femmes en noir apportèrent une écuelle de lait et de l'eau fraîche.

Le soir, Faïs ouvrit les yeux et dit qu'elle avait très mal. Elle ne pouvait pas bouger les jambes. On la fit boire un peu, et elle se rendormit, la main dans la main d'Audilenz.

Elle s'éveilla à nouveau au milieu de la nuit, en proie à la fièvre :

« Quelles sont, demanda-t-elle à Audilenz, les deux sœurs qui se ressemblent le plus ?

– Les deux sœurs ? Je ne sais pas...

– Les fesses ! »

Le rire de Faïs s'étrangla. Elle souffrait. Audilenz lui mit un linge mouillé sur le front. Puis, à son tour, elle demanda :

« Quelles sont les trois choses qu'on n'a jamais vues et qu'on ne verra jamais ? »

Faïs, d'avance heureuse, fit signe qu'elle ne savait pas.

« Des dents de poulet, répondit Audilenz, des plumes de grenouille et des jambes d'anguille ! »

Elles s'endormirent l'une contre l'autre. Quand Audilenz s'éveilla, il faisait jour, et Faïs était morte.

Les enfants restèrent deux jours au village, le temps que l'âme de Faïs pût s'envoler, puis l'enterrèrent. Les ruscaïres les laissaient faire. Ils les nourrissaient de gibier rôti et de choux, leur donnaient des fourrures pour qu'ils se couvrent la nuit. Eux aussi, comme les bergers, semblaient trouver tout naturel que les enfants fussent en chemin pour la Terre sainte.

Sur la tombe de Faïs, Audilenz dit que ceux qui mouraient en route gagnaient tout droit le paradis. Puis ils partirent, avec leurs peaux de bêtes et quelques galettes de farine de châtaignes frites dans l'huile de faines. Au dernier moment, l'un des enfants des ruscaïres se joignit à eux, un long garçon voûté. Il n'avait pas de nom. Les autres l'appelèrent Porte-Bûche. C'était bon signe que Faïs fût déjà remplacée.

A la première rivière qu'ils rencontrèrent, ils baptisèrent Porte-Bûche et lui donnèrent le prénom de Jacques, car on approchait de la fête du saint. Ils entrèrent tous dans l'eau et c'est Elie Sahuquet, le plus âgé d'eux tous, qui déclara Jacques Porte-Bûche lavé de toute souillure. Ils se séchèrent sur de grands rochers plats et mangèrent tout crus des poissons attrapés à la main.

Après quelques jours, ils arrivèrent à un gros bourg, nommé Villefort, où se trouvaient déjà des enfants venus de Mende ou du Puy à travers la montagne. Eux aussi étaient maigres et dépenaillés, brûlés de vent et de soleil. Ils descendirent ensemble vers Les Vans à travers des forêts de châtaigniers. Ils suivirent le Chassezac puis l'Ardèche. A l'endroit où les deux rivières se joignaient, ils passèrent toute une journée, fascinés de voir se mêler les eaux venues d'ici et les eaux venues de là. Ces noces silencieuses étaient un peu les leurs. Eux aussi finiraient par devenir un fleuve formidable qui emporterait les impies, les cupides et les luxurieux, qui laverait les péchés du monde.

L'eau, c'était l'eau de leur baptême, l'eau de leur rédemption. Ils ne la quittèrent plus. Quand ils le pouvaient, ils marchaient dans le lit même de la rivière, basse à cette saison, ne remontant sur les rochers que pour passer les rapides bouillonnants. Ils avaient fabriqué de grossiers radeaux sur lesquels se reposaient à tour de rôle les plus petits ou les plus malades d'entre eux. Les rives escarpées leur renvoyaient l'écho de leurs voix.

Un midi, ils arrivèrent à une immense arche de pierre que la nature avait jetée par-dessus la rivière. Ils s'y regroupèrent. Ce miracle était à leur mesure. Et, dans la solitude écrasante de juillet, ils auraient pu être, escaladant sous le ciel blanc le rocher fantastique, se baignant dans son ombre, s'éclaboussant, jouant aux ricochets, filtrant entre leurs doigts le sable aux paillettes étincelantes, ils auraient pu être les premiers enfants du monde. Sans doute le comprenaient-ils confusément, car ils y trouvèrent un surcroît de joie et y prirent un nouvel élan.

Mais, à l'intérieur des larges méandres, il y eut de plus en plus de tours et de castelets d'où des soldats les regardaient passer. Encore quelques jours, et ils découvrirent enfin devant eux l'immense vallée dont on leur avait parlé, et ce fleuve Rhône qui les mènerait à la mer.

A Saint-Véran, sire Bernard avait très mal pris le départ de ses deux filles Audilenz et Faïs. Il s'était emporté contre la servante Lireille, qu'il accusait de négligence, de complicité, et, en proie à la colère démesurée des faibles, il l'avait frappée à coups de pied. Il avait envoyé ses gens par les chemins : mais on signalait partout des enfants, et tandis qu'on cherchait Audilenz et Faïs sur le causse, elles étaient à Millau; quand on courut la vallée, elles arrivaient à Meyrueis.

Bernard fit des dons aux moines de Nant, à l'abbaye du Bonheur, près de l'Aigoual, paya même un troubadour pour qu'il aille brûler un cierge à Sainte-Foy de Conques. On se demandait ce qu'il aurait fait si deux fils, au lieu de deux filles, étaient partis : il se sentait abandonné, il se serait vu trahi. C'était la première fois qu'un sentiment un peu fort l'animait. Là où d'autres pères se voûtaient de tristesse, lui, au contraire, se redressait sous l'effet de la rancœur et de l'amertume. Il commençait de parler de porter le deuil d'Audilenz et de Faïs pour signifier qu'elles étaient mortes à ses yeux.

Aélis se taisait. Elle laissait son mari hurler aux échos qu'il les rattraperait, qu'il les enfermerait dans la tour, qu'il leur tannerait la peau des fesses ou qu'il les servirait à genoux. Sa première réaction à elle fut froide : puisque ses filles pensaient être mieux ailleurs, il n'y avait pas de raison de se lamenter ou d'aller les rechercher. Elles étaient parties ? Soit, bon chemin ! Des filles, avec cet époux-là, elle pouvait en faire autant qu'elle voulait.

Mais très vite une sorte de brouillard l'envahit corps et âme : un chagrin patient, obsédant, qui lui laissait assez de lucidité pour se dire qu'à leur place, elle serait peut-être partie aussi. Elle était peu portée vers Dieu, mais Jérusalem était assez loin et assez belle pour rimer à tous les rêves des gens. Jérusalem à mi-voix... Jérusalem des anges et des lumières... Jérusalem de toutes les promesses... Jérusalem... Tout le monde a dans le cœur une Jérusalem.

Un jour, elle se rendit à Nant, chez Sahuquet. Le forgeron posa son gros marteau :

« Chacun, dit-il, voit ça comme il veut... Moi, je crois que Dieu n'a besoin de personne pour chasser les Sarrasins de Jérusalem. S'il le voulait, il pourrait en un seul instant, d'un seul souffle, d'un seul regard, les renverser tous et les enfouir dans la terre... C'est parce que le péché est à son comble qu'il nous prend nos enfants... Il veut nous tirer du sommeil de la mort... »

Il empoigna son marteau pour se donner une contenance :

« A Abraham aussi, poursuit-il, Dieu a demandé son fils... Moi, au mien, j'aurais appris le métier... Vous auriez marié vos filles à des seigneurs... Et maintenant voilà... Ils sont partis et nous restons... »

S'il devait chercher son fils, lui demanda-t-elle, où irait-il ?

« A Marseille ! Ils vont tous à Marseille ! C'est la porte de la Terre sainte... »

Aélis connaissait Sahuquet depuis son enfance, mais si on lui avait demandé de le décrire, elle n'aurait su parler que de son tablier de gros cuir et des odeurs de la forge. Pour la première fois, elle voyait les sourcils gris, les mille rides au coin des yeux, les joues mal rasées, les mains puissantes aux ongles noirs. Cet homme et elle maintenant partageaient quelque chose, et elle s'attarda autant qu'elle put dans l'atelier. Un apprenti tirait la chaîne d'un soufflet pour garder en vie les braises du foyer.

Sur son chemin de retour, Aélis se rappela ce que lui avait fait dire son père, sire Guilhem, après la dernière fête : « Deux soleils se lèvent chaque jour, l'un sur les regards, l'autre sur les cœurs. » Elle était attentive à quelque chose qui se passait en elle, hors de sa volonté, et qui bougeait comme un enfant. Elle passa le reste du jour avec Mélina, l'esclave grecque, entre ses pots de vermillon et de safran, à se farder, à se coiffer, à interroger son visage dans le miroir d'argent poli.

Le lendemain matin, elle dit à sire Bernard qu'elle ne pouvait rester au château quand ses deux filles étaient par les chemins. Elle lui demandait la permission de partir à son tour à leur recherche. Elle connaissait assez son époux pour savoir qu'il était incapable de lui dire non, pourvu qu'elle respectât les formes.

Il la laissa partir, mais prétendit lui donner une escorte de vingt hommes d'armes, comme pour un évêque. Finalement, elle n'emmena que Mélina et le valet Bégon. Elle promit d'être de retour avant les vendanges et les fêtes de l'automne.

Elle se mit aussitôt en route vers Marseille, où elle arriva en même temps que les premières bandes d'enfants.

Audilenz, alors, franchissait le Rhône parmi ses compagnons. Il y avait là un pont considérable, garni de plusieurs tours de défense. Les soldats du péage, qui avaient ordre de laisser le passage aux enfants, leur apprirent que c'était un enfant comme eux, un berger, Bénézet, qui l'avait construit pour servir la ville d'Avignon. Et eux, depuis le parapet de pierres dorées, fixant jusqu'au vertige le bec des piles qui divisait les eaux, ne s'en étonnaient pas. Au contraire : ils y trouvaient la confirmation que tout est possible à ceux qui ont le cœur pur.

Avignon, en terre d'Empire, ne les reçut pas mal, mais tant de leurs pareils étaient déjà passés, et tant encore étaient attendus... Le pain, comme l'émotion, se faisait rare. Ils ne s'attardèrent pas.

Ils entrèrent alors dans un pays de garrigue où chantaient les odeurs tranquilles de la lavande et de la pierre au soleil. Aux heures de midi, comme il faisait trop chaud pour marcher, ils s'arrêtaient dans les bois de cyprès ou de pins et écoutaient autour d'eux le brasillement du bel été. Mais les cigales ne se mangent pas : ils arrivèrent à Marseille la faim aux yeux, comme des loups.

Le grand port n'avait que faire d'eux : on ne savait pas ce qu'ils voulaient au juste, et ils n'avaient rien à dépenser. Combien étaient-ils déjà ? Dix mille ? Quinze mille ? On disait que beaucoup s'étaient perdus en route, ou étaient morts, d'épuisement, de maladie, d'accident, mais cela ne faisait qu'accroître le désir des survivants : peut-être étaient-ils ceux qui arriveraient à Jérusalem.

Aélis se rendait chaque jour à la Blanqueria, le quartier des tanneurs, au bord du canal de Jarret. C'était là que se rassemblaient les enfants, avant de se répandre dans le dédale des ruelles et des passages, de s'agglutiner aux fontaines, de courir enfin vers la mer.

Elle avait fini par s'habituer à la puanteur des peaux au séchage comme au harcèlement des mouches. Elle regardait l'interminable défilé. Quand tout se brouillait dans sa tête, quand les visages se confondaient et qu'elle n'en distinguait plus aucun, elle secouait sa fatigue et priait Nore-Dame : « Marie, disait-elle, vous qui avez été mère, aidez-moi. Faites au moins que je sois ici quand elles passeront. »

Un jour comme un autre, qu'elle était au bord du chemin et qu'elle attendait, elle reconnut soudain le petit Clarœil, le fils de Pan-Perdu. Sans réfléchir, elle se détourna – peut-être pour ne pas voir, peut-être pour ne pas être vue. Le cœur lui manquait.

Quand même, elle se força à chercher ses filles. Elle trouva vite Audilenz. Mon Dieu, comme elle avait maigri ! Et ces guenilles ! Elle tenait la main d'un long garçon voûté. Ils allaient tous pieds nus. Et Faïs ? Elle avait beau regarder, elle ne voyait pas Faïs. Déjà la petite troupe finissait de passer, s'éloignait.

Aélis se mit à courir derrière les enfants, rattrapa les

derniers, mais ne se fit voir ni d'Audilenz ni de Claroeil. Elle reconnut aussi le grand Sahuquet, avec ses taches de son. Comme il ressemblait à son père... Quand elle fut sûre que Faïs n'était pas avec eux, elle s'arrêta désemparée.

Une nouvelle bande arrivait déjà. Mêmes visages, mêmes guenilles, même terrible indifférence pour tout ce qui n'était pas eux. Ils ne virent même pas cette femme assise comme une pauvresse sur le talus pelé et qui mendiait on ne savait quoi.

VII

LAS NAVAS DE TOLOSA

JUIN. Sous Tolède continuait de s'amasser un orage fabuleux : la plus formidable armée chrétienne qu'on ait vue de mémoire de coureur de bataille; la plus turbulente aussi, avec des combattants de partout et de tout poil, attirés là par toutes les bonnes et toutes les mauvaises raisons qui jettent les hommes dans ces sortes d'entreprise. La date du défi de Pentecôte était passée depuis un mois, et de nouvelles troupes arrivaient encore chaque jour, levant des nuages de poussière dorée et avivant de leur impatience l'impatience de ceux qui attendaient depuis plusieurs semaines déjà.

Le 23 mai, veille de la Fête-Dieu, le pape avait appelé tout le peuple de Rome à se rassembler dans trois églises, une pour les clercs, une pour les hommes, une pour les femmes. Trois processions avaient ainsi convergé vers la place du Latran, où Innocent priait avec les cardinaux et les évêques. De là, pieds nus lui-même, portant la relique de la Vraie-Croix, il avait conduit la foule immense au palais d'Albano. Puis, s'adressant, à travers ceux qui l'écoutaient, à tout le monde chrétien, il avait dramatiquement évoqué l'armée des païens, si nombreuse qu'il lui avait fallu plus de deux semaines pour débarquer ses chevaux, ses chameaux, ses tentes, ses machines de guerre, ses armes et, par dizaines et dizaines de milliers, ses émirs, ses cavaliers, ses fantassins. « Le jour est arrivé où tous doivent s'assister, suppliait-il, car l'ennemi de la Croix cherche non seulement à détruire les Espagnes, mais menace les autres terres chrétiennes. Il veut abolir le nom chrétien ! »

L'archevêque de Tolède, don Rodrigo Gimenez de Rada, courait l'Occident, demandait des secours aux princes et aux cités. Dans les églises, les évêques et les prêtres lisaient des lettres inquiètes du pape : il fallait non plus aller guerroyer les Infidèles chez eux, mais les empêcher de conquérir nos villes, les repousser à la mer sous peine de les voir installer dans toute la chrétienté la loi inique de leur faux dieu.

On réagissait pourtant comme si la menace était lointaine. On ne prenait pas encore l'Emir Vert, comme on appelait En-Nâsir, pour l'Antéchrist. Il ne se produisit rien de comparable à la surgie des enfants partant délivrer Jérusalem. Par conscience ou parce qu'ils n'avaient rien à refuser au pape, un certain nombre de chrétiens de devoir prirent la route, comme l'archevêque de Bordeaux et l'évêque de Nantes, quittant la croisade anticathare, comme Arnaud Amaury lui-même, le moine blafard, le brûleur d'hérétiques, l'âme terrible de Simon de Montfort : il venait d'être nommé archevêque de Narbonne et remerciait à sa façon. Mais la plupart de ceux qui passaient les Pyrénées étaient des hommes de tournoi ou d'aventure qui n'avaient trouvé, entre Béziers et Toulouse, ni à se distraire ni à s'enrichir.

Ils étaient, disait-on, près de cent mille à camper sous Tolède : c'était comme s'ils l'assiégeaient.

Du jour où Guilhem, Espérandieu, Tristan et Ami-Loup quittèrent Burgos et le chemin de Compostelle pour aller faire la guerre au Maure, ils n'eurent plus la moindre averse, la plus petite giboulée, pas une goutte de pluie. En rêvèrent-ils, alors, des *chubascos* de Pampelune ! Mais la longue colonne qui rejoignait Tolède s'avançait sous un ciel immuable, minéral, parmi de vastes plaines fauves ou grises, levant une poussière ocre qui faisait pleurer, desséchait les lèvres et crissait sous la dent.

« Trois mois d'hiver, neuf mois d'enfer », disaient ceux qui connaissaient le pays. Il n'y avait rien pour rompre cette uniformité sauvage. Pas un arbre où accrocher le regard, où mesurer son avance, pas une ombre où poser sa fatigue. Que cette lumière, que cette poussière, que ce paysage de bure – comme un linceul déployé.

De loin en loin, on passait sous un *castillo* terreux ou devant un village de pisé accroupi au flanc pelé d'une colline. Femmes en noir portant des jarres d'argile brûlée, bœufs noirs, moutons noirs, cochons noirs, poules noires dans le jour éclatant : ce pays portait son propre deuil.

Parfois, tout paraissait se dissoudre dans la fournaise. L'air se troublait, dansait comme au-dessus d'un feu, mangeait la ligne d'horizon. Le monde alors se réduisait à un tremblement, à une incertitude, comme un reflet de fleuve sur une muraille. Mais il n'y avait ni fleuve ni mer, seulement la vie mystérieuse des grands espaces mornes. Ne nous arrêterons-nous jamais ?

Tolède enfin, Tolède de terre cuite derrière la Porte du Soleil, au bout du pont d'Alcantara jeté sur le flot roux du Tage. Tolède capitale, avec ses ors, ses ombres et ses eaux, Tolède jardin, Tolède verger, et sa couronne d'arbres. Tolède aux rues étroites où deux hommes ne passent pas en se donnant le bras mais où coule toujours un vent frais, Tolède aux échoppes profondes, Tolède aux tintements d'enclumes, perle brune sertie dans son écrin de collines rouges et de lointains escarpements.

Tolède attente. Ami-Loup, supportant mal sous la chaleur le fourmillement de sa vermine, descendit un jour dans le Tage, une planchette à la main. Il y entra lentement, jusqu'à ce que ne dépassent plus que son visage renversé et le bras qui tenait la planchette hors de l'eau. La planchette devint vite l'ultime refuge des poux et des puces cherchant à échapper à la noyade. Quand tout le peuple pique-et-mord s'y fut rassemblé, grouillant, il lâcha dans le courant le singulier radeau puis se releva en s'ébrouant. A Guilhem, qui lui demandait comment il avait eu l'idée de ce stratagème, il répondit que les renards faisaient ainsi, tenant une écorce entre leurs dents. Le coup du renard fut bientôt connu dans tout le camp, et même perfectionné : certains, respirant par un roseau, s'asseyaient tranquillement au fond de l'eau...

Tolède ennui, Tolède convoitise. Fatigués de rouiller dans leur sueur, des chevaliers et des ribauds entrèrent dans la ville comme dans une cité ennemie et pillèrent des maisons chrétiennes. Puis, sous prétexte d'être agréables à Dieu, ils massacrèrent les Juifs qu'ils trouvèrent, bien qu'on prétendît ceux-ci innocents de la mort du Christ : lorsque Jésus de Nazareth fut mis en jugement, toutes les tribus d'Israël furent consultées, et seuls les Juifs de Tolède — disaient les Juifs de Tolède — votèrent l'acquittement, échappant ainsi à la malédiction... Mais on ne peut réunir tant d'hommes de guerre sans leur donner un peu à tuer et à piller. S'ils n'avaient pas trouvé de Juifs, ils auraient sans doute commencé à s'étriper entre eux.

Enfin, le 21 juin, l'archevêque de Tolède étant revenu de sa mission, les trompettes sonnèrent et on leva le camp.

L'armée était divisée en trois corps.

Le premier, qui faisait l'avant-garde, était mené par un seigneur castillan, Diego Lopez de Haro. Il rassemblait pour l'essentiel les combattants venus de France, les contingents détournés de la croisade anticathare et des pèlerins recrutés sur le chemin. L'archevêque de Bordeaux et l'évêque de Nantes commandaient un groupe d'Aquitains et de Poitevins, auxquels se joignit Guilhem. Sa place était normalement avec Arnaud Amaury, qui menait les Provençaux, les Roussillonnais, les Rouergats et les Barcelonais, mais il ne pouvait voir le visage blême du moine sans penser à Aveline sur son bûcher.

Le deuxième était celui d'Alfonse de Castille, le chef de l'armée, puisqu'on était sur ses terres. On y trouvait, outre ses hommes, les meilleures épées, celles des Ordres du Temple, de l'Hôpital, de Calatrava, de Santiago.

Le troisième et dernier était commandé par Pierre d'Aragon, un vaillant aussi, entouré de ses chevaliers et de compagnies de frondeurs redoutables. A l'arrière-garde, Pierre de Portugal, troisième fils du roi, menait la fameuse infanterie de son pays avec les troupes de Galice et des Asturies.

Guilhem, pour la première fois de sa vie, marchait avec la piétaille. Chevalier, il aurait sans doute pu, à Tolède, obtenir un cheval et des armes malgré l'inconvénient de sa main coupée. Mais il lui aurait fallu insister, intriguer peut-être, déchoir en tout cas. On lui aurait donné un cheval non dressé à être mené aux étriers, une lance et une épée dont il n'était pas sûr, sans exercice militaire depuis deux ans, de se bien servir. Il sentait que son corps et ses muscles, mal nourris, mal entraînés, avaient perdu de leur force et de leur souplesse.

Le jour de la distribution des armes, il s'était rangé, avec Espérandieu et Ami-Loup, dans la foule des piétons sans spécialité. Il avait reçu une sorte de fauchard à long manche, avec un tranchant et un ergot, de façon à pouvoir crocher les cavaliers au passage ou cisailler les tendons des chevaux. C'était une arme de vilain, et il avait en la prenant la honte au front.

« Mais vous êtes chevalier ! s'était écrié l'enfant Tristan.

– Je suis pèlerin, Tristan.

– Vous n'êtes plus chevalier ?

– Jusqu'à ma mort ! Mais tu apprendras que certaines fois, il y a plus de mérite pour un chevalier à refuser la gloire qu'à la poursuivre... »

Il pensait à ce que disait l'abbé de Conques : c'était au prix de ces épreuves-là que l'homme parvenait au bout de son chemin de vérité. Il se rappela sire Raymond, son père, si fier de l'adouber. Anonyme, inconnu, peut-être n'eût-il pas à ce point éprouvé sa déchéance. Mais Tristan pleurait, et Espérandieu regardait ailleurs.

Guilhem ébouriffa les cheveux de Tristan :

« Tu resteras avec moi. Tu verras si je fais un bon coupe-jarret ! »

On marcha trois jours avant d'arriver, pour la Saint-Jean, devant une forteresse maure, Magalon, dont le commandant proposa aussitôt la reddition. Les négociations étaient à peine entamées que les Français avaient déjà envahi la place, défoncé les portes, crevé les ventres et les gorges, malgré les appels des chefs qui voulaient attendre pour prendre une décision l'arrivée du roi de Castille.

Le même jour, l'armée parvint au bord de la Guadiana, rivière aux eaux jaunes et basses. De l'autre côté une ville ocre fortement défendue, cernée de fossés, de tours, protégée par une double enceinte. Tant de précautions promettaient des trésors. Les chrétiens crièrent de joie et d'un seul élan entrèrent dans la rivière. Soudain, hurlements, hennissements de peur, panique, des chevaux se cabraient, battaient des antérieures, renversaient leurs cavaliers, des hommes s'immobilisaient d'un coup, l'épouvante au visage. Des coulées rouges s'étiraient dans le courant.

Devant Guilhem, Ami-Loup sursauta, cria de douleur, revint en arrière. Il avait de l'eau jusqu'au ventre :

« Des pièges ! N'avancez pas ! »

Espérandieu et Guilhem le ramenèrent jusqu'à la rive malgré le flux de ceux qui voulaient passer. Le sang ruisselait d'une vilaine blessure qu'il avait à la cuisse. Espérandieu entreprit de le soigner. Il rapprocha les lèvres de la plaie et la serra fortement dans une bande de bure prise à sa robe.

De la rivière, les chrétiens arrachaient maintenant des pieux de bois aiguisés, des lames, des herses et même des pièges à ours aux terribles mâchoires. Non seulement cette défense déloyale ne les avait pas arrêtés, mais elle décuplait leur désir.

Les trois corps d'armée encerclaient Calatrava. La roi de Castille réunit un conseil. On commença à débattre. Prendre la ville serait long et difficile. Mieux valait, disaient les Espagnols, continuer sans s'attarder à réduire les places fortes : l'important était d'affronter l'émir en bataille.

A ce moment, le gouverneur maure de Calatrava envoya une délégation : il offrait la reddition de la ville contre la vie de tous ses habitants, qui pourraient partir librement, mais sans bagages.

Les Français refusèrent aussitôt : ils étaient venus exterminer les Infidèles, et il n'y avait pas à négocier. Les Espagnols étaient moins véhéments. Depuis des siècles au contact des musulmans, ils avaient beaucoup appris de leurs savants, de leurs historiens, de leurs architectes, de leurs médecins, de leurs poètes, de leurs chanteurs — ils ne pouvaient les considérer comme des bêtes immondes à égorger d'urgence. Et même, au grand scandale des chrétiens de France, c'était tout juste s'ils ne demandaient pas qu'on appliquât à l'Emir Vert les règles courtoises de la guerre entre chrétiens. Si l'ennemi demande à négocier, disaient-ils, eh bien, il faut négocier.

Le débat rebondissait à tous les niveaux. Dans la troupe où se trouvait Guilhem, deux moines, un noir et un blanc, avaient entrepris une querelle publique, chacun tentant de faire entendre raison à l'autre :

« Moi je dis, affirmait le moine noir, qu'il vaut mieux les tuer tous !

— Essayons au moins de les convertir, plaidait le blanc avec cet air de bienveillance que donnent certaines rides au coin des yeux.

— Justement non ! »

La dispute des tonsurés faisait foule. On se pressait pour les entendre.

« Le frère noir ne veut pas amener à Dieu de nouvelles brebis ?

— Surtout pas ! »

Le vieux moine resta sans voix.

« Que le frère blanc réfléchisse ! reprit l'autre. Tout le monde sait que seuls les meilleurs des chrétiens iront en Paradis parce que Dieu, de toute éternité, a fixé le nombre de places qu'il leur réserve.

— Je ne comprends pas. »

Le moine noir se tourna vers les gens :

« Il ne comprend pas ! Imaginez, vous autres, qu'un de ces païens se convertisse, et qu'on le tue par inadvertance : le voilà martyr, et assuré de son salut ! »

Il revint au vieux moine :

« Et c'est peut-être à ta place que Dieu l'appellera ! »

Le moine blanc s'était repris :

« Et pourquoi Dieu aurait-il donné aux apôtres l'ordre d'évangéliser les nations ? »

La querelle était loin d'être close, mais on apprit alors la décision des chefs de l'armée : les Maures de Calatrava auraient la vie sauve s'ils quittaient la ville immédiatement, et sans rien d'autre qu'un seul vêtement. Le reste, tout le reste, était butin. Alfonse de Castille n'en prit aucune part, laissant tout en partage aux étrangers et aux Aragonais. N'empêche ! l'humeur des Français demeurait détestable. Leur grande déception venait de ce qu'on n'avait pas eu à combattre. Ils commencèrent à se plaindre de la chaleur, des flux de ventre que provoquait la mauvaise eau, de l'insuffisance de l'approvisionnement depuis qu'on avait quitté Tolède, puis décidèrent, barons, évêques et chevaliers, de reprendre la route du nord. Ils disaient qu'Alfonse de Castille avait partie liée avec les Maures, et qu'il n'y avait à espérer ni belles batailles, ni gloire ni butin.

Le mouvement affectait surtout les contingents organisés, les bannières au complet. Les isolés ou les combattants de raccroc, comme Guilhem, restèrent pour la plupart : ils n'attendaient pas de solde, et leur temps était à eux. Sans compter que les choses sérieuses n'avaient pas commencé.

Ils regardèrent donc les Français partir vers le Nord tandis que les Maures de Calatrava, quittant leur ville, s'enfuyaient vers le Sud. Sur ces entrefaites arriva le roi Sanche de Navarre, avec ses terribles guerriers. Au total, l'armée était maintenant moins nombreuse, mais sans doute plus unie et partant plus efficace.

Les rois de Castille, d'Aragon et de Navarre se placèrent sous la protection spéciale de la Sainte-Trinité, et on marcha à la rencontre de l'Emir Vert.

Quand En-Nâsir apprit le départ des contingents de France, il triompha : c'était eux qu'il craignait le plus. Il changea de plan. Au lieu de tenter d'attirer les rois vers Baeza et Jaen avant de couper leur retraite, il passa le Guadalquivir et planta son camp dans les montagnes. A cet endroit, deux chaînes noires se faisaient face, parallèles, séparées par la vaste vallée qui menait à Tolosa. Où il était, il n'avait qu'à attendre. Ses troupes contrôlaient les défilés.

Les Espagnols étaient avisés et prirent leur temps. Escarmouches, espionnage, ruses, provocations, évitements : plusieurs jours passèrent. Puis les chrétiens, par surprise, s'emparèrent des hauteurs qui faisaient face à celles où se tenaient les musulmans et s'y installèrent.

Le samedi 14 juillet, l'émir disposa son armée dans la pente, si bien que les chrétiens, pour l'attaquer, devraient perdre leur élan à grimper. Il était sûr du poids et de la valeur de ses troupes, trois à quatre fois plus nombreuses, mieux organisées, appuyées sur toutes les richesses de Grenade, de Cordoue et de Murcie. Et ce soir-là, il dépêcha des coursiers à Jaen et à Baeza :

dans trois jours, y faisait-il proclamer, il y viendrait avec trois prisonniers, trois rois d'Espagne.

Le soleil se coucha sur les deux armées immobiles.

Le lendemain est un dimanche, et Alfonse de Castille décide qu'on ne se battra pas le jour du Seigneur.

Soleil, silence.

Espérandieu refait le pansement d'Ami-Loup. La plaie, pourtant cautérisée au fer rouge, n'a pas bel aspect. Mais le berger ne se plaint pas.

Tristan est allé glaner dans un champ de blé dévasté par le passage de l'armée de quoi gâter son cher Tiphaine. Le poussin de Roncevaux est maintenant un robuste et ardent coq blanc que les troupes navarraises ont adopté comme porte-bonheur. Quand Tristan le lâche, il se dresse, chante, se rengorge, allonge le pas, dresse le col, porte sa crête comme une couronne et semble passer en revue les troupes qui l'acclament. Il a bien mangé, mais le silence de ce dimanche l'inquiète et son œil rond cherche à comprendre.

Guilhem, assis dans la poussière, adossé à un rocher noir, écoute en lui la rumeur d'autres veillées d'armes. Cliquetis, prières, coups superbes mille fois imaginés... Casal Imbert, Saint-Jean d'Acre, Ashkelon, Jérusalem... Les noms sont des musiques... La voix ici est différente : Alcantara, Tolède, Salvatierra, Guadalquivir.... Et il est un vieil homme aux tempes brûlantes... Pourtant, la lumière est la même qu'alors, et l'ennemi n'a pas changé. Quand le vent du sud lui arrive, il y reconnaît l'odeur de l'armée musulmane, avec le goût fort des chameaux et des bouffées d'encens.

Autour, les farouches Navarrais aiguisent leurs *navajas de cachas amarillas*, les fameux poignards à manche jaune.

Journée lente. Mouches. Très haut, des vautours ou des aigles.

En face, comme une forêt pétrifiée, l'armée immobile

des Infidèles, hérissée de piques et d'éclats métalliques. De temps à autre, on y distribue de l'eau. Robes luisantes des petits chevaux, manteaux noirs ou blancs, turbans. Au centre du dispositif, les archers et les cavaliers nobles. Sur les ailes, des Bédouins.

Espérandieu a trouvé un morceau de haubert et a voulu le fixer à la poitrine de Guilhem, qui a refusé. Il se donne beaucoup de mal pour l'attacher à ses propres épaules :

« Cal pla poti dobont que mouri ! bougonne-t-il, il faut se donner du mal avant de mourir... »

Mourir ? Guilhem ne sent pas cette bataille, ne parvient pas à se l'imaginer. Il lui semble pourtant que s'il devait mourir, il le saurait déjà. Il se rappelle tous ses chevaux, Passavant, le destrier de son adoubement... Grisart, le vieil hongre acheté à Pons... Le grand palefroi de Hongrie au tournoi de Windsor...

Dans l'après-midi, les évêques visitent les tentes, bénissent les seigneurs et les chevaliers. Les prêtres distribuent des absolutions et donnent à communier à ceux qui le désirent. Alfonse de Castille fait lui-même chevalier le jeune Nuñez, fils de Sanche de Navarre : la réconciliation solennelle des deux rois est comme une offrande à tous les combattants.

A l'heure du crépuscule, le ciel n'est plus qu'une bannière de pourpre brodée d'or.

On s'héberge dans les rochers. Les hommes chantent des histoires de leurs pays. On dort peu. Chacun, dans ces nuits d'avant l'affrontement, est la sentinelle de soi-même.

Le déroulement de la bataille prit tout le monde de court.

L'Emir Vert, de sa tente, dominait *las navas*, les plaines, de Tolosa. Il commanderait le spectacle à sa guise. Portant à la fois le cimeterre et le Coran, il avait revêtu le manteau noir d'Abd ar-Rahman, son glorieux ancêtre. Une muraille vivante le protégeait : des esclaves guerriers, enchaînés les uns aux autres pour prévenir toute défaillance. Devant eux, l'élite de la cavalerie almohade.

Les rois chrétiens savaient l'émir inaccessible. Mais, largement inférieurs en nombre, c'est pourtant à lui qu'il leur fallait s'en prendre. Une première attaque, le matin, échoua. Ils se replièrent dans leur poussière.

A midi, on bouillait sous les heaumes. La garde des épées était brûlante.

Le roi de Castille, Alfonse, était, à cinquante-six ans, resté vaillant et plein d'ardeur. Il décida d'attaquer lui-même, contre l'avis du sage archevêque de Tolède :

« Sire, disait le prélat, vous allez vous faire tuer !

— Mourir ici n'est pas une honte...

— S'il plaît à Dieu de vous accorder la victoire, vous ne mourrez pas. Et s'il en a décidé autrement, eh bien, nous mourrons tous avec vous. »

Du camp musulman sourdait une musique guerrière, interminable, insupportable.

Guilhem n'avait pu se résoudre à s'en prendre aux jambes des chevaux. Les Navarrais avec lesquels il était furent engagés à deux reprises contre les cavaliers bédouins qui tentaient par les ailes une manœuvre d'encerclement. C'étaient des combattants rapides, silencieux et sanguinaires. Guilhem, une fois, put renverser de son fauchard un cavalier maure — à peine touchait-il le sol qu'il avait déjà trois poignards dans le corps...

Enfin, Alfonse de Castille chargea. D'un seul élan, faisant porter le poids de toutes ses troupes de réserve au même point, en plein cœur du dispositif adverse, droit vers la tente de l'émir. A son côté chevauchait Nuñez de Lara, portant haut la bannière de Castille à l'image de la Vierge. Les Navarrais à leur tour surgirent, puis les frondeurs d'Aragon.

La garde de l'émir s'efforça de faire front loyalement, mais les chaînes furent brisées[20] et les hommes emportés, piétinés par les chevaux. En-Nâsir s'enfuit, abandonnant derrière lui le manteau glorieux d'Abd ar-Rahman. La grande tente s'abattit, soies et tentures fendues, déchirées, le sang inonda les tapis précieux.

La musique se tut.

Son chef disparu, l'armée des musulmans se débanda avant d'avoir combattu.

C'en était déjà fini. L'Emir Vert ne conquerrait pas Rome, ni même la Castille. Il ne régnerait pas sur la Chrétienté.

Il fallut deux jours pour partager le butin, enterrer les morts, recenser les prisonniers, deux jours pour brûler les piques, les lances, les boucliers ronds.

Parmi les troupes qui continuaient d'arriver, Guilhem eut la surprise de retrouver ses amis Gauché de Coulommiers et son écuyer Guiot. Ces deux-là depuis vingt ans étaient partants pour toutes les croisades, bons pour toutes les campagnes pourvu qu'elles promissent du butin et du plaisir. Mais l'un et l'autre se dérobaient toujours : cette fois encore, ils avaient marché près de huit semaines pour arriver, fourbus, deux jours trop tard.

« Tu vois, reprochait Gauché à son écuyer, tu as voulu t'arrêter à Bordeaux...

– Mais si les chevaux ne s'étaient pas reposés, nous ne serions seulement jamais arrivés !

– On en aurait acheté !

– Avec l'argent du butin ?

– Butin ? Je ne sais même plus ce qu'est du butin... »

Guilhem, à qui Gauché avait naguère donné une monture au nom de l'amitié, lui offrit cette fois sa propre part de butin, avant même de savoir en quoi elle consistait. Ils allèrent ensemble au camp du roi de Navarre. L'officier chargé de la répartition dit que Guilhem s'était bien battu : il lui donna un chameau.

Gauché, ravi, prétendait le remmener à Coulommiers.

Mais Guiot refusa net de l'approcher et de le nourrir. C'était, dit-il, affaire de païen, et Gauché devait choisir entre son ami d'enfance et l'animal hideux.

Tristan s'occupa de la bête le temps qu'on fasse route vers Baeza. Les trois rois dressèrent sur la ville désertée un bouquet de leurs bannières. Ils ne savaient trop s'il fallait s'arrêter là où reconquérir sur leur lancée le sud de l'Espagne. Mais la maladie se mit dans l'armée et on retourna vers Tolède.

En chemin, on rencontra le duc Léopold d'Autriche, qui venait d'arriver à Calatrava. Déçu que tout fût déjà fini, le duc décida d'aller chercher à Compostelle les indulgences qu'il ne trouverait pas à la guerre.

La plupart des pèlerins le suivirent, et avec eux Guilhem et les siens. Ils laissèrent aux prises Gauché, Guiot et le chameau : l'affaire promettait.

VIII

LA MARIE-MADELEINE

POUR qui venait d'un château perché du Causse Noir, Marseille était une ville exténuante. En d'autres temps, Aélis en eût peut-être apprécié la vitalité, l'opulence, la lumière, les parades mirobolantes auxquelles chacun se croyait tenu. Mais dans l'humeur où elle était, la vanité des cris et des surenchères lui paraissait odieuse. Elle en voulait tout particulièrement à ces marchands d'épices chamarrés comme des princes orientaux qui habitaient des demeures superbes et régnaient sur la ville.

La richesse de Marseille tenait en effet au trafic des marchandises et des pèlerins avec la Terre sainte ou Constantinople. En hiver, quand les bateaux ne pouvaient prendre la mer, Marseille s'engourdissait, presque vide, et les seules voiles qui y battaient alors étaient, en travers des rues, les linges qui séchaient. Au printemps, avec les premiers bourgeons et les premiers pèlerins, arrivaient les mendiants, les filles, les moines prêcheurs, les voleurs. Tout se mettait en place et chacun prenait son rôle : les pèlerins dans les hospices et dans les auberges, les confesseurs dans les églises, les marins à bord des naves repeintes, les voleurs partout. Dans la rumeur des criées et des processions solennelles, Marseille alors revivait.

Cette année, l'irruption des enfants changeait la respiration de la ville, son rythme et jusqu'à sa chanson.

Depuis que l'étrange tribu avait déferlé sur la cité, les spartiers avaient rentré les filets et les charpentiers levé les marteaux; forgerons, cordiers, calfats n'ouvraient plus leurs boutiques. Ces enfants, avec tout ce qu'on racontait sur leur compte, on ne savait même pas s'il fallait les prendre pour un mal ou pour un bien. En tout cas, ils dérangeaient. Les armateurs ne pouvaient rien leur vendre, ni les bimbelotiers, ni les curés, ni même les putains; ils raflaient dans les hospices les rations des pèlerins, occupaient les églises sans pour autant y brûler de cierges ou emplir les troncs. Comme on n'osait pas trop s'en prendre à eux, on s'en prenait aux pauvres gens qui les accompagnaient, ces ouvriers de Flandres, par exemple, qui avaient brûlé leurs maisons derrière eux et qui suivaient les enfants, disaient-ils, pour l'étoile que ceux-ci portaient au front. On n'osait même plus étaler au marché – à supposer qu'ils ne viennent pas tout piller, vous oseriez, vous, refuser une sardine à un enfant affamé? Mais ils étaient des milliers, plus nombeux peut-être que les pêcheurs ne rentraient de poissons chaque soir...

S'ils restaient, ils finiraient par ruiner Marseille, ou par mourir tous et attirer l'attention de Dieu sur la ville. Quand on leur demandait ce qu'ils attendaient, ils continuaient de répondre que la mer allait s'ouvrir devant eux et qu'ils allaient traverser à pied sec, comme les Hébreux devant les soldats de Pharaon. Parfois, dans le silence blanc de la mi-journée, quand tout dormait, ils allaient par les rues en de lentes et graves processions. Les gens regardaient en hochant la tête ces croisés d'une espèce inconnue : « On leur appuierait sur le nez, disaient-ils, qu'il en sortirait du lait... Ils n'ont même pas encore toutes leurs dents... Et ils font la loi chez nous ! »

Pour la plupart des enfants, c'était la première fois qu'ils voyaient la mer, et ils ne se lassaient pas d'en contempler l'infini, d'en regarder le scintillement ou d'attendre qu'elle change de couleur : qu'un peu de vent se lève, et de bleue elle devenait grise, ou verte, ou violette, se frangeait d'écume blanche, changeait de voix.

Quand ils avaient faim, ils rôdaient en ville, où l'odeur des épices les enrageait, et finissaient par se retrouver au port, dans la puanteur poisseuse de goudron et de poisson pourri. A leurs pieds, entre les coques des bateaux à l'amarre, l'eau était fétide, ballottant des charognes et des immondices. Mais c'était comme s'ils ne les voyaient pas. Seul l'horizon les intéressait. Parfois, ils regardaient s'embarquer des pèlerins pour la Terre sainte, certains même, des chevaliers, avec chevaux et écuyers. Ceux-là allaient combattre, et les enfants les applaudissaient, chantaient pour eux — sans même tenter d'intercepter la nourriture qu'il fallait charger à bord. Et quand se déroulait la grand-voile en triangle, qu'elle prenait le vent d'un coup, ils criaient de bonheur.

Pour manger, les enfants faisaient les hospices, attendaient le retour des pêcheurs et la fin du marché. D'importants armateurs en invitaient parfois quelques-uns chez eux, mais autant pour distraire leurs invités que par charité. Audilenz avait eu la bonne fortune de passer au marché au poisson juste au moment où une bonne grosse femme repliait son étal. Au lieu de remporter les poissons qui lui restaient, elle les donna à Audilenz, qui les partagea avec ses amis. Quand la marchande les vit dévorer ses rougets tout crus, elle fondit en larmes et leur dit de revenir le lendemain.

Le lendemain, ils étaient là, et le lendemain encore, et chaque fois un peu plus nombreux. Ils ne se demandaient pas pourquoi la poissonnière — que les autres commères appelaient Flora — les nourrissait ainsi : ils pensaient seulement que c'était peut-être une sainte mise par Dieu sur leur chemin, ou alors qu'elle avait beaucoup à se faire pardonner.

En réalité, le valet Bégon passait chaque jour payer la marchandise. C'était l'artifice qu'avait inventé Aélis pour êre sûre que sa fille, au moins, ne mourrait pas de faim.

Le troisième jour, la grosse marchande dit aux enfants qu'elle ne pouvait pas supporter de les voir avaler ainsi ses rascasses et ses rougets : qu'ils viennent donc chez elle, elle les leur cuirait. Ils étaient une dizaine, à peu près la petite bande partie de la Dourbie et de Millau, avec Audilenz, Claroeil, Elie Sahuquet, Jacques Porte-Bûche. Manquaient seulement Faïs et Roger, le garçon d'un tanneur de Meyrueis, disparu à Avignon. Flora habitait au premier étage d'une maison de bois construite en voûte sur une rue, au-dessus d'une maréchalerie. Ce qui fait qu'aux odeurs de friture se mêlaient les fumées âcres de la corne brûlée : en bas, dans le passage, le maréchal ferrait une mule. Tout en cuisinant, Flora parlait, parlait, pleurait en même temps, s'essuyait les yeux d'un coin de tablier. Avec son accent de Provence, on ne comprenait pas tout, mais elle disait que c'était une misère, pécaïre, que de son temps des choses pareilles n'arrivaient pas, qu'on ne savait plus comment allait le monde, qu'ils devraient partir avant que son mari revienne de la pêche, et surtout, qu'ils disent s'ils en voulaient encore — toi, la petite, là, qu'on te voit le jour à travers, reprends des sardines, elles sont toutes fraîches ! Quand le mari, ce soir-là, rentra, il trouva chez lui une dizaine d'enfants endormis dans le coin à la chèvre, repus, brisés, la bouche heureuse.

Le lendemain, Flora fit une soupe de poisson et des beignets. Le mari mangea avec eux : il n'en avait pas autant tous les jours. C'était un homme sec et taciturne, aux mains usées par les filets. Il se borna à dire qu'ils étaient les bienvenus chez lui pour autant qu'ils ne seraient pas plus nombreux et qu'ils n'emporteraient pas de nourriture. Mais quand l'un ou l'autre cachait sous ses haillons une tranche de pain ou un oignon, il feignait de ne pas s'en apercevoir.

En fin d'après-midi, ils allaient l'attendre au port,

l'aidaient à décharger et à transporter ses paniers jusqu'à la maison : Flora n'étalait même plus au marché. Tous ensemble, ils vidaient les rougets, allumaient le feu, grillaient les sardines sur les braises, trayaient la chèvre. C'est à Audilenz que Flora parlait le plus volontiers, lui posant mine de rien des questions sur son pays, sur sa famille. Après souper, les enfants allaient dormir au bord de la mer, avec les leurs. Un jour, ils dirent qu'Etienne était arrivé, qu'ils allaient bientôt partir.

« Reprend-elle ses joues? demandait Aélis à Bégon. Raconte-moi! Tu la vois chaque jour et tu ne trouves rien à me dire! Elie Sahuquet a-t-il meilleure mine?... Bégon, tu gardes tout pour toi!... Semble-t-elle heureuse?... Tiens, tu donneras cette étoffe à ta poissonnière, qu'elle lui coupe une robe... Dis-lui aussi de demander à Audilenz si elle n'a jamais envie de retourner chez elle... Non, ne lui demande pas... Demain, je lui achèterai une médaille, que la Vierge la prenne dans sa protection... »

Grâce aux questions posées par Flora, Aélis avait appris que Faïs était morte et que les enfants l'avaient enterrée dans la forêt dc Cévenne. Elle savait aussi que le grand garçon voûté à qui elle donnait souvent la main se nommait Jacques Porte-Bûche et que c'était lui qui avait, dans leur nombre, remplacé Faïs.

Elle ne sortait toujours pas de l'auberge. Elle portait le deuil de sa fille Faïs et envoyait Mélina brûler des cierges à la cathédrale, où se trouvait une partie du manteau de Notre-Dame, relique précieuse entre toutes. Elle aurait été incapable de dire pourquoi elle ne voulait pas qu'Audilenz apprît sa présence derrière elle. Mais c'était ainsi.

Il lui arrivait de se demander si Dieu n'était pas en train de la punir pour sa vie passée. Un jour de malheur pour son faucon blanc, un jour pour son lévrier de

Castille, une semaine pour tous ses caprices, pour sa façon de manœuvrer son époux, la mort de Faïs pour l'envie qu'elle avait eue de sire Guilhem son père, le soir de la fête... A d'autres fois, elle réfléchissait que Dieu ne se mêlait pas de ces affaires-là, et qu'en tout cas il n'avait pas besoin, pour la punir, de jeter trente mille enfants par les chemins... Comment savoir ?

Elle aurait aimé parler, mais Mélina ne s'intéressait pas aux mots. Depuis qu'on était à Marseille, la Grecque restait des heures à la fenêtre, à sentir l'odeur de la ville, à regarder le ciel et les lointains bruns et gris, à passer sa langue sur ses lèvres pour y chercher le goût du sel qu'y laissait le vent marin. Elle disait que c'était comme chez elle, et qu'elle se languissait de son frère.

Aélis pensait à Guillou :

« Moi aussi, répondait-elle, j'aimerais revoir mon frère... Qui sait où il guerroie à ce temps... L'autre fois, j'ai rêvé que je le voyais combattre, il était le plus vaillant et jetait tous les autres à terre... Mais quand on le dévêtit, on s'aperçut que son heaume était vide... Ne t'inquiète pas, ce n'était qu'un mauvais rêve. A ceux de son espèce, il n'arrive jamais rien de mauvais... »

En ces jours-là, tout se décida. D'abord, il y eut un point sur la mer, qui se transforma peu à peu en trois grosses naves aux voiles rapetassées de cent pièces de couleur. Elles apponterent lentement, lourdes du mystère de leurs cales, parées de la vertu magique de ce qui a traversé la mer. Les marins s'affairaient à la manœuvre, feignant d'ignorer la foule pour mieux la subjuguer par leur adresse.

Des planches furent posées entre le flanc des naves et le quai. Les portefaix déjà se battaient pour être les premiers à monter à bord. Des passagers commencèrent à descendre, des pèlerins pour la plupart, qui baisaient le sol ou tombaient à genoux et remerciaient Dieu de les avoir menés à bon port. Ils se relevaient, tanguaient sur leurs jambes et riaient en tapant du talon sur la terre ferme.

On entendait les charpentiers décheviller à coups de maillet un large pan de la coque, qui s'abattait bientôt sur le quai, retenu par des chaînes comme un pont-levis. La foule des enfants fascinés fut prise d'un mouvement d'effroi, le temps de comprendre que les créatures noires entravées qui sortaient de la cale obscure comme de la gueule de l'enfer n'étaient pas l'armée des démons. On répétait ce qu'on entendait : « Des Nubiens ! Des esclaves de Nubie ! » On savait bien que les nègres existaient, n'empêche, d'en voir là, et si nombreux, on se signait. Des hommes d'équipage les guidèrent au fouet vers de grands chaudrons posés à même le quai et où, à quatre pattes, ils lapèrent comme des chiens un ragoût figé.

Mais ce n'était pas fini. Derrière eux sortaient maintenant des monstres terrifiants, laids comme tous les péchés, avec un long cou tordu, une bosse pelée sur le dos, des pattes grêles et cagneuses, de grandes dents jaunes. Mais le pire était peut-être ce regard de mépris qu'ils jetaient sur le pauvre monde. On entendit dire que c'étaient des éléphants, des autruches, des cocadrilles, n'importe quoi. En vérité, on apprit bientôt que c'étaient des chameaux achetés en Terre sainte, et les moines prêcheurs en profitèrent pour prendre la foule à témoin :

« Rappelez-vous les paroles de Matthieu l'Evangéliste, criaient-ils... « Il est plus facile à un chameau d'entrer dans le chas d'une aiguille qu'à un riche d'entrer dans le royaume de Dieu !... » Regardez ! Voyez comme un chameau peut traverser une aiguille !... C'est une leçon que Dieu vous envoie de Terre sainte... Dépouillez-vous aujourd'hui même de vos richesses ! Jetez vos biens à la mer ! Seuls les pauvres seront sauvés ! »

Pendant ce temps, Etienne le berger parlait avec deux hommes gras et graves, aux robes brillantes, aux mains chargées de bagues. Ils lui disaient que ces naves leur appartenaient, et qu'ils en avaient même d'autres, et qu'ils étaient prêts, par charité et parce qu'ils espéraient ainsi faire leur salut, à transporter en Terre sainte autant d'enfants que leurs bateaux pourraient en prendre.

Les enfants ne s'y trompèrent pas : c'était là le miracle attendu. Les chameaux et les nègres ne les intéressaient déjà plus : en Terre sainte, ils en verraient autant qu'ils voudraient.

Bégon courut prévenir Aélis : les enfants risquaient d'embarquer d'un jour à l'autre. Aélis ferma les yeux. Puis elle dit qu'elle resterait à l'auberge. Elle ne comprenait même pas si c'était de la lâcheté ou bien du courage. Elle savait seulement qu'elle n'avait plus sa place dans le destin mystérieux de sa fille.

Pourtant, un matin, elle n'y tint plus. Elle se couvrit la tête d'un carré de tissu et alla au port. Dix, douze, quinze naves peut-être se balançaient à l'ancre, chargées d'enfants et de pauvres. Aélis retrouva Bégon. Le valet était affolé : il n'avait pu voir où Audilenz était montée. Il dit que c'était incroyable, que les enfants avaient pris les bateaux d'assaut comme s'il y avait urgence à quitter la terre. Ils avaient grimpé par les planches, par les cordes, s'étaient jetés à l'eau, avaient investi tous les espaces libres des ponts et des cales, tandis que les deux armateurs finissaient de recruter des équipages et qu'on montait des provisions de vivres et d'eau douce. Puis on avait refermé les abattants, on les avait chevillés et calfatés — Bégon ne le dit pas, mais il avait pensé qu'on fermait des tombes.

Aélis essayait de deviner où se trouvait Audilenz. Dans cette grosse nave verte à la peinture écaillée ? Plutôt dans cette rouge-là, qui paraissait en meilleur état. Valait-il mieux qu'elle fût dehors, à l'air, mais aussi au vent et à la pluie ? Ou à l'abri, mais enfermée, dans une cale ? Plutôt dehors, à tout prendre. Le capitaine de la nave rouge avait l'air d'un mauvais homme et Aélis installa Audilenz à bord d'une nave plus fine, à la coque brillante bleue et jaune, et qui portait un nom peint en blanc : « Marie-Madeleine. » C'est dans celle-ci, disait Bégon, que se trouvait Etienne, le roi des enfants.

Ils ne partirent qu'au soir, avec le vent. On remonta les chaînes, on abattit les voiles. Ces milliers et ces milliers d'enfants chantaient. D'un bateau à l'autre, les chants n'étaient pas les mêmes, mais toutes ces voix... Sur le quai, les gens tremblaient.

Dès que le signal de monter à bord avait été donné, Audilenz et ses compagnons s'étaient précipités, avaient escaladé l'abattant de la nave la plus proche, celle d'où étaient sortis les chameaux. Plongeant dans l'odeur épaisse, pataugeant dans la sentine infecte, ils s'étaient entassés gaiement contre la coque, pour pouvoir s'adosser. Puis il avait fallu attendre. Ils avaient prié et plaisanté, ils étaient bien. Des charpentiers étaient venus refermer les passerelles. Il avait soudain fait noir et étouffant. Ils avaient chanté plus fort :

Il est né dans une étable
Pauvre, nu et tout glacé
Christ est né
Sur un peu de foin fané...

Eux aussi pouvaient bien souffrir un peu. Enfin, ils entendirent la voix tonnante du capitaine : « Faites voile, de par Dieu ! » Il y eut un choc, le gros mât vibra et, lentement, le bateau commença à les bercer.

Aélis regarda s'éloigner les naves. « Notre-Dame de miséricorde, dit-elle, prenez soin de ma fille Audilenz, et vous, Marie-Madeleine, intercédez pour ces enfants qui veulent sauver le monde. Faites que la mer leur soit propice. » En elle, quelque chose se déchirait lentement, irrémédiablement. Elle eut envie d'aller à la cathédrale, mais elle ne pouvait quitter le quai. Tout autour, les bonnes gens se signaient. Ce fut la nuit qui lui vola les bateaux : ils n'étaient pas encore à l'horizon qu'ils se perdirent dans l'obscurité.

Mais elle les savait là, et elle resta. Elle était glacée. Mélina vint la rejoindre et la fit marcher un peu. Plus tard, des marins ivres les prirent pour des filles folles et voulurent les entraîner. C'était une nuit sans lune, et les étoiles emplissaient le ciel.

Quand l'aube se leva, or et sang, la mer était vide. Aélis demanda à Bégon de l'emmener voir la poissonnière.

« Une gentille petite, répétait Flora en pleurant. Si brave!... Elle emportait toujours un peu à manger en cachette pour les autres... Elle, c'est les beignets qu'elle préférait... »

La grosse femme se torchait le nez dans son tablier. Aélis finit par lui faire dire, arrachant une phrase après l'autre, que les deux bienfaiteurs des enfants, les armateurs Lefer et Leporc, n'avaient pas trop bonne réputation dans la ville. Ils s'étaient enrichis dans le trafic des esclaves et des fausses reliques. C'étaient maintenant des personnages puissants au conseil du port, et ils étaient redoutés, en même temps que courtisés pour les fêtes qu'ils donnaient. Personne en vérité ne croyait qu'ils avaient pu être touchés par la grâce de Dieu. Alors, demandait Aélis, pourquoi avaient-ils sorti tous leurs bateaux? Ils en avaient même affrété d'autres! Flora sanglotait et ne voulait plus parler. Son mari, près de l'âtre froid, rafistolait des épissures.

« Ils vont les vendre! » s'écria soudain Aélis.

Elle s'enfuit.

Dehors, la ville n'était plus la même. Comme si, en une nuit, on avait d'un coup changé de saison. Tout reprenait sa place. Aélis comprit alors pourquoi tout le monde avait laissé faire. L'évêque allait pouvoir retrouver ses pèlerins respectueux et leurs aumônes; le conseil du port allait reprendre son négoce; les poissonniers à nouveau étaler au marché, les pèlerins se bousculer pour acheter leur passage; les filles prendre leur argent aux voleurs qui voleraient les mendiants qui mendieraient...

Aélis errait par les ruelles, et Bégon et Mélina devaient s'occuper d'elle, la ramener à l'auberge. Elle pensait parfois à son père et à son frère, ils auraient su quoi faire. Il lui paraissait qu'elle était le double douloureux de Guillou, la face sombre de son bonheur de chevalier.

Puis il y eut une tempête. La mer, pendant trois jours, fut lourde, amère, couleur de plomb et de soufre.

On apprit par des pêcheurs de corail qui arrivaient que deux bateaux de Marseille avaient fait naufrage. Dans les îles d'entre Corse et Sardaigne, des cadavres d'enfants couvraient les plages, et les mouettes les dévoraient.

« C'est bien la preuve, dirent les gens, que nous avons encore beaucoup à expier.

— Non, disaient les autres, c'est la preuve que Dieu n'était pas avec eux. Nous avons bien fait de nous méfier. »

IX

LE JUGEMENT DE DIEU

Le duc d'Autriche est resté à Salamanque pour défier en tournoi les chevaliers d'Espagne. Le pèlerinage, avec lui, était une équipée éclatante, et pour qu'on vît sa piété, il servait chaque jour des dizaines de pauvres dans de la vaisselle d'or. Il gagnerait Compostelle au plus court, par Zamora. Les pèlerins, pour la plupart, ont laissé la chevauchée à son tumulte et à sa poussière pour retourner prendre le chemin là où ils l'ont quitté, à Burgos.

La Castille est le pays de l'été assassin. Un grand soleil blanc a fait son nid au fond du crâne de Guilhem, qui essaie en vain les tisanes des hospices. Il ne se rappelle pas, même en Terre sainte, avoir connu une lumière si crue, si manifestement hostile, qui ronge comme un acide. Le jour, dirait-on, ne se lève que pour finir de brûler le pays. Par bonheur, le prestige de ceux qui reviennent de Las Navas de Tolosa est tel qu'on leur offre du repos, de l'ombre, des fruits, des *pestiños* — des beignets.

Ami-Loup ne va pas bien. Sa plaie ne s'est jamais vraiment guérie, malgré les emplâtres et les onguents. A l'hospice Saint-Jean de Burgos, le barbier suggère l'amputation pour éviter la gangrène. Il propose de la pratiquer lui-même, mais Ami-Loup lui échappe en boitant : il veut tenter de rallier Saint-Jacques.

On est en août. La sècheresse lézarde la terre. Des nuages de sauterelles sèment l'épouvante. Dans les villages terreux, on prie, on fait des processions autour des champs pour les protéger du fléau. Des hommes veillent, prêts à sonner le tocsin dès qu'une de ces lourdes nuées obscurcit le ciel. Alors tous les gens sortent de chez eux, tapent dans leurs mains, battent des chaudrons, tournent des crécelles, frappent à dix l'enclume du forgeron, vacarment tant qu'ils peuvent, crient, font des promesses à Dieu – pourvu, seulement, que ces sauterelles de malheur aillent s'abattre plus loin.

Ainsi, dans un village proche de Burgos, les gens avaient-ils promis, s'ils étaient épargnés, de se rouler dans les orties. C'est ce qu'ils ont dû faire, un soir, tout nus, hommes et femmes, chairs blêmes seulement marquées de soleil aux visages et aux mains – on dirait masquées et gantées de cuir. Les premiers sont entrés dans le champ d'orties comme dans une rivière, en levant les bras. Bientôt ils s'y roulent tous, en proie à une étrange exaltation, boursouflés, rouges, couverts de cloques – au point qu'Espérandieu se demande si les criquets ne valaient pas mieux. Mais les orties ne sont pas l'une des sept plaies d'Egypte. Il n'y a pas à en craindre la désolation, la famine, la mort.

Passage à Hornillos. On retrouve le rythme des jours, comme le fil d'une prière interrompue. On ne se nourrit plus aux frais du roi de Castille, ni aux dépens du duc d'Autriche. Il faut à nouveau se présenter aux portes des hôpitaux et des aumôneries, attendre, s'il en reste, le pain et le vin de la charité. A défaut, il y aura toujours les récits de miracles, la grande légende des chapiteaux et des porches, les rencontres du jour, les bavardages du soir, les grands rires, les petites nouvelles : à Burgos, le frère amputeur se rappelait avoir soigné un archer maudit pour les vilaines plaies que sa chaîne lui faisait aux hanches. Frottard ! Guilhem apprit ainsi qu'il était sur son chemin de retour et qu'il allait avec un aveugle; le frère ajouta même que l'aveugle aurait bien suffi à la pénitence de l'archer...

A Hornillos, ils sont reçus chez les moines de Saint-Denis. Ami-Loup est fiévreux. Il ne mange plus, boite bas. Le frère infirmier leur parle d'un médecin juif à San Anton de Castrogériz où ils devraient arriver le lendemain. Sinon, lui aussi se propose pour couper la jambe. Il a déjà, dit-il, réussi plusieurs amputations.

Au réveil, Ami-Loup a disparu. Ils le cherchent partout, finissent par penser qu'il a craint la scie de l'infirmier et qu'il a pris de l'avance pour gagner San Anton. Ils partent à leur tour.

Pâle et rectiligne, le chemin coupe un plateau nu comme une table. Dès que le soleil se montre, c'est un embrasement. Ils sont peut-être une dizaine à s'avancer dans ce lac de feu liquide. Ils tentent de chanter pour se donner du cœur, mais leur gorge se dessèche dès qu'ils ouvrent la bouche.

Soudain, un cri. C'est Tristan, qui marchait derrière. Il désigne le ciel : les sauterelles. Les pèlerins tombent à genoux. Ce n'est encore qu'une ombre, qu'un bruissement. Puis le soleil s'obscurcit, l'air vibre de la stridence terrifiante des ailes de soie.

Le nuage est sur eux, passe dans un ronflement aigu, laissant tomber des traînards, comme les premières gouttes d'un orage brun-jaune. Tristant sort Tiphaine de sa besace, et le coq, pique à droite, pique à gauche, est vite repu.

Ils avancent avec précaution, cherchant à éviter les sauterelles tombées, mais il y en a de plus en plus, et il faut s'habituer à écraser leur grouillement, à sentir sous ses pieds ce craquement de bois sec. Dès qu'on s'arrête, elles sautent, grimpent aux robes. C'est l'horreur.

Là-bas, devant, des formes sombres se débattent. Les pèlerins s'approchent avec méfiance. On dirait des chiens, oui, trois chiens, couverts de criquets, qui bondissent, claquent des mâchoires, giflent l'air de leurs pattes. A l'arrivée des hommes, ils s'enfuient. Leur façon de courir ne trompe pas : c'étaient des loups. Reste, étendu contre un muret, le corps d'un homme en proie aux sauterelles. Déjà son visage est rongé et on voit les os de ses mains.

« Les loups ! » dit quelqu'un en se signant.

Mais Guilhem et Espérandieu ont reconnu la besace et les sandales d'Ami-Loup, et ils savent bien que les fauves, au contraire, le défendaient contre la mort, contre les sauterelles, contre la souffrance. Il n'y a plus rien à faire. Seulement à promettre, comme le fait Guilhem, de prier à Compostelle pour Ami-Loup, l'ami des loups.

« Per paga et mouri, es toutsoun trop mati, dit Espérandieu, pour payer et mourir, il est toujours trop tôt. »

Ils allongent la dépouille contre le muret et la recouvrent de pierres. Ils devraient bientôt arriver à Hontanas. Ils préviendront le prêtre. Mort sur le chemin de pèlerinage, Ami-Loup a droit à la terre chrétienne et aux prières de tous, quel que soit son mystère.

Mais ils ne voient pas le curé de Hontanas. Le bourg, abrité dans une faille, entouré de jardins et de champs en terrasse, est la proie des sauterelles. Le spectacle est inoubliable. Les gens fuient en tous sens, courent en battant les bras, s'enferment dans les maisons dont les insectes déjà grignotent les toits de chaume. Et là-dessus le glas, le glas, le glas...

Les pèlerins coupent au plus court vers Castrogériz. Hagards, ils arrivent dans une vallée heureuse aux fleurs vives, à l'herbe à peine jaunie. Le chemin est encombré de fardiers énormes tirés par trois paires de bœufs : on reconstruit, là-haut, sur un piton, un château fort, et des centaines d'hommes s'y activent. A peine entendent-ils crier aux sauterelles, c'est la débandade.

Malgré la fournaise de midi, les pèlerins continuent de courir, escaladent l'abrupt d'un désert bleu et brun, passent sur un pont de onze arches une rivière à sec. Ils fuient comme devant un incendie. Ils ne s'arrêteront qu'au soir, épuisés, morts de soif, dans un village misérable de pisé rouge. Les gens y ont la couleur terreuse des ruelles labourées par les orages. Ils vivent à moitié dans des caves sombres creusées dans la glaise, entre les futailles et les réserves de nourriture. A l'annonce du fléau sur Hontanas, ils courent rentrer les troupeaux et plongent dans la nuit de leurs terriers, dont ils tirent la porte sur eux.

Il n'y a pas ici de place pour les pèlerins. Il faut continuer encore, malgré leur fatigue, malgré le soir qui vient. Il fait déjà nuit quand ils arrivent à Fromista, et la ville est fermée. Ils dorment au pied de la muraille de pierres sèches. Une fois encore, Espérandieu a dû soulager Tristan du poids de Tiphaine. L'enfant n'en peut plus. Guilhem pense à Ami-Loup. Au moins n'est-il pas mort seul.

Villasirga. A l'entrée de la ville, des serviteurs du Temple prennent les pèlerins en charge et les conduisent à l'église Santa-Maria la Blanca, où on leur récite la litanie des miracles dont la Vierge a favorisé la cité — si longue qu'un roi de Castille en a fait un livre de cantiques.

Après les dévotions, ils les menèrent à la *Casa de los peregrinos*, qui porte à son fronton la croix de Saint-Jacques, et les y traitent richement.

Il paraît parfois à Guilhem que l'un ou l'autre des chevaliers ou des sergents le regardent avec un peu trop d'attention, mais c'est sans doute une illusion. Ceux qui le poursuivaient doivent avoir depuis longtemps perdu sa trace. A Las Navas, pourtant, Gauché lui a parlé des Templiers qui le cherchaient à Coulommiers : le chevalier était un homme froid et calme, sans aucun doute un adversaire dangereux. Mais Guilhem ne voit pas en quoi ce Templier peut être son adversaire. En vérité, le Temple ne le préoccupe plus guère.

Carrion, où une escorte de trois chevaliers du Temple a conduit les pèlerins. Dans le petit hospice où ils s'hébergent, ils lient connaissance avec un groupe d'Aurillac mené par un certain Géraud, quéreur de pardons : ceux qui ont fait vœu de pèlerinage et ne peuvent se déplacer le paient pour qu'il aille prier à leur place. Il est ainsi déjà allé deux fois à Rome, une fois au Mont-Saint-Michel, une fois à Saint-Martin de Tours et trois fois à Compostelle. C'est un homme silencieux au nez pointu; il se fait légèrement rétribuer par ses compatriotes pour les conduire en sûreté.

Il y a là Gaillarde et son mari : ils n'ont pas d'enfants et vont demander à saint Jacques de délier le sortilège qui les rend stériles; un chaudronnier nommé La Peyrole, qui a réchappé par miracle d'une embuscade sur le chemin d'Entraygues, et qui veut remercier l'apôtre; Julien, un jeune homme qui va demander la guérison de sa mère; Géralda, une jeune veuve dont on ne sait rien; Sicard, un tonnelier jovial qui ne supportait plus les criailleries de sa femme et qui a pris prétexte de sa dévotion pour partir écouter un peu le silence d'ailleurs. Son grand jeu est de dégoûter Julien de prendre épouse :

« Ne te marie pas! lui dit-il en riant. Le mariage est comme une forteresse assiégée. Ceux qui sont dehors veulent à toute force y entrer, alors que ceux qui sont dedans ne pensent qu'à en sortir... »

Parce que les Rouergats sont presque des pays, Géraud leur fait le guide, leur raconte l'histoire des vierges de Carrion qu'il fallait livrer en tribut, cent chaque année, au sultan Miramolin. Or, une année, alors que les émissaires du sultan rassemblaient les jeunes filles désignées, un troupeau de taureaux surgit soudain dans les rues de la cité en chassa les Maures : ils ne revinrent jamais, et il ne fut plus question du tribut des cent vierges que pour célébrer une fois l'an, à la Pentecôte, la fête des taureaux.

Sahagun. Plantée au bout d'une monotonie sans espoir, une ville de briques rouges. Que des briques et que du rouge. Rien n'y est blanc, ni noir, ni bleu. Mais tous les rouges s'y rassemblent, tous les ocres, tous les pourpres, murs et toits, maisons, églises, palais.

Etrange impression de solitude et de tristesse. Il faut un moment avant de comprendre que cette ville sans pierres est à la merci du vent qui chaque jour arrondit un peu les briques, mange un peu les murs. Tout est poussière à Sahagun. Tout est né de la poussière et tout retournera à la poussière. C'est chaque fois un peu de la ville qu'emportent les tourbillons rouges qui se forment aux croisements et vont s'abolir dans le lointain du désert.

Guilhem, Espérandieu et Tristan ont suivi toute la journée le groupe des Auvergnats, dont l'allure, ralentie par les femmes, convient mieux à Tristan. Géraud n'a pas demandé à se faire payer : il sait que la présence de l'enfant lui favorisera l'entrée des hospices bondés.

Ils sont reçus dans l'un des dortoirs de la plus grande abbaye qu'ils aient vue, que tiennent des moines de Cluny. Le matin, ils vont regarder respectueusement, à la sortie de la ville, d'immenses peupliers dressant leurs fûts blancs au bord du rio Cea. Jadis, Charlemagne a campé ici à la veille d'une grande bataille contre les Infidèles. Au moment d'aller se coucher, ses guerriers ont planté chacun sa lance devant sa tente. A l'aube, certaines d'entre elles s'ornaient de rameaux, de bourgeons et même de feuilles. C'était un signe du Ciel pour désigner ceux des compagnons de l'empereur qui, dans le combat qui allait s'engager, perdraient la vie et gagneraient la palme du martyre. Plus tard, ces lances ont pris racine, elles sont devenues ces arbres immenses qui témoignent de la gloire de Charlemagne et de la Toute-Puissance de Dieu.

Les pèlerins dévorent ces histoires. Elles les aident à

supporter l'insécurité, la faim, la soif, la fatigue. Miraculeuses, elles sont un remède contre les incertitudes des hommes.

Mansilla de las Mulas. Journée plus dure encore. Pas un repère tout au long du jour, et il faut aider l'enfant Tristan. Géraud refuse de s'arrêter, craignant que la nuit ne les surprenne dans ces solitudes. Parfois, on croise des groupes venant en sens inverse et qui surgissent soudain du brasier. On se salue, on parle du chemin qu'il reste à faire, on se quitte. On se retourne : il n'y a plus que l'horizon tremblant, comme si ceux qu'on vient de voir s'étaient dissous dans cette lumière.

Pas de place à Mansilla. A peine un peu d'eau à se partager. Il faut continuer jusqu'à Sandoval, où ils dorment dans le cloître du monastère.

León. Ils en ont fini avec la Castille et ses interminables plaines. Ils voudraient se reposer un peu mais à l'hôpital San Marcos on ne les accepte que pour une nuit : on fait une entaille à leurs bourdons. Ils sont à la saison où l'affluence est la plus grande, et les ravages des sauterelles ont déjà fait monter les prix.

Au lieu de partir à l'aube, ils vont voir le chantier d'une cathédrale en construction. Guilhem et Espérandieu se rappellent un autre chantier, vingt-cinq ans plus tôt, celui de Notre-Dame de Paris. Pour un peu, Guilhem s'arrêterait là, transporterait des pierres ou des poutres le temps de comprendre ce que font, d'une cathédrale à l'autre, vingt-cinq ans de la vie d'un homme.

L'hôpital d'Orbigo, au bord d'un fleuve presque sec. Ils mangent un délicieux poisson et, pour la première fois depuis plusieurs soirs, la chaleur ne les empêche pas de dormir.

Le matin, il y a queue à la fontaine et Espérandieu

descend à la rivière voir si l'eau est bonne. Il y trouve un beau mulet attaché aux branches d'un bosquet. Intrigué, il s'avance sans bruit. Un gros homme, assis sur les galets, est occupé à découper un bâton en rondelles. Devant lui, un coffret de cuir au couvercle frappé d'une croix d'or. Tout à son affaire, il ne remarque pas Espérandieu, qui s'accroupit et l'observe. L'homme porte la tenue des jacquets, avec le grand chapeau. Ses joues flasques et grises tressautent à chacun de ses mouvements. Il dépose les rondelles de bois chacune dans un petit carré de draperie qu'il noue de ses doigts boudinés. Puis il les range avec soin dans le coffret.

Soudain, il lève les yeux. Espérandieu feint de n'avoir rien vu et demande si l'eau est potable.

Le gros pèlerin referme le coffret :

« Justement, dit-il, j'attends que quelqu'un la goûte !... Si le cœur t'en dit... »

A ce moment, une créature sort des buissons. Espérandieu n'en a jamais vu de pareille : c'est un homme, mais il a une peau rose de lapin juste né, des cheveux et des sourcils absolument blancs. Entre ses paupières presque transparentes filtre un regard rouge. Espérandieu se signe, crache par terre, tourne le dos et disparaît.

Astorga. La journée s'est finie dans les fougères. C'est la fin de la chaussée romaine rectiligne, faite pour les conquérants. Le chemin à nouveau va prendre son temps, paresser, traîner, économiser les forces des pèlerins.

Dans la ville, près de la cathédrale, Géraud emmène son petit monde nourrir une *emparedada*, une de ces recluses qui se font emmurer vivantes pour le salut et l'édification des pécheurs. Par un soupirail, ils jettent le pain de leur passade. Aussitôt, des hurlements jaillissent du trou noir. Une voix déchirée qui sanglote, gémit, demande qu'on la libère. Elle renvoie un à un les morceaux de pain, crie, jure, insulte, maudit. Il n'est bien sûr au pouvoir de personne de la délier de son vœu – quel âge peut-elle avoir ? On ne peut que prier qu'un miracle la délivre, ou seulement qu'elle ait un peu de repos.

Le même soir, devant l'église, sur la plaza mayor, Espérandieu rejoint un attroupement. C'est l'homme de ce matin, celui qui taillait des rondelles de bois au bord du rio. Il est à genoux devant une pièce d'étoffe blanche brodée d'or, au milieu de laquelle il a disposé le coffret de cuir. L'air recueilli, les yeux mi-clos, il dit des Pater et des Ave.

Enfin, il ouvre cérémonieusement le coffret. Il s'assure de son auditoire puis explique qu'il se trouve en possession, lui, Rotbald, d'inestimables reliques :

« Qui ne sait, demande-t-il, que la grande église de Compostelle a été pillée par El-Mansour, mise à sac, rasée ! »

Il baisse la voix pour dire que des moines courageux ont pu sauver une partie du très précieux trésor de la cathédrale... Il l'a appris par un ermite des monts d'Oca auquel, pendant des années, il a porté de la nourriture... C'était le dernier dépositaire des reliques sauvées des Maures, et il ne voulait pas qu'elles disparaissent avec lui :

« Au moment de mourir, il me les a confiées, à charge pour moi d'en faire profiter les pèlerins du *camino* dont elles aideraient à soulager les misères et à exaucer les vœux... »

Il dit encore qu'il pourrait les vendre très cher à des monastères, ou même en faire don, mais qu'il aurait le sentiment de trahir les dernières volontés de l'ermite. D'autant que lui, Rotbald, pense aussi que les marcheurs de Dieu n'ont pas à passer après les moines... Il ne veut pas s'enrichir en les vendant, mais seulement réunir un peu d'argent pour élever une chapelle sur le tombeau de l'ermite dans les monts sauvages d'Oca. Voilà. Pour deux maravedis, il offre, dans un morceau de la soie qui a couvert le tombeau de saint Jacques, un peu du bourdon de l'apôtre!

Exclamations, murmures, moues. La plupart de ceux qui sont là ont déjà été victimes d'escrocs aux reliques — mais si celles-ci étaient vraies? Espérandieu, scandalisé, se demande comment intervenir, quand la foule s'ouvre comme pour laisser passer le diable : c'est l'homme rose du matin, il tombe à genoux devant Rotbald, baise sa robe et ses mains. Les gens n'osent pas se rapprocher.

« Grand merci, saint homme! s'écrie l'apparition d'une voix claire. Que Dieu te rende un jour tout le bien que tu m'as fait! »

Rotbald relève et bénit l'homme rose qui se tourne vers les gens :

« Regardez vous autres! dit-il. Constatez le pouvoir de saint Jacques!... Je n'étais qu'un vieillard impotent et je voulais mourir à Compostelle, mais le froid dernier m'a pris en chemin... C'est alors que cet homme m'a donné une relique du bourdon sacré de saint Jacques... Voyez, je mue!... Mes cheveux sont encore blancs, mais mes bras sont déjà ceux d'un jeune homme, et mes jambes, et ma voix! »

Il se met à bondir, à danser, à faire saillir les muscles de ses bras :

« Je vais retourner chez moi, je veux annoncer le miracle à mes enfants et aux enfants de mes enfants. A tous, je chanterai la gloire de saint Jacques! »

Rotbald ne s'est pas déridé :

« Je ne te reconnaissais pas, dit-il... Pourquoi n'es-tu pas déjà en route?

— Je pars! Je pars à l'instant! Mais d'abord je te cherchais. Je veux t'acheter deux autres reliques, l'une pour mon fils qui est aveugle, l'autre pour l'église de mon village. »

Rotbald paraît maintenant près de se fâcher :

« Tu es gourmand, pèlerin! Pense aux autres!

— Ah! C'est que tu n'as pas de fils aveugle! »

Le vieillard miraculé tend deux maravedis au creux de sa main rose. De mauvais gré, Rotbald lui donne un sachet de soie :

« N'y reviens pas ! »

Des pèlerins déjà portent la main à leur bourse. D'autres tâtent l'homme rose et blanc, vérifient que les cheveux sont vrais. Espérandieu se dégage, court chercher Guilhem. Quand ils reviennent, Rotbald en est à vendre des ampoules de terre contenant, dit-il, un peu d'huile qui brûle au-dessus du tombeau de l'apôtre.

Espérandieu interpelle :

« Ho ! L'homme ! »

Rotbald se retourne, regarde Espérandieu. Une lueur mauvaise passe dans ses petits yeux. Il tend l'index vers lui :

« Toi, je te reconnais ! C'est toi qui m'as volé ce matin à Orbigo ! »

Espérandieu en reste muet, puis bondit sur Rotbald.

L'alcade d'Astorga est un homme maigre et sévère aux sourcils en broussaille. Il a écouté les deux hommes s'entre-accuser. Il va les faire prêter serment sur leur pèlerinage : il est bien rare que les coupables se risquent au parjure sur ce saint chemin.

« Vous, demande-t-il solennellement à Rotbald, vous jurez par votre voyage que vous avez, ce matin même, au bord du rio Orbigo, surpris cet homme à fouiller dans vos fontes. »

Rotbald lève le menton :

« Je le jure sur mon voyage ! »

L'alcade regarde maintenant Espérandieu :

« Vous jurez par votre voyage être innocent de ce dont vous accuse cet homme ? »

Espérandieu avale sa salive :

« Je le jure par mon voyage ! »

L'alcade tape du pied :

« L'un de vous deux ment ! »

Il se reprend et demande, toujours à Espérandieu :

« Vous jurez, par votre voyage, avoir surpris, ce matin même, au bord du rio Orbigo, cet homme occupé à tailler dans un bâton les reliques qu'il jure être authentiques ?

— Je le jure par mon voyage ! »

L'alcade regarde Rotbald :

« Vous jurez par votre voyage que les reliques sont authentiques et vous ont été remises par un ermite du pays d'Oca ?

— Je le jure par mon voyage ! »

L'alcade se redresse, outragé :

« Demain matin, nous irons chez l'évêque. Celui de vous deux qui ment sera pendu. »

L'évêque, entre deux messes, a décidé de soumettre les pèlerins au jugement en vigueur dans les monastères : le pain et le fromage.

On prépare deux grandes tranches de pain d'orge sur lesquelles on écrase une bonne épaisseur de fromage. On y écrit, de la pointe d'un couteau, le premier mot de l'oraison du dimanche. Puis, avec des rameaux de tremble, on fait quatre croix, qu'on place une sur la tête et une sous le pied droit de chacun des accusés.

Espérandieu et Rotbald ont passé la nuit en prison. En venant au palais de l'évêque, Espérandieu a vu Guilhem à la porte, avec Tristan. Les Aurillacois sont partis. Ils ne sont solidaires qu'entre eux, et Géraud n'a pas de temps à perdre.

L'évêque est un vieux prélat cassant. Il demande l'assistance divine, puis s'adresse aux deux hommes :

« Celui de vous qui est coupable de mensonge, menace-t-il, sentira sa langue s'attacher à son palais, son gosier se rétrécir ! »

On dit trois Pater. L'évêque reprend :

« Celui de vous deux qui est coupable de mensonge, à

supposer qu'il avale une seule bouchée, il la rendra ! Il tremblera de tous ses membres ! »

On dit trois autres Pater.

« Celui qui ment, que son mensonge l'étouffe ! »

On remet à chacun sa tranche de pain. Espérandieu, outré, s'indigne de l'air patelin et pour ainsi dire martyr qu'affiche le trafiquant de reliques.

Tous deux avalent une bouchée, puis deux, puis tout le pain.

Comme l'alcade, l'évêque est furieux. L'un de ces deux hommes bafoue sa justice. Eh bien, on s'en remettra au jugement de Dieu[21]. Ils se battront demain en champ clos. Au bâton, puisqu'ils ne sont ni l'un ni l'autre chevalier ou noble de naissance.

« Sire Guilhem, demande Tristan, Espérandieu sait-il se battre au bâton ?

– Je serais plus confiant s'il devait se battre avec des mots... »

L'enfant caresse son coq blanc endormi. Ils sont dans la cour de l'hospice, assis contre un mur. Une demi-lune les éclaire.

« Sire Guilhem, Espérandieu ne peut pas perdre, puisqu'il dit la vérité...

– Tu sais, nous ne comprenons pas toujours la volonté de Dieu... »

Guilhem pense au pauvre Espérandieu, les yeux ouverts dans la nuit d'un cachot.

« Tu devrais dormir, dit-il à Tristan. Tiphaine va bientôt chanter. »

Tristan se couche sur le côté.

« Sire Guilhem, demande-il encore, si on pend Espérandieu, vous irez le venger ? »

Il n'attend pas la réponse. Il dort déjà.

A l'aube, on tire de prison Rotbald et Espérandieu.

On les rase et on leur taille les cheveux. Puis on les conduit à une chapelle où ils assistent à un office solennel : la *missa pro duello.* Rotbald demande à communier.

Après la messe, l'évêque fait constater que ni Rotbald ni Espérandieu n'est mineur, vieillard, malade ou clerc : ils ne peuvent donc refuser le combat singulier, ni se faire représenter.

Ils ne mangent pas, de façon à rester purs.

On les mène plaza mayor où, entre des barrières, un champ clos au sol recouvert de sable a été préparé. Le gibet n'est qu'à quelques pas.

Selon la règle, chacun adjure son adversaire de confesser sa fausseté. Puis chacun doit dire : « Tout ce que cet homme a pu proposer ou affirmer contre moi, je le nie. »

Alors on les rapproche au centre du champ. Ils doivent encore se prendre par la main devant un prêtre pour s'accuser à tour de rôle.

« Homme que je tiens par la main, dit Espérandieu, par Dieu et par ses saints, j'ai bonne cause de défense contre toi que tu m'as appelé faussement et par mauvaise querelle. Je t'appelle que tu fabriques et vends de fausses reliques comme vraies et vénérables. Je jure que je ne porte sur moi ni pierre, ni herbe, ni magie par laquelle j'espérerais te vaincre, mais que je me repose sur la seule aide de Dieu et de mon arme et sur le bon droit que j'ai.

– Homme que je tiens par la main, dit à son tour Rotbald, par Dieu, par saint Jacques et par tous les saints, j'ai bonne cause de défense contre toi que tu m'as appelé faussement et par mauvaise querelle. Je t'appelle que tu as volé dans les fontes de ma mule et que tu m'accuses de mensonge et de parjure. Je jure que je ne porte sur moi ni herbe, ni pierre, ni magie par laquelle j'espérerais te vaincre mais que je me repose sur la seule aide de Dieu et de mon arme et sur le bon droit que j'ai. »

La plaza mayor est noire de monde. Les combats judiciaires sont plutôt rares. Les épreuves du serment et du fromage suffisent en général à démasquer les coupables.

L'évêque s'assied sous son dais de toile rouge. Un héraut annonce que le combat pourra durer jusqu'à ce que les étoiles apparaissent en ciel; s'il n'est pas alors terminé, il reprendra le lendemain.

Une seule arme pour chacun : un bourdon de pèlerin.

Le combat cessera dès que l'un des adversaires sera tué ou demandera grâce.

Le vaincu sera le coupable, désigné par Dieu lui-même. On le tirera hors du champ clos sur une claie, la tête en bas. S'il n'est pas mort, il pourra avoir la vie sauve à condition d'implorer le pardon de celui qu'il a injustement accusé, et que celui-ci lui donne sa miséricorde. Sinon, il sera immédiatement pendu.

Un sergent de l'évêque mesure exactement à chacun le champ, le vent et le soleil. Le héraut va aux quatre coins de la lice dire le commandement aux spectateurs de se tenir immobiles, de ne faire aucun geste, ni pousser aucun cri qui pût encourager ou troubler les combattants.

Le sergent et le héraut quittent le champ clos.

« Laissez-les aller ! » crie l'évêque.

Rotbald est un gros homme et doit s'essouffler vite, pense Espérandieu, attentif. Pourtant, il est surpris de le voir se mettre en garde, comme un batailleur de métier, le bâton ferme dans ses mains largement écartées.

Tous deux tournent dans le champ, s'épiant. Espérandieu donne le premier coup, mais Rotbald pare facilement. Il trompait son monde : ce n'est pas la première fois que cet homme-là se bat au bâton. Espérandieu aurait préféré sa bonne cognée de charbonnier.

Coups de travers à la tête, dans les côtes, dans les

jambes pour se faire tomber, coups d'estoc au ventre. Pendant quelques instants, les bourdons ont volé. Espérandieu a pris un coup douloureux à l'épaule.

Rotbald souffle fort et baisse déjà sa garde. Espérandieu voit l'ouverture, fonce. Une douleur terrible à la main. Il ne peut plus serrer les doigts et lâche à demi sa prise. Rotbald pousse son avantage, cherche à marteler la main blessée. Espérandieu touche au ventre, mais est lui-même atteint de plein fouet dans les côtes. Il se penche. Un deuxième coup le prend aux reins. Il tombe à genoux. Un coup à la tempe l'assomme. Il perd conscience.

Déjà la foule demande la mort.

Espérandieu est mis sur la claie, tête en bas, et on le sort du champ clos. On le tire ainsi jusqu'au gibet, à l'angle de la place.

Guilhem est désespéré de se sentir aussi inutile. Toute la matinée, il a couru en vain. Il a cherché partout l'homme rose et blanc, mais c'est comme s'il n'avait jamais existé. Il a demandé audience à l'évêque, qui ne l'a pas reçu. Il est allé supplier l'alcade, lui a crié qu'Espérandieu revenait de Las Navas de Tolosa, qu'il avait été en Terre sainte avec la croisade des rois, et qu'il était des vainqueurs de Constantinople... Il avait donné sa parole de chevalier qu'Espérandieu était incapable de voler... Mais l'alcade ne voulait rien entendre : l'affaire ne le concernait plus.

Guilhem et Tristan sont au pied du gibet. Des hommes d'armes protègent l'évêque, impassible sous son dais.

Le bourreau est vêtu comme un bouffon, mi-partie noire, mi-partie rouge. Le nœud est fait, la corde se balance. Espérandieu a repris connaissance. On le pousse sur l'échelle. Guilhem voit son effarement.

Espérandieu est debout près du nœud coulant. Du regard, il cherche ses amis.

Quelque chose est en train de mourir en Guilhem. Que peut-il contre cette injustice commise au nom de Dieu? Prier? Attendre un miracle? Depuis Conques, il en entend chaque jour des récits de miracles, de prodiges. Et sainte Foy ceci, et saint Jacques cela, et les lances qui fleurissent à Sahagun, et les coqs rôtis qui chantent à Santo Domingo...

Soudain son cœur s'arrête :

« Tristan! appelle-t-il à voix basse. Vite! »

Le bourreau passe la corde au cou d'Espérandieu, qui paraît ne pas comprendre.

« Allez! » ordonne l'évêque.

Alors, alors, un grand coq blanc semble surgir de la terre et vole jusqu'au gibet. Il se pose aux pied d'Espérandieu et, face à l'évêque, crête haute, cou tendu, dressé sur ses ergots, lance au monde son salut éclatant.

Le bourreau tombe à genoux, les lèvres de l'évêque battent des mots qu'on n'entend pas, la foule se prosterne et tous ceux-là qui ont vu le miracle se frappent la poitrine et louent saint Jacques. Rotbald veut s'enfuir : on le rattrape.

Guilhem a déjà grimpé l'échelle et aide Espérandieu à descendre.

Espérandieu est encore blême :

« Eh bé, dit-il, eh bé, il était temps! »

Guilhem rit comme il n'a pas ri depuis longtemps :

« Bal maït tard qué tsamaï, dit-il, mieux vaut tard que jamais... »

X

JOHN LACKLAND

JEAN sans Terre était depuis plus d'un an le roi excommunié d'un royaume en proie aux ténèbres de l'Interdit. Depuis plus d'un an, ses sujets vivaient sans messe et sans sacrements. Depuis plus d'un an, on n'enterrait plus les morts en terre chrétienne – tout juste pouvait-on, en les déposant au faîte des murs des cimetières ou aux fourches des grands arbres, espérer les mettre à l'abri des chiens et des cochons errants. S'enfonçant dans le mal avec une sombre volupté le roi Jean régnait par toujours plus de violence et plus de cruauté.

Certains des barons et des prélats avaient pu fuir le royaume et vivaient en exil. L'archevêque de Cantorbéry, les évêques de Londres et d'Ely étaient partis supplier le pape. Mais en Angleterre même, on voyait à certains signes que la révolte couvait. Dans la forêt d'York, un ermite prédisait même à haute voix que John Lackland, Jean sans Terre, ne serait plus roi au jour de l'Ascension prochaine. Malmenés, opprimés de toutes les façons, rançonnés par les fonctionnaires royaux, sans même la consolation de l'Eglise, les sujets avaient besoin d'espoirs comme celui-ci pour sortir de leur abattement et relever la tête.

Les bouillants barons gallois vinrent aux frontières de l'Angleterre raser quelques châteaux du domaine royal. Jean réunit aussitôt son armée de routiers et de mercenaires. Il rallia Nottingham d'une traite et se fit amener les enfants pris l'année précédente en otages aux grandes familles galloises. Ils étaient vingt-huit, et il les fit pendre un à un avant de passer à table.

S'il envahissait Galles, le prévint-on alors, la révolte serait générale, et peu de barons le suivraient. Il rentra donc à Londres amer, buté, échafaudant de sombres machinations. On dit bientôt qu'il avait proposé à En-Nâsir, le vaincu de Las Navas de Tolosa, de lui faire hommage s'il l'assistait contre le roi de France et contre le pape. On ajoutait qu'il avait juré, si l'émir acceptait le marché, de se faire mahométan lui-même!

Tout allait mal. La nuit de la Translation de saint Benoît, un incendie, né sur les quais de Southwark, traversa la Tamise et brûla plus de mille personnes – mais comment pouvait-il en être autrement sous le règne de ce maudit?

Jean se fit amener l'ermite de la forêt d'York. C'était un homme tranquille aux yeux clairs, qui se nommait Peter de Pomfret :

« Tu veux donc que je meure avant l'Ascension!

– J'ai dit, John Lackland, que tu ne serais plus roi au soir de l'Ascension....

– Si ce n'est pas par mort?

– Je n'en sais pas plus... Mais si j'ai menti, tu feras de moi ce que tu voudras. »

Pour plus de sûreté, Jean le fit immédiatement enchaîner au fond du donjon de Corf.

C'est alors qu'arriva un nouvelle renversante. Le pape Innocent, les mains libres de l'affaire espagnole, donnait l'ordre aux princes chrétiens, et tout spécialement au roi de France, Philippe Auguste, d'envahir l'Angleterre de vive force et de chasser le roi Jean de son trône.

XI

LE TEMPS IMMOBILE

ESPÉRANDIEU aurait pu rester à vie le héros d'Astorga, le nouveau miraculé de saint Jacques, vénéré, encensé, chaque soir invité à la table de l'évêque où à celle de l'alcade, montré aux pèlerins comme ce pauvre Tiphaine enfermé dans une cage. Mais quelques jours ont suffi. Ce matin, en compagnie de Guilhem et de Tristan, il se faufile comme un voleur dans les rues encore noires : ils fuient.

Le chemin monte sous les feuillards. Quand le jour se lève, ils voient derrière eux, en contrebas, la cathédrale et les fumées droites des feux qu'on allume. L'air est si pur que pour un peu ils entendraient l'*emparedada* crier délivrance au fond de son mur, ils verraient le gibet où tire la langue, pour l'édification des passants, le marchand de fausses reliques Rotbald, pendu pour avoir tenté d'abuser la justice de Dieu.

Ils montent encore un peu, quittent le couvert des arbres, s'avancent parmi les bruyères. Alors, soudain, Guilhem s'arrête, se tourne vers Espérandieu. Un drôle de rire le prend, silencieux tout d'abord, puis qui s'emplit d'échappées de voix, d'éclats, de saccades, un rire à s'étrangler, à s'étouffer, qui le secoue, le tord en deux, le casse, le renverse en arrière.

« Saint, tente-t-il de dire... Saint... »

Espérandieu s'alarme, s'approche.

« Saint Espérandieu !... »

Espérandieu est outré, mais reste digne et pince le bec :

« J'aurais voulu t'y voir ! »

Guilhem redouble de rire. C'est un rire prisonnier depuis trois jours, un ressort qui se détend, le soulagement fou de tout son être, en même temps, peut-être, que la constatation inadmissible qu'il n'y a pas plus épais qu'un poil de grenouille entre l'infamie et l'honneur, entre la vie et la mort – et qu'il vaut mieux en rire... Il veut parler, mais ne peut articuler. Il fait signe de se passer la corde au cou, sa voix dérape, des larmes lui jaillissent des yeux. Il hoquette, sanglote, lâche son bourdon.

Tristan est pris d'angoisse. Il ne comprend pas ce qui se passe. La dépendaison d'Espérandieu, c'est bien un miracle, comme celle du pèlerin allemand à Santo Domingo ? On ne rit pas d'un miracle, ou alors c'est que sire Guilhem... Sire Guilhem, il ne l'a jamais vu rire, et il en est pour ainsi dire choqué... Il cherche un réconfort auprès d'Espérandieu, mais voit celui-ci, hilare, la bouche fendue jusqu'aux oreilles, qui n'y tient plus non plus, et qui commence à se tordre à son tour, à se tenir les côtes... Goules béantes, gorges ouvertes, les deux hommes dansent lourdement d'un pied sur l'autre et Tristan lui-même, pourtant grave de porter ce miracle en lui, pourtant chagrin d'avoir laisser Tiphaine, Tristan à son tour commence à pouffer, et sa voix claire en cascades d'eau vive se mêle aux râles des autres...

Rabanal del Camino. Une femme en noir leur offre au passage une *tortilla con cebolla,* une omelette aux oignons. Il pleut. Le chemin, d'une colline à une autre, monte toujours. Deux grands chiens viennent les menacer, les yeux sanglants, la bave aux crocs. Espérandieu en assomme un d'un coup de bourdon heureux; l'autre reste au côté de son compagnon.

Foncebadon. Ils se fondent dans l'anonymat d'un hospice surpeuplé. Litières de paille pourrie, pain noir, vin épais. On y parle d'Astorga. Espérandieu, adossé au mur, tire son chapeau sur son visage. Le miracle, ils le savent bien, est moins miraculeux que ne le croient ces braves gens. En chemin, tous les trois, ils en ont débattu sans fin :

« A Santo Domingo, disait Guilhem, c'était bien plus difficile, le coq était rôti !

– C'est que saint Jacques prend les coqs qu'il trouve ! répondait Espérandieu.

– Saint Jacques, avançait Tristan, savait peut-être depuis longtemps que ce marchand préparait son mauvais coup... C'est pour cela qu'il m'a donné Tiphaine à Roncevaux, et qu'il nous a permis de traverser tous les dangers du chemin et même la guerre avec les païens... Qu'est-ce qu'un miracle, sire Guilhem ?

– Un miracle, disait Guilhem, c'est... »

Il se taisait, ne savait plus trop.

« Sir Guilhem, continuait Tristan, comment vous est venue l'idée de lancer Tiphaine ?

– Je ne sais pas... Comment viennent les idées...

– C'est saint Jacques qui vous a inspiré.

– Peut-être bien... Pauvre Tiphaine !

– Tiphaine n'est pas malheureux ! » répondait Espérandieu.

Le bourreau d'Astorga, un homme rude et sans pitié, avait obtenu la grâce de nourrir le coq chaque jour jusqu'à la fin de la vie de l'un ou de l'autre.

Au matin, ils s'arrêtent à la Cruz de Ferro, juste avant que le chemin ne bascule. C'est une croix noire au bout d'une perche tordue piquée au sommet d'un haut tas de cailloux, et chaque pèlerin qui passe y ajoute le sien. Humble geste qui relie tous entre eux les marcheurs de Saint-Jacques, par-delà les voyages et par-delà les siècles, ceux dont les os sont déjà poussière et ceux qui sont encore à naître – Guilhem aime à penser que Charlemagne et ses preux y ont jeté le leur, ainsi que Frottard et son aveugle, et peut-être Quarèmentrant qui a dû passer avec sa chèvre pendant la bataille de Tolosa, et les Aurillacois partis devant... Cailloux anonymes, noirs, traversés de paillettes brillantes, tous différents et pourtant tous les mêmes, comme les mots d'une prière indicible.

Ils sont ici au bout de la Castille. Devant eux, la profonde et fertile vallée du Bierzo, des arbres, des champs. Dans la longue descente, ils rencontrent un pèlerin qui a fait vœu d'aller à reculons : c'est, dit-il, pour ne jamais perdre de vue le cloaque dont il s'efforce de sortir avec l'aide de saint Jacques. Ils n'en sauront pas plus.

Tristan vomit : il dit que l'omelette aux oignons était empoisonnée.

Manjarin, El Acebo, Molina Seca, où ils prient Notre-Dame des Sept-Douleurs, Ponferrada, gros bourg qui tient son nom d'un pont ferré sur la rivière, et où l'on construit une forteresse templière.

Compostelle n'est plus très loin. Entre dix et sept jours, ou même cinq, selon les pèlerins qu'ils croisent et qui portent tous, cousues à leur chapeau, sur l'esclavine[22] ou à l'abattant de leur besace, les coquilles de Santiago et de petits bourdons de plomb[23].

La proximité du but leur donne envie d'aller plus vite, d'arriver enfin au bout de leur si long chemin, au bout de leur si long désir. Mais en même temps, ils voudraient bien suspendre le cours du temps, s'arrêter un peu, se poser au bord d'un talus, s'adosser à un arbre et se regarder passer : sont-ils contents d'arriver ? Celui qui arrive est-il encore le même que celui qui a quitté sa maison ? Que va-t-on trouver au bout du monde ?

Villafranca del Bierzo. Ceux qui, trop épuisés pour

aller plus loin, franchissent la porte de la petite église de granit gris, ou même simplement la touchent de leurs doigts, gagnent les mêmes bienfaits que s'ils étaient arrivés à Compostelle. Autour de l'église, serrées sous la gouttière, des croix et des croix : par maladie, par faiblesse, par vieillesse, par découragement, beaucoup se sont abandonnés ici à la miséricorde de saint Jacques[24].

Le matin, Tristan, toujours nauséeux, fiévreux, demande qu'on le laisse sous le porche de l'église. Guilhem et Espérandieu refusent, répondant qu'on ne va pas continuer les uns sans les autres. A tour de rôle, ils aident l'enfant, le soutiennent, disent à haute voix les prières pour le courage et la guérison.

Lente montée le long du Valcarce. Une vieille femme les rattrape, dénoue un coin de son tablier, en tire une piècette de maigre aloi, leur demande s'ils veulent bien la déposer pour elle aux pieds de l'apôtre. Elle souhaite *buon sacrificio,* bonne pénitence.

Alternance de soleil et de pluie. L'automne, déjà. La Castille est loin, avec ses jours chauffés à blanc. Il leur faut maintenant porter Tristan. Rude grimpée vers le col de La Fève. On passe un hôpital pour pèlerins anglais. Ils trouveront plus loin, leur dit-on, l'hospice des moines d'Aurillac, au Cebrero, avec des gens de leur langue. Pluie encore, boue.

Vieux village tout de pierres, murs et toits, maisons rondes, basses, dominant la sauvagerie d'un paysage immense, sombre, qui cascade de crête en crête jusqu'à l'horizon. Les pèlerins qui veulent éviter la longue montée font le détour de Lugo, mais ceux qui arrivent ici, surtout les Auvergnats et, en voisins, les Rouergats, sont inoubliablement reçus. Guilhem a tenu à passer une nuit à cet hospice voué à saint Géraud : la garde de sa première épée contenait une relique à saint Géraud, peut-être le même[25].

On les fait entrer dans la salle, on s'empresse, on les mène devant le feu et, tandis que deux frères emmènent Tristan à l'infirmerie, on leur sert du vin. Des servantes apportent des bassines devant eux, y versent de l'eau chaude pour laver leurs pieds boueux – comme Marie-Madeleine la pécheresse lava les pieds du Christ. Sur les chemins de pèlerinage, c'est la charité des charités. Chacun de ces pèlerins affamés et sales est le fils de Dieu.

A l'autre bout de cette charité, Guilhem s'abandonne à la chaleur de l'accueil, au plaisir du vin dans la gorge, à la détente qui dénoue son corps. De la femme en noir, agenouillée devant lui et qui déplie un linge pour sécher ses pieds, il ne voit que les bras blancs et, sous la coiffe, deux longues nattes sombres. La chair de ces bras le fascine, ou le contraste de leur blancheur avec le jais de la chevelure, il ne sait. En route, plusieurs fois déjà, des servantes comme celle-ci lui ont offert leur humilité – mais c'est la première fois qu'il remarque que les gestes de la charité sont aussi les gestes de la tendresse. Un trouble soudain l'envahit.

La femme, peut-être, l'a pressenti. Elle le regarde. Il la connaît. Elle faisait partie du groupe des Aurillacois avec lesquels ils ont cheminé quelques jours.

« Géralda ! » dit-il.

Il la relève.

Ils n'ont pas couché ensemble ce soir-là, mais le soir suivant. Guilhem et Espérandieu avaient obtenu de rester le temps de la guérison de Tristan, promise sous peu par l'infirmier, qui lui avait administré une potion de sa façon : vipère étêtée, macérée en lune montante dans un bouillon de cerfeuil, de pimprenelle et de fiel de poulet. Le lendemain, Tristan avait déjà moins de fièvre et dormait paisiblement.

Guilhem a revu Géralda au service du dîner, et il a senti renaître cette envie qu'il a eue d'elle. La même flamme brûlait dans les regards qu'elle lui offrait de loin en loin, et qui lui coupaient le souffle. Le soir, il l'a regardée laver les pieds des nouveaux arrivants, et il était fou de jalousie.

Vint la nuit – la nuit, ici, ne tombe pas du ciel, elle monte des vallées, déborde peu à peu des précipices, investit les crêtes une à une, submerge enfin le paysage...

Guilhem est sorti. Géralda l'a rejoint et sans un mot s'est appuyée à lui, de tout son corps. Ils ont marché, hanche à hanche, lourdement, comme déjà liés l'un à l'autre, vers une maison en construction qui dominait l'abîme. C'est là qu'ils ont fait l'amour, avec une violence et une ferveur qu'ils ne se connaissaient pas, une rage d'aimer qui les faisait mourir et déjà renaître, exactement accordés, souffle à souffle, d'un même cœur éclaté.

Géralda n'a pas vingt ans. Elle avait épousé le charron d'Allanche, que les autres filles auraient bien voulu pour elles. A peine la noce finie, son mari avait été tué par la foudre au milieu du village alors qu'il ferrait une roue. Les filles en avaient conclu qu'elle l'avait épousé par des charmes : elle ne pourrait rester au village que si elle allait se purifier à Compostelle.

Elle était partie, mais sans intention de retour. Elle espérait trouver en chemin quelque endroit où, comme beaucoup d'Aurillacois, elle pourrait s'installer, peut-être même se remarier. Au Cebrero, en passant, elle avait entendu qu'on cherchait justement à ouvrir une dépendance dans une ancienne bergerie du col de La Fève, en concurrence à l'hospice des Anglais, pour les mois d'hiver où les pèlerins ne trouvaient pas sous la neige le chemin du grand hospice Saint-Géraud. Elle s'était proposée. On lui avait donné comme épreuve de laver les pieds des pèlerins pendant trente jours.

Mais qui, pourquoi, comment, cela importait peu à Guilhem. Quand elle quittait sa robe noire et qu'éclatait sous les étoiles de septembre la blancheur de sa chair, quand perlait à ses tempes la sueur du plaisir, quand elle prenait sa voix de nuit pour le prier de rester en elle, Guilhem d'Encausse savait seulement qu'il était hors de son pouvoir de quitter cette femme et qu'il en était heureux.

C'est ainsi qu'ils se sont retrouvés tous les quatre – Guilhem et Géralda, Espérandieu, Tristan guéri – dans la bergerie du col de La Fève, avec la bénédiction de l'abbé de Saint-Géraud. Ils ont coupé le bâtiment en deux, ont aménagé un logis, avec une salle et une chambre, séparé des animaux par les coffres à nourriture et les réserves de bois. Ils peuvent s'il le faut loger une dizaine de pèlerins.

Espérandieu n'est resté que par amitié pour Guilhem. Il désapprouve absolument cette installation. Non pour le péché qu'il y a à vivre avec cette veuve, mais tant qu'à faire, pourquoi sur cette montagne désolée plutôt qu'à Roquelongue ? Combien de temps cela va-t-il durer ? En vérité, il espère que Guilhem se lassera vite, et de la femme et de ce pays perdu.

Pourtant, il doit reconnaître les vertus de Géralda : forte, endurante, travailleuse comme celles de son pays, avec la gaieté de son âge, elle sert comme il se doit son homme et sa maisonnée. Elle tient son potager, nourrit ses bêtes, carde, file et teint la laine, fait du bon fromage comme en Auvergne et besogne la pâte à pain aussi bien qu'un homme. Elle est économe mais, pour son temps et sa peine, ne compte pas à la dépense. Espérandieu s'étonne seulement de ne pas la voir dans une auberge, plutôt que dans un hospice, où elle ne gagne que des indulgences.

Et encore, Espérandieu ne connaît pas Géralda de la nuit, les houles profondes de son corps aussi bien que ses questions de petite fille quand elle demande à Guilhem, alors que tout dort, de lui parler de l'Orient, ou de Roquelongue : a-t-il vu des lions ? des palmiers ? s'est-il battu contre Saladin ? Son château a-t-il un donjon ?

Leurs membres mêlés, Guilhem alors est comblé. Quand, encore, des éclairs blancs lui vrillent la tête, elle pose les mains sur ses tempes brûlantes, elle l'apaise et pour un peu le bercerait. Quand il va mieux, elle rit :

« Moi qui cherchais un homme jeune, riche et sain, voilà que je vis avec toi qui es vieux, douloureux et plus pauvre que moi encore, puisque tu n'as qu'une main... »

C'est vrai, pense Guilhem, elle est presque une enfant. Il n'en revient pas.

Un hiver a passé. Espérandieu a charbonné un peu, puis la neige a tout recouvert. Des pèlerins égarés, des montagnards, des chasseurs d'ours ont, au hasard des soirs, fait le cercle autour de l'âtre vif, guettant les bruits de pas dans la neige, ou les appels, écoutant le vent battre la solitude – on parle peu dans les montagnes.

Plusieurs jours, une meute de loups a tourné autour du bâtiment. Il a fallu économiser le bois, pour ne pas avoir à sortir. Les Anglais de l'hospice ne se sont pas dérangés.

Le printemps, à travers les murs épais, ils l'ont entendu naître. Ils connaissaient maintenant toutes les voix du silence : celui-ci chantait.

Géralda a semé des graines de chanvre dans un large replat de la montagne. Cette chènevière est pour elle un symbole. Elle veut être à même de ne dépendre de personne. Avec le potager, la basse-cour et le cochon, elle peut nourrir ses hommes. Elle voudrait aussi faire son linge.

En août, la chènevière est une forêt vert sombre aux feuilles comme des mains. S'en exhalent alors des senteurs lourdes, mystérieuses, qui troublent les gens. En septembre, on coupe à la faucille les longues tiges et on les met à rouir dans leur cimetière d'eau dormante. Au sortir de l'hivernage, la graine sera devenue huile, les longues tiges écorcées et broyées donneront le fil dont on tissera la toile... Géralda se voit déjà, par les jours clairs d'été, herbant ses lessives blanches parmi les coquelicots de la prairie.

Espérandieu est parti à la mi-juillet, avec le flot des pèlerins courant pour être à Compostelle à la fête de l'apôtre. Guilhem a commandé à Tristan de l'accompagner. L'enfant est parti contre son gré : du temps de Roquelongue et de Saint-Véran, il avait promis à Audilenz de servir Guilhem et de ne pas le quitter. Il a bien fallu pourtant obéir.

Ils sont revenus deux semaines plus tard, avec des médailles et des coquilles. Aux questions de Guilhem sur Compostelle, ils opposèrent un air mystérieux et, comme s'ils s'étaient donné le mot, refusèrent de répondre : il verrait bien lui-même.

Guilhem alors leur a demandé s'ils voulaient rester à La Fève, comme lui, ou retourner à Roquelongue. Espérandieu était bouleversé :

« Tu ne me feras pas prendre mon cul pour mes chausses, dit-il amèrement... Tu ne veux plus de nous... »

Il se tourna vers Tristan, qui baissait la tête :

« Chacun tourne l'eau à son moulin, dit-il en guise d'explication.

– Ecoute-moi, Tristan, a dit Guilhem. Ce n'est pas moi qu'il faut servir, c'est le château de mon père. Les épreuves ne m'ont pas manqué, Dieu sait, mais je serais plus heureux si je savais Roquelongue en de bonnes mains... Mon fils Guillou nous a reniés, Dieu lui pardonne... Tu restes le seul à avoir ma confiance... Ton père était mon ami, un chevalier loyal, et ta mère était ma femme... »

Il mit sa main sur l'épaule de Tristan :

« Je vais aller à Cebrero dicter une lettre pour le baron de Roquefeuil, le prier qu'il t'attribue ce château qui n'est plus à personne... Tu diras à ma fille Aélis qu'elle te fasse adouber par son mari dès que tu seras en âge... »

Guilhem se rappelait l'enfant pâle qu'était Tristan quand dame Aveline le lui avait confié. Il pouvait avoir maintenant treize ans, et les rudes étapes du chemin l'avaient durci. Sous ses cheveux bruns frisés, c'était presque un jeune homme et sa voix déjà se troublait.

Pendant tout ce temps, Géralda se tenait derrière eux, droite, silencieuse. C'était elle qui les séparait. Elle gagnait mais n'en était pas fière.

Quand Espérandieu et Tristan partirent, et qu'ils embrassèrent Guilhem, et qu'ils se jurèrent de s'envoyer des nouvelles, elle pleura. Elle aurait voulu que Guilhem ne souffrît pas.

Longtemps, soir après soir, ils essayèrent de deviner où étaient arrivés leurs amis. Ils étaient seuls.

Seuls aussi pour un deuxième hiver. Guilhem ne peut, de sa seule main, aller pelleter la neige et dégager les montjoies[26] du chemin aussi souvent qu'il le faudrait. Et puis, aussi, ils n'ont guère envie de visites. Ils ont assez à faire, avec leur travail et leur plaisir. Eux, et rien d'autre.

« Et si je te fais un enfant ?

– C'est que Dieu l'aura voulu. J'en serai heureuse. »

Dans l'âtre, les chènevottes font de fragiles et violentes flambées.

Géralda prie chaque matin et chaque soir, avec la même application qu'elle met à remplir de chair cuite les boyaux de porc. C'est une femme de gestes et d'habitudes, de certitudes amassées brin à brin, comme une moisson. Il n'y a que dans l'amour qu'elle s'aventure, qu'elle se donne, elle-même tout entière et bien plus qu'elle-même.

Un jour, elle dit que l'intendant de Saint-Géraud n'est guère généreux en sel, qu'ils pourraient s'installer dans une maison à eux, gagner un peu d'argent en servant les pèlerins qui ne voudraient pas s'arrêter à l'hospice... On ne trouvait pas une seule auberge sur toutes ces hauteurs....

C'est Guilhem lui-même qui a proposé d'aller de l'autre côté du Cebrero, au col du Poyo. Loin des Anglais, ils seraient mieux.

Les jours effacent les jours. Pour Guilhem d'Encausse, arrêté sur son chemin à l'extrême bord de la dernière montagne avant la mer, le temps est immobile.

XII

HUIT LIEUES DE BRUME

JEAN sans Terre et Philippe Auguste n'étaient plus séparés que par huit lieues. Huit lieues d'une mer grise et verte qu'habillaient, le matin, des brumes de nacre. L'un à Douvres, l'autre à Boulogne, chacun sur sa falaise, le roi d'Angleterre et le roi de France se faisaient face comme s'ils pouvaient se voir — deux chiens de garde au bout de leur chaîne, et qui se montrent les dents.

Envahir l'Angleterre! Depuis vingt-cinq ans qu'il manigançait la fin des Plantagenêts, Philippe dépensait autant d'énergie et d'habileté à justifier son ambition qu'à la réaliser, inventant des prétextes, échafaudant des procédures juridiques tortueuses et imparables. Jamais il n'eût osé rêver qu'un jour le pape lui *ordonnerait* d'armer une flotte et de traverser la Manche.

Il n'avait pas crié de joie, ni enfourché sur l'heure son cheval de bataille. Sa façon était patiente et appliquée, et il ne voulait pas manquer par précipitation une pareille aubaine. Il lui fallait ménager toutes les susceptibilités, observer toutes les prudences. Il commença par réunir à Soissons les Grands du royaume sous prétexte de prendre leur avis, en réalité pour leur faire accepter ses décisions.

Ce n'était, expliqua-t-il, que pour rendre à la chrétienté un royaume abandonné de Dieu, qu'il lui fallait mettre largement à contribution les gens d'Eglise. Et s'il préparait l'installation de son fils Louis sur le trône d'Angleterre, c'était seulement parce que la femme de celui-ci, Blanche de Castille, y prétendait, étant petite-fille par sa mère d'Henri Plantagenêt et de la reine Aliénor – sans compter que son père, Alfonse, était le récent vainqueur de Las Navas de Tolosa, et que cela disait assez de quel côté étaient le mérite, la gloire et la victoire.

Il n'avait pas oublié non plus de s'assurer le concours de seigneurs incertains ou stratégiquement bien placés, comme ce duc de Brabant, adversaire de Renaud de Dammartin mais beau-père de l'empereur Othon, qui se trouvait sur les arrières des Flamands : il lui avait tout bonnement donné sa fille Marie.

Aux communes, il avait confirmé les chartes et les privilèges, comptant sur l'appoint des milices qu'il avait de longue date suscitées et armées. Enfin, pour être en règle avec tout et avec tous, il avait fait sortir Ingeburge, la reine oubliée, de sa prison d'Etampes et l'avait rétablie dans tous ses droits, de reine de France et d'épouse. Calcul ou non, il ne s'était jamais fait tant applaudir. Il y a dans le cœur des gens du peuple une place réservée : celle de la reine.

Alors seulement il avait convoqué à Boulogne pour le 10 mai le ban et l'arrière-ban de ses vassaux. Tandis que de Gênes et de Venise partaient des convois de cordages, de poulies, de ferrures, l'hospitalier Guérin et Barthélemy de Royes se chargeaient de réunir la navie, réquisitionnant tout ce qu'ils trouvaient dans les ports et faisant construire autant qu'il était possible.

Le 10 mai, Philippe était à Boulogne et regardait la mer. Le vent du large faisait battre dans les dunes le champ moutonnant des bannières et des oriflammes. Au port, les lames courtes berçaient près de quinze cents bateaux de toutes formes et de toutes tailles. On les alourdissait de sacs, de barriques, de ballots de cuirs, de coffrets d'or et d'argent : de quoi séduire, en Angleterre, ceux qui voudraient se rallier sans se battre.

De tout le royaume, les hommes continuaient d'arriver et se rangeaient selon leur pays ou leur bataille. Jusqu'alors épargné par la pluie et la boue, le camp était bien planté sur les falaises crayeuses ou, plus loin, épousait de ses couleurs mêlées les croupes de sable. Quartiers bien marqués, pavillons tendus, chariots, bagages, chevaux à leur place, intendants et valets vaquant en ordre à l'approvisionnement de tant de guerriers : on était heureux d'être là. On savait bien qu'on ne manquerait ni de pain ni de vin ni de filles, et que le bon droit d'un parti soucieux de faire aussi bellement les choses ne laissait aucun doute.

Ferrand de Flandre était venu, mais de mauvais gré. Il n'avait osé refuser la convocation de son suzerain le roi de France, et chacun savait qu'il eût préféré se trouver en face, avec Jean sans Terre. Seul manquait Renaud de Dammartin : il était déjà, lui, parmi les Anglais. C'était un peu en pensant à lui que Philippe avait convoqué son armée à Boulogne justement, le fief de Renaud. Comme beaucoup d'autres, il ne pouvait se déprendre d'une sorte de fascination pour l'irréductible comte, haute et sombre figure du temps, toujours vêtu de noir, et qui portait en bataille un heaume doré aux fanons de baleine, pour dire, peut-être, qu'il était chevalier de grand large, et qu'il ne devait rien à personne.

Mais les rares attendrissements de Philippe ne pouvaient entamer sa résolution. Rien cette fois ne l'empêcherait d'anéantir le dernier des Plantagenêts. Son but était à huit lieues de brume. Restait à embarquer l'armée et à attendre des vents favorables. Un roi français en Angleterre : ce n'était plus qu'une question de jours. En France aussi, on connaissait la prophétie de Peter de Pomfret : Jean sans Terre aurait perdu son trône pour l'Ascension – moins de deux semaines plus tard.

Jean sans Terre, apprenant la décision du pape, avait d'abord réagi à sa façon, sortant les griffes, crachant le fiel et la haine sur tout ce qui passait à sa portée. Il n'avait, lui, pris le temps ni de flatter ni de ménager. « Nous vous enjoignons, avait-il écrit aux baillis des ports, de faire le dénombrement de tous les navires pouvant porter six chevaux et plus, et d'enjoindre de notre part aux maîtres de ces navires, s'ils tiennent à se conserver, eux et leurs navires et tous leurs biens, de nous les amener à Portsmouth au milieu du carême, munis de bons et fidèles mariniers, bien armés, qui devront s'employer à notre service pour notre délivrance. » De la même façon, il avait sommé comtes, barons, chevaliers et sergents de se trouver à Douvres au premier dimanche après Pâques. Tout homme, avait-il fait savoir, pouvant porter les armes et qui resterait chez lui, serait réduit en perpétuel servage. Quant aux marchands, ils devraient tous venir à la suite de l'armée.

La terreur qu'il faisait régner depuis plus de dix ans était si ancrée dans les esprits qu'il se présenta bien trop de monde au rendez-vous de Douvres, et qu'il fallut renvoyer chez eux les hommes les moins équipés. L'armée se compta à Warham-Downe, la grande plaine d'entre Cantorbéry et Douvres; il y avait là soixante mille chevaliers et piétons. Avec la meilleure flotte qui fût, menée par les meilleurs marins, soutenus par les sterlings des armateurs et des marchands du port de Londres, Jean était sûr, dans son exaltation, de pouvoir détruire la flotte française, et même d'entreprendre la reconquête de la Normandie.

Ses écuyers et ses valets gardaient en permanence près de lui son heaume, son haubert, ses chausses de fer. Il ne tenait pas en place, lançait aux vagues de terribles imprécations. Mais le premier bateau que crièrent ses guetteurs était solitaire : une voile frappée de la croix du Temple. Le légat du pape, dirent les deux Templiers qui étaient à bord, attendait au large de savoir si le roi voulait bien l'entendre.

Ce légat prudent était le sous-diacre Pandolphe. Jean, du haut de la falaise de craie blanche qui domine Douvres, le vit débarquer en petit équipage et s'engager dans les lacets du chemin. C'était un homme étrange : une grosse tête ronde sur un corps menu, presque d'enfant. Sa façon d'être et de parler, tout en gestes et en mots enveloppants, légers, en avait déjà trompé plus d'un. Au bonneteau, avec ses airs d'enfant chanoine, il eût plumé l'escamoteur. Jean le savait, mais c'était ainsi qu'il aimait les légats du pape : il détestait les austères, les vertueux, les emphatiques sermonneurs. Il fit transporter son faudesteuil royal dans la petite chapelle du Temple, face au château élevé par son père Henri sur la falaise de l'Ouest.

Pandolphe arriva en s'épongeant le front et en soufflant de petites haleinées d'oiseau. Il ne s'attarda pas en salutations : Philippe, dit-il, s'apprêtait à mettre à la voile, et il fallait faire vite. Le roi de France était particulièrement confiant; il avait à ses côtés tous les évêques et tous les seigneurs d'Angleterre bannis ou exilés; il détenait de plus les chartes de féauté de la plupart de ceux qui se trouvaient présentement dans le camp de Jean, et qui menaient double jeu : au premier engagement, l'armée anglaise allait se disloquer, voire se retourner contre son roi :

« Voilà, dit Pandolphe. Consulte-toi tandis que je reprends souffle. Vois s'il n'est pas de ton intérêt, pour apaiser Dieu que tu as offensé, de réparer tes torts et de te mettre sous la protection du Saint-Père, comme il t'offre de le faire. »

Toutes ses décisions, Jean les prenait sous l'effet de la colère, de la terreur – il était lâche – ou de l'envie du moment. Il était incapable de peser le pour et le contre, le bon et le mauvais. Or, durant ces heures où il fanfaronnait sur la falaise, il ne pensait qu'à la prédiction de l'ermite : « Au jour de l'Ascension, tu ne seras plus roi. » Il avait pu enfermer Peter de Pomfret, le charger de chaînes, mais la prophétie le suivait partout, en tous les instants de sa vie.

Et voici que Pandolphe venait lui offrir une parade à toutes ses peurs. Il s'en réjouissait d'autant plus qu'elle laissait Philippe les pieds dans l'eau, là-bas, à Boulogne : sous la protection de Rome, l'Angleterre serait intouchable.

Il se rendit au légat.

On appela quelques témoins, dont Guillaume Longue-Epée, demi-frère de Jean et comte de Salisbury, Guillaume de Warwick et Renaud de Dammartin. Un clerc déroula le parchemin où le pape avait dicté le texte du serment – c'était dire qu'il n'y avait pas à en négocier le moindre terme – et commença à lire : « ... Nous avons sur notre âme et conscience promis d'observer les conditions ci-après; nous jurons d'obéir aux ordres du pape ou de son légat en tous les points pour lesquels nous sommes excommuniés... »

Réintégration des évêques bannis, libération des clercs emprisonnés, dédommagements de toutes les violences faites aux hommes d'Eglise, de tous les pillages d'abbayes, l'interminable liste ne faisait grâce de rien et précisait même le montant de toutes les indemnités : deux mille cinq cents livres pour l'archevêque de Cantorbéry, mille à ses moines, sept cent cinquante à l'évêque de Londres...

Le légat Pandolphe, sa grosse tête penchée sur le côté, opinait à chaque terme de l'énumération comme un marchand comptant des pièces de drap : rien de tout cela, semblait-il dire, n'était bien grave; mais tout devait néanmoins être compté.

Arriva enfin le plus difficile, et un deuxième clerc remplaça le premier, dont la voix se fatiguait : « Nous avons profondément offensé notre sainte mère l'Eglise, lut celui-ci, et il nous sera bien difficile d'attirer sur nous la miséricorde de Dieu. Nous avons donc le désir de nous humilier... »

A l'idée que ce texte, une fois qu'il l'aurait approuvé, serait proclamé dans toutes les églises du royaume, Jean sentit monter en lui une de ses habituelles crises de violence, mais il était tel, toujours entre la véhémence et la détresse, qu'une sorte de nausée le submergea, et il écouta la suite dans le plus profond abattement :

« ... C'est pourquoi, sans y être contraint, par notre propre et spontanée volonté, de l'aveu de nos barons et hauts justiciers, nous donnons et conférons à Dieu, aux saints apôtres Pierre et Paul, à notre mère l'Eglise et au pape Innocent, les royaumes d'Angleterre et d'Irlande avec tous leurs droits et dépendances, afin de gagner le pardon de nos péchés. Ainsi donc nous ne tiendrons ces terres que comme fief et sous l'hommage lige... »

Jean, de son trône, remarqua que ses témoins évitaient de le regarder, comme pour ne pas ajouter à sa confusion : il venait de renoncer à l'indépendance de la couronne qu'il tenait de ses aïeux. Il n'y avait place, dans son caractère, ni pour l'orgueil ni pour sa face noire, la honte. Mais il était atterré, réduit à rien, sans aucune dignité. De plus, lisait maintenant la voix égale du clerc, il devrait verser en gage de sa soumission la somme de mille marcs sterling chaque année...

Pandolphe, toujours attentif et bienveillant, vérifia que les sceaux étaient bien apposés où il le fallait au bas du document. Puis il demanda à Jean de quitter son faudesteuil. Alors, avec un sourire tranquille, il s'assit à sa place et, le plus naturellement du monde, posa sur sa bonne grosse tête, au nom du pape, la couronne royale d'Angleterre.

Jean baissait le front sur sa cotte rouge aux trois lions passants. Il paraissait brisé. Il dut encore s'agenouiller et mettre ses mains dans celles du légat pour prêter son serment d'hommage comme n'importe quel vassal. La voix blanche, il reconnut tenir sa couronne du pape et jura de suivre ses avis, qu'il les donne par lui-même ou par l'intermédiaire de ses légats. Il engageait à l'hommage ses héritiers et successeurs, à perpétuité.

Il dut encore verser un énorme acompte sur les sommes à rendre aux prélats en exil. Il se fit apporter son trésor de guerre : huit mille livres sterling, et les remit à Pandolphe. Le légat jeta l'argent sur les dalles de la chapelle et le piétina consciencieusement de ses petits pieds – on eût dit qu'il dansait sur ce tapis de pièces – pour bien marquer le mépris que le spirituel portait à ces fausses valeurs. Puis il se rassit sur le trône et, tout aussi consciencieusement, il fit compter l'argent et le mettre en sacs.

Pendant cinq jours encore Pandolphe porta le sceptre et la couronne d'Angleterre. Il ne les rendit à Jean qu'à la veille de l'Ascension : il repartait pour la France.

Pandolphe rejoignit Philippe Auguste au moment où, près de Boulogne, les troupes françaises commençaient d'embarquer. Ce n'était plus utile, lui dit-il sans trop de ménagements et il lui apprit la réconciliation de Jean sans Terre avec l'Eglise. Proscrit hier, le roi d'Angleterre était maintenant protégé : « Philippe, qui n'était que le ministre de la vengeance d'Innocent, devait remettre l'épée au fourreau. »

Le légat avait échappé à la colère de Jean; il prit de plein fouet celle du roi de France, indigné par la volteface du pape :

« J'arme la plus grande flotte qui soit, cria-t-il, je réunis tous mes barons, je dépense plus de soixante mille livres d'argent pour cette expédition à la demande même du pape, et au moment où j'embarque, on m'interdirait de le faire ! »

Autour de lui, ses barons l'approuvaient. Ils avaient tous conscience que le pape les avait joués. Il s'était servi d'eux pour obtenir la soumission de Jean, mais en vérité il n'avait jamais vraiment admis que les Capet pussent régner à la fois à Paris et à Londres.

Un seul approuva le légat : Ferrand de Flandre.

« Cette guerre que nous allions faire, dit-il à Philippe, était injuste. C'est déjà bien assez que vous occupiez à tort les fiefs de Jean en France même. »

L'intervention du comte de Flandre tombait bien : elle détourna la colère de Philippe, en même temps qu'elle lui offrit une guerre de remplacement :

« Par tous les saints, jura-t-il, la Flandre appartiendra à la France, ou la France à la Flandre ! »

Et il chassa Ferrand de sa cour.

Cet homme de calcul était aussi capable d'improviser selon les opportunités. On lui interdisait de débarquer à Douvres ? Soit. Ferrand paierait pour Jean et la Flandre pour l'Angleterre. L'appât d'un butin important suffirait à garder l'armée sous les bannières : les puissantes cités du Nord dépassaient en opulence les plus riches villes d'outre-Manche.

Pandolphe se taisait : ici, il n'avait pas le beau rôle. Il se contenta de remettre aux Anglais en exil les sommes d'argent qui leur revenaient ainsi que les laissez-passer. Philippe Auguste donna l'ordre de continuer l'embarquement des troupes.

Jean sans Terre passa dans une extrême angoisse le jeudi 23 mai, qui était le jour de l'Ascension de Notre-Seigneur. On disait déjà autour de lui que la prophétie de l'ermite s'était accomplie, puisqu'il ne portait plus sa couronne royale que par délégation de Rome.

Mais lui, à travers ses cruautés, ses foucades, ses terreurs, n'avait qu'une obsession, qu'une ennemie : la mort. Le reste, bon ou mauvais, s'oubliait dans l'instant. Pandolphe reparti, c'était à peu près comme s'il n'était jamais venu.

A la fin de cette interminable journée d'Ascension — il ne quitta pas la petite chapelle templière, et la porte en était barrée — il éprouva un sauvage sentiment de libération. Il vivait.

Il demanda qu'on lui amenât l'ermite emprisonné et que, par la même occasion, on arrêtât aussi son fils. Quand ils furent devant lui, il leur fit constater qu'il était vivant, et toujours couronné. La prédiction avait été mensongère. Aux termes de leur accord, il pouvait donc disposer à sa guise de Peter de Pomfret.

On les attacha, le père et le fils, derrière un cheval qui les traîna au galop jusqu'à Warham. Là, il fit pendre au gibet du bourg leurs corps ensanglantés.

Personne ne dit rien. C'était bien la preuve que John Lackland régnait toujours sur l'Angleterre.

Savari, un pirate breton que Philippe Auguste s'était attaché, ouvrait la mer vers le Nord à l'immense flotte française. La chevalerie fut débarquée à Gravelines, que Philippe inféoda aussitôt au prince Louis son fils. L'armée longea le littoral, prenant la Flandre au dépourvu. Cassel, Ypres, Bruges ouvrirent leurs portes. Gand résista, et il fallut mettre le siège, tandis que la flotte mouillait à Damme, dont le bassin pourtant vaste ne put contenir tous les bateaux français : quatre cents d'entre eux durent s'ancrer au-dehors ou se mettre au sec sur la grève, gardés par un fort contingent de chevaliers et de routiers.

Guillou d'Encausse était parmi les troupes de Beauvais restées à Damme. Il découvrait ces paysages du nord, ces sols boueux, ces marais, ces grèves grises sous les brumes, et ces chaudes cités, industrieuses et gaies, prospères, avec leur canaux et leurs rues dallées. Comme les autres, il alla au butin. Aux lingots d'argent, aux pièces d'or aux reflets fauves, aux tissus chinois, aux peaux de Hongrie, aux grains d'écarlate, aux vins de Gascogne qui chargeaient des radeaux appontés, aux fers et aux draps d'Angleterre, il prit sa part en soie des Cyclades : il s'y ferait coudre de nouvelles cottes, comme naguère à Kokkinokhoria.

Il était maintenant bien installé à la cour de Beauvais, parmi les familiers de l'évêque. Il ne portait plus cet air de défi et d'ennui qui avait été le sien si longtemps, comme si rien dans le monde n'eût été à sa mesure. Il avait perdu son hâle et beaucoup de son mystère. Il était l'aimable et très vaillant sire de Verberoi, le meilleur du Beauvaisis en tournoi, aimé des chevaliers comme de leurs dames pour sa bravoure et pour sa courtoisie.

Il pensait parfois à Rambaud de Vaqueras, son ami troubadour de Venise et de Constantinople, mort dans un défilé de grès rouge, l'épée au poing parmi les Bulgares du roi Johannitsa. Il pensait aussi à sa sœur, si à l'étroit sur le causse, entre son benêt d'époux, ses tonneliers et ses filles. Rambaud et Aélis restaient ses deux repères, en même temps que ses faire-valoir : l'un était mort, et l'autre aurait pu tout aussi bien être cloîtrée, pour ce qu'elle avait de plaisir et de parage. C'est en les considérant qu'il mesurait son chemin.

Qu'auraient-ils dit, l'un et l'autre, de le voir ainsi installé à la tête du fief important de Verberoi et de sa forteresse ? Auraient-ils pu s'imaginer des forêts pareillement giboyeuses ? de tels tournois ? et ces campagnes dont les récits étaient faits au roi avant la fin du jour ?

Plusieurs fois il avait fallu faire pièce à Renaud de Dammartin ou à son double Hugues de Boves qui venaient rançonner les terres du roi de France. Dans ces escarmouches, Guillou s'était suffisamment illustré pour que le comte lui-même, au moment de se retirer, lui lance un défi particulier pour une autre fois : c'était le plus bel hommage que le rude seigneur pouvait lui faire, et personne à Beauvais ne s'y trompa. Depuis, il ne cessait de s'exercer durement : le jour où le comte et lui seraient face à face, il saurait saisir sa chance.

Il ne retournait au château que pour toucher ses revenus, porter ses prises de guerre; ou encore quand quelque tournoi ou quelque affaire d'amour l'avait un peu meurtri. Dame Yolande, sa femme, était toujours là, paisible, discrète, aimante, ne l'encombrant jamais malgré cette habitude qu'elle avait, la nuit, quand il couchait près d'elle, d'allumer une lampe et de le regarder dormir.

La dernière fois qu'il l'avait vue, c'était pour la Chandeleur. Elle lui avait alors dit qu'elle croyait être grosse. Il s'était étonné : à son âge! Depuis, avec toutes ces campagnes, il n'avait plus de nouvelles. Il croirait à l'enfant quand il le verrait.

Il pensait parfois à cette jeune servante de sa femme, qu'il avait prise pour les fêtes de la Noël – comment la nommait-on? Il revoyait bien son visage, se rappelait la finesse de sa peau et son ventre d'oiseau, mais son nom... L'avait-il d'ailleurs jamais su? Elle disait gravement, la jolie sotte, qu'elle voulait l'ensorceler afin qu'il reste à Verberoi... Dans sa prochaine part de butin, il prendrait des bracelets et des bijoux, pour dame Yolande et pour la servante au ventre lisse.

Baudouin de Nieuport traversa la Manche, le 24 mai, dans une méchante barque. Débarqué en pleine nuit, il gagna Douvres et fut reçu au matin par le roi Jean : il venait, de la part de Ferrand de Flandre, implorer la protection et le renfort des Anglais contre Philippe Auguste. Jean ne demandait pas mieux; il désigna Renaud de Dammartin et Guillaume Longue-Epée pour commander l'armée de secours qu'il envoyait en Flandre.

Deux jours et deux nuits, les bateaux restèrent englués dans la bonace. Enfin, la flotte approcha Damme, assaillit et captura aussitôt les quatre cents nefs mouillées ou échouées hors du port sans que les défenseurs, occupés à piller à l'intérieur des terres, eussent même la possibilité d'intervenir. Dans le port lui-même, les Anglais détroussèrent et brûlèrent une centaine de navires avant de regagner la haute mer en traînant des chaloupes de butin.

Cela ne suffisait pas à Renaud de Dammartin. Il voulait enlever Damme et en finir avec la flotte française. Il débarqua à nouveau avec Guillaume Longue-Epée, et Ferrand vint les rejoindre. Ils montèrent leurs chevaux et allèrent vers les murs de la ville. Des défenseurs français surgirent alors, des arbalétriers, puis des chevaliers montés.

Renaud et Ferrand, trop peu nombreux, tournèrent bride, mais ils n'avaient déjà plus le temps de tirer les canots à la mer qui s'était retirée. Les Français les rejoignirent, et le combat s'engagea dans les premières vagues. Sous l'assaut de plusieurs fantassins, Renaud perdit son heaume célèbre, aux fanons de baleine, tenta de sauter dans une chaloupe, mais finalement fut pris. Guillou était là, avec quelques chevaliers du Beauvaisis et des barons du duc de Bretagne. Ils n'eurent pas besoin de se concerter pour décider que Renaud de Dammartin ne devait pas être exposé à une colère excessive du roi de France. Ils le dépouillèrent de tout ce qui pouvait le faire reconnaître, le déguisèrent en routier et le firent s'échapper juste avant l'arrivée de Philippe qui ne trouva que le cheval, l'écu, le haubert noir et le heaume du comte de Boulogne. Guillou était heureux : avant de disparaître, Renaud lui avait gaiement dit merci – « Et n'oubliez pas notre rendez-vous ! »

Sur la mer, ne restaient que les carcasses des quatre cents bateaux incendiés par les Anglais. Le regard de Philippe paraissait plus mat encore que d'habitude. Toujours à cheval, le roi était immobile, d'un calme à faire peur, blême.

« J'ai dans la main, dit-il enfin, soixante otages de la ville de Bruges, et soixante de la ville d'Ypres. Ces deux cités paieront donc ce qui est détruit de notre flotte ! »

D'avoir parlé déclencha dans le bas de son visage une crispation d'enfant sur le point de pleurer. Tout le monde était sensible à la violence qu'il s'imposait. Aucun de ses conseillers ne se hasarda à intervenir.

« Les Anglais tiennent la mer ? Ils menacent mes

vaisseaux ? Fort bien ! Qu'on les brûle ! Les bourgeois de Flandre m'en indemniseront ! »

Et devant lui, on mit le feu aux centaines de nefs françaises, de naves, de barques qui restaient ancrées, intactes, dans le port de Damme.

Puis Philippe repartit pour Gand, dont les bourgeois cette fois ouvrirent les portes sans même discuter : on voyait, vers la mer, l'embrasement du ciel. Courtrai fit sa soumission, puis Lille après trois jours de siège...

Le roi repartit vers Paris, sa chère capitale. À peine avait-il tourné le dos que Lille s'ouvrit à Ferrand. Philippe était à Vincennes quand il l'apprit. Il n'avait pas encore eu le temps de dépouiller sa colère froide de Damme. Il se remit en route aussitôt, seulement accompagné de la chevalerie qu'il entretenait en permanence sous les bannières, peu nombreuse mais aguerrie. Par-delà les forêts et les marécages, il surprit Lille à l'est, pénétra la cité avant même que les défenseurs fussent aux remparts. Il donna alors l'ordre de tout brûler, de tout raser, d'abattre murs et tours, de combler les fossés :

« Qu'on ne puisse plus y habiter », répétait-il.

Ceux qui le pouvaient s'échappaient des maisons en flammes. Un peu au hasard, les chevaliers de France tuaient des hommes et des femmes, en laissaient courir d'autres, en capturaient qui seraient vendus comme serfs à qui voudrait les acheter.

Philippe Auguste revint à nouveau à Paris. L'hiver, il le savait, permettrait à Jean sans Terre, à Ferrand de Flandre, à l'empereur Othon, de combiner leur coalition pour l'été prochain. Renaud de Dammartin courait déjà la Flandre, la Lorraine, l'Allemagne, portant les exhortations et les sterlings de l'Anglais, attisant les ressentiments contre la France et son roi.

Au printemps, les ennemis de Philippe étaient si sûrs de leur nombre et de leur force qu'ils se réunirent à Maestricht pour préparer leur grande attaque de l'été. Leur tactique établie, ils se partagèrent la France.

Jean sans Terre recouvrerait ses provinces perdues : Normandie, Touraine, Anjou, Maine, Poitou. Othon se paierait sur l'Est du domaine royal. Renaud aurait Péronne et tout le Vermandois; à Guillaume Longue-Epée, le demi-frère de Jean sans Terre, reviendrait le comté de Dreux; à Hugues de Boves, l'homme de confiance de Renaud de Dammartin, le Beauvaisis de l'évêque à la massue. Quant à Ferrand, le comte de Flandre, il gardait un tel souvenir des filles et des jongleurs de Paris qu'il ne désirait rien d'autre que la seigneurie de la ville : il se ferait proclamer comte de Paris.

QUATRIÈME PARTIE

AU BOUT DU CHEMIN

(1214)

I

MONTJOIE

Les jours effacent les jours. A la sortie de cet hiver-là, Guilhem et Géralda descendent à Villafranca pour rencontrer un certain Gabriel Maisonobe, dont on leur a parlé comme tenant la grande auberge et prêtant parfois de l'argent à ceux d'Aurillac. C'est un gros homme à l'air endormi, qui s'adresse de préférence à Géralda, sa payse. Il décide assez vite de les aider à s'installer et les accompagne lui-même jusqu'au col du Poyo, avec deux mulets, chargés l'un de farine et de sel, l'autre d'huile et de vin. En plus des remboursements, dont les échéances sont soigneusement fixées, Guilhem et Géralda devront lui laisser la moitié de leur bénéfice des deux premières années.

Au début, ils n'ont guère à vendre aux pèlerins qu'omelette, pain et vin – le vin, à la mode de l'endroit, on le transporte dans une peau de bouc cousue, et on le tire de l'une des pattes arrière, qui fait office de cannelle. Mais ils offrent une halte là où il n'y avait que le désert, de l'eau vive pour les chevaux, pour les hommes de l'ombre, un abri et une flambée.

A une demi-journée, en contrebas, se trouve un village, Padornelo, dont les habitants les ont acceptés sans trop de réserves, pas mécontents peut-être de voir s'installer des Francs aussi pauvres qu'eux, plutôt que de ces moines avides de tout posséder et de tout régenter. Ce sont des paysans silencieux et têtus, amicaux une fois passé la porte de la méfiance, tristes et violents quand ils ont bu un peu trop de cidre ou de vin.

Son pays, dit Géralda, ressemble à celui-ci : même âpreté, mêmes lointains désolés gris et verts, mêmes bruyères, mêmes genêts parmi les rochers de granit. C'est vrai qu'elle y paraît à l'aise. Avec son acharnement à travailler, son entêtement à faire de l'argent, avec plus de projets que de rêves, on comprendrait qu'elle soit coupée de tout, comme beaucoup d'avares et d'ambitieux. Mais non, c'est même le contraire. Il lui reste assez de vie pour rire, pour avoir peur, pour demander de belles histoires. Elle parle à ses poules et à ses cochons, ce qui est normal après tout, mais aussi à la source voisine, à un gros chêne rouvre, à des cailloux qu'elle trouve encore le temps de ramasser et de frotter dans ses paumes. Elle est venue au monde pour faire partie du monde.

Mais son ami véritable, c'est le feu. A La Fève, déjà, elle ne voulait jamais le laisser s'éteindre. Elle lui offrait le premier bouquet d'après la neige, ou l'entame du premier pain de chaque fournée. Maintenant, comme elle l'a vu faire à Padornelo, elle y met parfois un peu de graisse de porc. La flamme aussitôt monte et grésille : « *El fuego se alegra !* », dit-elle alors comme les femmes d'ici, « le feu est content ! ». Elle défend qu'on y jette des coquilles d'œuf : « Pourquoi ne lui donnerions-nous que ce dont nous ne voulons pas pour nous ? » Chaque soir, au moment de dormir, elle va le caper, c'est-à-dire le couvrir de cendres pour qu'il ne meure pas dans la nuit. Et le matin, avant tout, avant même sa prière, elle le réveille.

Elle s'est ainsi construit une forteresse de gestes, de manigances compliquées pour conjurer ce malheur qu'attendent toujours plus ou moins les femmes heureuses. La nuit, quand appelle le chamanieu, le chathuant, elle s'accroche à Guilhem. Elle dit qu'on ne peut rien contre le chamanieu, et s'en inquiète plus que des difficultés de leur existence.

Ils ont maintenant un valet, monté de Padornelo pour les aider à construire et qui est revenu, contre le gîte et le couvert, travailler avec eux. C'est un bon ouvrier, dur à la fatigue, mais qui tient le monde en abomination. Il commence ses rares phrases par « *Cago*, je chie... » Son rêve est de pouvoir conduire un jour deux bœufs et un chariot, deux beaux bœufs de Galice, aux cornes en lyre. Mais il ne les attellera pas, comme on fait maintenant en Castille, de ces jougs de front qui leur donnent plus de force. Ces énormes charrois qui défoncent les chemins, lui, il chie dessus. Et même s'il n'y a aucune chance qu'il possède un jour quoi que ce soit qui ressemble à une paire de bœufs de Galice, il restera fidèle au collier d'épaule et au chariot étroit comme on a toujours fait ici. Géralda l'a surnommé Cago.

Il a construit un grenier de pierre près de la maison, avec des pilotis pour tenir hors d'atteinte des rats et des chiens les réserves de vivres, et une croix pour les protéger des hommes. Ils ont abandonné l'idée de faire pousser leur propre chanvre et se sont mis au lin, comme c'est l'habitude dans la région. Géralda est allée jusqu'à un bourg nommé Linarès, voir comment se font le rouissage, le brisage, le teillage, le peignage. Le travail ne manque pas, et il ne se passe pas de jours que des pèlerins demandent à manger et à coucher. Ils s'étonnent toujours en baissant la voix, qu'on puisse vivre dans cette désolation. La construction d'un dortoir est prévue pour l'automne. Il ne manque rien, en fait, au Poyo, l'amour pas plus que l'ouvrage. Ni, pour l'heure et Dieu merci, le pain.

Les jours effacent les jours. Une fin d'après-midi, Guilhem tire en travers d'un champ labouré par Cago une grossière herse de bois. C'est un travail pénible, avec pourtant sa récompense à chaque demi-tour, quand on voit que ce qui est fait croît à mesure que décroît ce qui reste à faire. A ses pieds nus, Guilhem éprouve la différence entre les mottes serrées et la terre légère, presque poudreuse, aérée – peignée pour tout dire – qu'il laisse à son deuxième passage.

Il voit Géralda descendre le sentier. Elle ne dit rien, mais son visage porte déjà le signe du malheur. Elle a noué sur ses cheveux un carré de tissu rouge, comme les Galiciennes. Guilhem s'arrête. Derrière Géralda, sur la butte, se profile soudain un cavalier à contre-jour, noir dans le soleil. Tout à fait extraordinairement, l'idée lui vient que c'est son fils, ce Guillou inconnu dont Espérandieu lui a appris qu'il courait l'aventure en France. Guilhem met la main en écran devant son front. Il distingue le manteau blanc, la croix vermeille : un Templier.

Guilhem défait son harnais et monte sans un mot, Géralda silencieuse sur les talons. Le Templier est un jeune chevalier blond au regard tranquille, avec une fossette au menton. Il dévisage attentivement Guilhem puis descend de cheval :

« Beau sire, dit-il, je vous reconnais. Vous êtes le chevalier Guilhem d'Encausse. »

Un sergent et un écuyer se tiennent à ses côtés, sur leurs gardes. Tous trois sont irréprochables dans leur maintien comme dans leur tenue, malgré la chaleur et la poussière du chemin.

Sous leur regard, Guilhem, pour la première fois depuis bien longtemps, prend conscience de ce qu'il est devenu : un paysan aux pieds nus, à la barbe grise, qui s'attelle comme un bœuf à une herse.

Pourtant, il se sent détaché, insouciant, au-delà de toutes les atteintes, encore pour un instant au creux de son cocon de temps immobile :

« Je crois bien, dit-il, que je vous avais oublié. »

Il ne sait pas trop si c'est à ce chevalier qu'il s'adresse, ou à son passé, ou encore au monde qui va.

Jean sans Terre, l'empereur Othon, Ferrand de Flandre et Renaud de Dammartin – « le camp des excommuniés », comme dit Philippe Auguste – ont fini de fourbir leurs armes. Leur tactique est simple : prendre la France en tenailles, Jean débarquant à La Rochelle, remontant vers le Poitou et les pays de Loire, tandis que Renaud, Ferrand et Othon déferleront depuis la Flandre, à la tête de la plus formidable armée qu'un roi de France ait jamais eu à affronter.

Jean s'est présenté à La Rochelle en avril. Le 11 juin, il franchit la Loire à Ancenis. Le 17, il se présente devant Angers, que les Français lui abandonnent. Philippe Auguste envoie au-devant de lui, sous le commandement de son fils Louis et du connétable Henri Clément, une armée de trois cents chevaliers, deux mille sergents à cheval, sept mille à pied et quatre mille soldats. Depuis Chinon, Louis demande à son père la permission de hasarder la bataille.

Le chevalier du Temple Thibaut de Montrouge a fait dresser sa tente près de la source. Le sergent et l'écuyer se sont occupés des chevaux, ont tout disposé selon les prescriptions de la Règle, et Guilhem reconnaît même le fumet des soupes et des fricots – chaque armée a son odeur.

Pour éviter la proximité de Géralda, Thibaut préfère ne pas entrer dans l'auberge. Ils se tiennent, Guilhem et lui, devant le potager, Guilhem assis sur le muret et adossé à la maison, Thibaut debout et qui marche de long en large, ses éperons tintant à chaque pas.

Il raconte à Guilhem comment lui est échue la mission de le retrouver, comment, en Forêt d'Orient, à Coulommiers, dans les archives de l'Ordre, il a suivi sa piste, comment il est arrivé à Sainte-Eulalie, à Roquelongue, à Saint-Véran, puis à Conques six mois trop tard, comment alors il a par chance déniché à Gavarnie le témoignage du lépreux.

Guilhem se tait. Il laisse la pluie lente des mots couler sur sa vieille peau de sanglier. Il lui semble que s'il se laisse rattraper par un seul de ces noms-là, il ne pourra plus s'en défaire. Tout cela est si loin, et il l'a si bien oublié. Pourtant, il revoit le lépreux à genoux dans la neige bleue des montagnes :

« Raoul d'Ibos », dit-il à mi-voix.

Thibaut de Montrouge s'interrompt, regarde ce vieil homme comme s'il venait de lui faire une blessure. Peut-être voudrait-il dire une amitié, mais il ne sait pas, et déjà Guilhem a tourné la tête vers l'océan figé des vallées et des crêtes. Le Templier explique maintenant que les révélations de Raoul d'Ibos ont poussé le trésorier de l'Ordre et le commandeur de la maison de Paris à poursuivre l'enquête entre la Forêt d'Orient et Coulommiers où, pensaient-ils, d'autres documents avaient été cachés. Ils ont fini par retrouver dans la maçonnerie de Coulommiers un sac de cuir contenant ce qu'ils cherchaient.

« Ils ont alors compris pourquoi vous aviez cru devoir tuer le moine romain, et pourquoi vous aviez laissé le chapitre de Provins vous condamner... Ils m'ont demandé de vous joindre... Je suis parti avec joie : je n'aime pas abandonner une piste... A Sainte-Eulalie du Larzac, le commandeur m'a signalé le retour à Roquelongue d'un homme et d'un enfant... Vous savez de qui je parle... »

Le soir s'approche lentement.

« Espérandieu et Tristan », répond Guilhem.

C'est au moins une bonne nouvelle de les savoir arrivés.

« Cet Espérandieu était votre écuyer », dit Thibaut de Montrouge.

Il s'étonne encore que ce pauvre, devant lui, ait pu être chevalier du Temple, avec un écuyer.

« Quand je lui ai demandé s'il vous avait retrouvé, il m'a répondu que seules les rivières et les femmes empêchent les hommes d'arriver où ils veulent... Il s'est décidé à me dire où vous étiez en pensant que vous alliez retourner à Roquelongue.

– Et vous, pourquoi me cherchez-vous ?

– Beau sire, grâce à vous, le Temple connaît mieux ses ennemis et pourra mieux s'en défendre. Je suis chargé de vous apprendre que votre procès a été rejugé, et que vous êtes autorisé à reprendre le manteau blanc des chevaliers. »

A Saint-Véran, sire Bernard a quitté ses habits de deuil et ordonné qu'on prépare une fête pour la Saint-Jean. Ce sera la première fois depuis deux ans que sont parties Audilenz et Faïs.

Aélis et les servantes tresseront des couronnes et des guirlandes, on allumera un grand feu dans la cour du château, à l'abri du vent. On mettra des moutons à rôtir, on invitera les seigneurs de la vallée et du Causse Noir, on ira chercher à Rodez ou à Montpellier des harpéors et des troubadours.

La fête, c'est pour sa femme que sire Bernard la veut. Il n'a pas encore compris que ces fêtes-là n'intéressent plus Aélis. Depuis qu'elle est rentrée de Marseille, elle est comme absente. La petite Raimonda, très brune, très vive, ne ressemble pas à Audilenz. Pourtant, Aélis les confond toujours.

A Marseille, elle a proposé à Mélina de prendre un bateau et de repartir pour son pays. Mais Mélina n'a pas voulu. Son frère l'intéresse plus que son pays, et elle garde l'espoir que sire Guillou et lui reviendront à Roquelongue.

Guilhem et Géralda, parallèles sur leur lit, sans un geste, sans un mot – mais chacun sait que l'autre ne dort pas.

Guilhem se demande comment vieillira cette femme qu'il va quitter. Il lui paraît très important de savoir si les joues s'empâteront ou se creuseront. Elle va se durcir, pense-t-il, se refermer. Quand, à vingt ans, on a déjà perdu deux hommes, on devient méfiante. Sa belle bouche va se resserrer sur des rancœurs, elle n'aura plus de rires ni de baisers.

Il n'a aucun scrupule à partir. Il comprend qu'elle ne s'est trouvée sur son chemin que pour l'empêcher d'arriver à son but. Oh! il ne lui en veut certainement pas. Il n'est pas le premier, Dieu sait, à succomber sans même comprendre qu'il succombe : David le très habile, et Salomon le très sage, et Samson le très fort se sont laissé prendre par des femmes, et Loth, et Adam en personne, né de la main même de Dieu. Rien d'autre sans doute que ce plaisir n'aurait ainsi pu le retenir, le combler à ce point, étouffer en lui tous les autres désirs. Il n'a pas connu avant Géralda cette gratitude des corps éblouis qui ne valent plus que l'un par l'autre, qui sont l'un à l'autre ce qu'est l'eau à la soif et le pain à la faim.

Dans la tiédeur de juin, Guilhem et Géralda regardent au mur noir le carré bleu de la nuit. Géralda est tendue à se briser. Il ne lui a pas encore dit qu'il va partir, mais elle le sait déjà. Elle l'a su à l'instant où le Templier est arrivé, si grand, si clair, si glorieux sur son cheval à la robe luisante – une image éclatante du malheur. Les hommes comme Guilhem n'échappent pas à leur passé. Ils ont couru dans tant de directions, appelé à tant d'échos qu'un jour vient où il leur faut tenir quelque promesse oubliée. C'est le deuxième homme qu'on lui prend. Il lui restera l'ami-feu, et le gros rouvre, près de la source.

Pour une fois, le chamanieu n'appelle pas. C'est vrai qu'il peut se taire, maintenant, l'oiseau de malheur, puisque le malheur est là.

« Tu crois, demande Tristan à Espérandieu, que le chevalier du Temple a retrouvé sire Guilhem ?

– Je crois que ce Templier-là, avec ses grands airs, arrive toujours à son but.

– Tu veux dire qu'il l'a trouvé ?

– Je ne veux rien dire du tout.

– Tu crois que sire Guilhem va quitter Géralda ? Il va peut-être revenir. »

Thibaut de Montrouge et Guilhem sont debout l'un en face de l'autre.

« Je vous sais gré, dit Guilhem, d'avoir fait tout ce chemin, mais je ne repartirai pas avec vous. »

Thibaut de Montrouge regarde sans le comprendre cet homme usé, vêtu de braies[27] et d'une vieille cotte de toile, comme les paysans de Galice. Voilà donc celui qu'il a suivi tant de mois, qu'il a peu à peu reconstruit, imaginé, l'ancien chevalier du Temple Guilhem d'Encausse, l'ami du Grand-Maître Gilbert Erail, l'homme qui a fait son malheur pour respecter sa parole.

« Beau sire », dit-il...

Il s'aperçoit qu'il n'a pas de prise sur cet homme-là.

« Beau sire, dit-il quand même, vous avez servi en Terre sainte... Jérusalem...

– Jérusalem, répète Guilhem.

– Ne pensez-vous pas que votre salut commande que vous y aspiriez à nouveau ?

– Mon salut ! »

Thibaut de Montrouge reçoit comme un soufflet l'écho amer de sa question. Il voulait parler de Jérusalem parce qu'il lui paraissait que c'était là ce qu'ils avaient en commun, ce vagabond et lui. Il se raidit. Il sait traquer les hommes et les reprendre, pas les aimer.

« D'être chevalier de l'Ordre, dit-il, m'impose des devoirs, vous ne l'ignorez pas. Je dois donc vous mettre en garde contre votre orgueil, qui vous pousse à oublier Dieu.

– Si j'oublie Dieu, répond Guilhem, que Dieu m'oublie... Pardonnez-moi, mais mon chemin, c'est celui-ci... »

Il désigne, vers l'Occident, l'horizon vert sombre de la pleine Galice, là-bas vers Compostelle.

Il partira comme il est, sans bourdon, sans besace, pieds nus, sans même un morceau de pain.

Philippe Auguste a donné l'ordre à son fils Louis d'attaquer et de chasser Jean sans Terre. Lui-même, à la tête de son armée, prend la route des Flandres.

Louis de France, de Chinon, a défié le roi d'Angleterre selon l'usage. « Si tu viens, lui a fait répondre Jean, tu nous trouveras prêts à combattre. Et plus vite tu viendras, plus vite tu te repentiras d'être venu. »

Géralda est restée sur le seuil. « Patz! Bon viatge! a-t-elle dit à mi-voix, Paix! Bon voyage! » Guilhem ne l'a pas approchée.

« Demain, dit-elle encore comme si c'était très important, demain, il faudra cueillir les herbes de la Saint-Jean. »

Elle retient un sanglot sec. Cette femme-là, dirait-on, ne pleurera plus jamais.

Guilhem s'est éloigné sur le chemin.

« Thibaut de Montrouge, dit maintenant Géralda, va-t'en. Tout Templier que tu sois, je ne te crains pas. Regarde ce que tu as fait! Et qui va le soigner quand sa tête éclatera? Et qui va le nourrir? Et qui lui fera l'amour? »

Thibaut de Montrouge se signe et se détourne. Il se sent exactement comme ce jour, à Saint-Véran, où les enfants lui ont jeté des pierres.

Guilhem avance, lent, lourd et triste. Il se dit que s'il s'arrête, il ne repartira pas. Il se dit que s'il se retourne, il va se mettre à courir en arrière. Mais il ne s'arrête pas, ni ne se détourne.

Sur son chemin, l'avait prévenu l'abbé de Conques, il trouverait sept épreuves. Il compte et recompte

cet hiver de patience, à Conques justement, alors qu'il voulait partir pour Saint-Jacques à l'instant même

ces jours de souffrance, à Saint-Jean-Pied-de-Port, après l'embuscade dans la montagne

cette guerre sans épée, à Tolosa, comme un vilain

cette réhabilitation du Temple, qui en réalité l'accable : il a perdu la moitié de sa vie

cet arrachement enfin de Géralda.

Cinq. Chacune de ces épreuves, il le comprend, le dépouille un peu plus, le laisse un peu plus nu, un peu plus seul. Et pour chacune de ces épreuves, il doit remercier Dieu.

Mon Dieu, donnez-moi la force de ne pas maudire. Mon Dieu, comment est-il possible, à mon âge et quand on a connu tout ce que j'ai connu, comment est-il possible d'être encore aussi douloureux ?

Cago a attrapé le chamanieu et le cloue en croix à la porte de l'auberge, comme Géralda lui a demandé de faire.

« Cago, dit-il entre ses dents, je chie sur la dernière vis qui tient encore le ciel ! »

Il regarde par en dessous cette femme qui n'est plus à personne.

Guilhem arrive le soir à Triacastela, près des grandes carrières de pierres blanches. Il se rend à l'église Saint-Jacques, où se retrouvent les pèlerins, pour demander un confesseur. Un jeune clerc plein de zèle, l'haleine fade, l'écoute en fermant les yeux.

« Je m'accuse, dit Guilhem, d'avoir interrompu mon voyage pour vivre avec une femme.

– Pour ton plaisir ?
– Oui, répond Guilhem.
– Homme de peu de foi ! s'écrie le curé. Tu ne sais donc pas que la femme est le déguisement préféré du Malin ? A chaque fois que tu l'as approchée, tu as fait saigner les cinq plaies de Jésus ! L'œuvre de chair est un péché mortel ! Alors, sur un chemin de pèlerinage ! Imagine la grandeur de ta faute et repens-toi... En pénitence, je t'ordonne de mendier le montant de douze maravédis pour le trésor de cette église. Tu offriras à Dieu chacun des jours qu'il te faudra. Alors seulement je te donnerai mon absolution...
– Mendier ? Je suis un chevalier ! » ne peut s'empêcher de protester Guilhem.
Le clerc le foudroie d'un regard terrible :
« Raison de plus ! Si cela ne te coûtait pas, cela ne vaudrait pas ! »
Guilhem retrouve la litière pouilleuse des hospices. Espérandieu et Tristan lui manquent. Il imagine un instant qu'il a rêvé, qu'il n'a jamais connu Géralda, qu'ils sont encore ensemble, Espérandieu, l'enfant Tristan et lui... Mais Géralda ne le quitte pas de la nuit.
Le matin, on lui donne une vieille robe de pèlerin. Il rôde dans la ville, observe les mendiants assis aux marches de l'église, tendant la main, gémissant, appelant.
Guilhem d'Encausse ne sait pas mendier, il n'ose pas, il ne peut pas. Si c'était pour manger, il irait bien frapper à une porte et demander du pain. Enfin, peut-être. Mais tendre la main, jusqu'à ce que quelqu'un y glisse une piécette...

La nuit de la Saint-Jean, tout le monde regarde le ciel.
En Galice, des feux ont été allumés sur toutes les collines et les flammes brillent dans les yeux des jeunes gens. On fait cette nuit-là presque autant de promesses qu'on voit d'étoiles.

A Saint-Véran, c'est la pleine fête. Sire Bernard est un peu ivre. Dans un coin d'ombre, un vieil harpéor en manteau bleu, maigre comme un chien de Castille, chante son amour à voix brisée; il dit que ce qu'on n'exalte pas n'existe pas.

Aélis regarde les étoiles et pense à tous les faux-semblants qui gouvernent la vie des gens. Il lui semble qu'elle ne sera plus jamais gaie. Mais l'était-elle? Elle était avide, surtout, des parures dont les femmes habillent le rire, étoffes précieuses, perles, fards, épices et vins, jeux d'amour.

Ce qui la retient de pleurer, ou de mourir, ou de se cloîtrer, c'est, au plus profond de sa chair, la certitude qu'Audilenz est vivante. Eh! elle sait bien, comme dit sire Bernard pour oublier, que ses filles auraient pu tomber dans les rochers, ou prendre le mal, ou attraper l'une ou l'autre de toutes ces morts qui guettent les enfants. Il faudrait bien alors se faire une raison, et continuer de vivre. Oui, mais justement, elles ne sont pas tombées dans les rochers, et n'ont pas pris les fièvres. Elles sont parties au bout du monde délivrer Jérusalem – se délivrer elles-mêmes peut-être bien.

« Mon père, pense Aélis, a passé sa vie à courir les chemins du péché et du salut. Voilà, à ce que raconte Espérandieu, qu'il vit maintenant avec une veuve dans la montagne, en attendant sa prochaine rédemption... Ma mère, ma mère est morte brûlée... Je ne suis pas certaine qu'elle ait choisi le plus difficile... Elle s'est jetée en criant dans les flammes, ou en priant, mais c'est bien la même chose, et sa socia lui donnait la main... Moi, je tiens à la fois de sire Guilhem et de dame Aveline. Je rêve comme elle rêvait, et je suis comme lui toujours prête à me mettre en chemin... Nous sommes des désirants, toujours pleins de manques et d'exigences... »

Le nuit de la Saint-Jean, tout le monde regarde le ciel.

Comment peut-on mendier? Ce curaillon, Guilhem voudrait bien le voir à sa place, aller s'installer sur les marches de l'église et pleurer avec les autres : « Pitié pour mon âme! Pour mon enfant malade! Pitié! » Peut-être, après tout, le pourrait-il. Mais cela passe les forces de Guilhem.

Pourtant, il lui est souvent arrivé de recevoir des charités de bord de route : des omelettes, des quignons, des pansements, sans parler du jour où tu t'es agenouillée devant moi, Géralda, pour laver la poussière de mes pieds. Mais je n'ai jamais rien demandé.

Toute la journée, il erre de l'hospice à l'église et de l'église à l'auberge, devant laquelle se tient une autre troupe de mendiants : les pèlerins sont plus généreux, dit-on, quand ils ont bien mangé. Certains de ceux qui gémissent font véritablement pitié, les mutilés surtout, les aveugles aux yeux arrachés, avec cet air de douleur qui leur reste et ces mouches qui les accablent, ou les mères qui portent un enfant dans leurs bras. « Donnez! disent les malins, donnez, brave gens! Qui donne aux pauvres donne à Dieu, et voyez comme je suis pauvre! » D'autres : « Toi, là, qui passes, pourquoi ne t'occupes-tu pas de ton salut? C'est maintenant que tu peux le gagner en faisant des aumônes. Voilà pourquoi Dieu, à ce moment même où tu m'entends, Dieu m'a mis sur ton chemin. » Mais la plupart sont incapables de discours et d'habiletés. Ce sont des abandonnés, des contrefaits, des rebuts d'hommes — maudits dirait-on. Comment Dieu permet-il une horreur si banale qu'elle est dans l'ordre des choses?

A l'heure où l'on distribue aux pauvres la soupe du soir, Guilhem ne se présente pas à l'hospice. Il lui semble qu'il n'y a pas droit. A la nuit, il reste dehors. Par chance, il fait beau et chaud. Géralda le hante. Pour lui échapper, il se mêle à un groupe de pèlerins de Bourgogne, les uns allant, les autres revenant, qui échangent des nouvelles, jouent deux à deux au carré-marré sur les larges dalles des remparts : le ciel donne assez de clarté pour qu'ils alignent leurs cailloux, trois blancs et trois noirs. Ils parlent de la croisade de Simon de Montfort, où certains ont fait leur quarantaine.

Guilhem apprend ainsi qu'une grande bataille a opposé sous Muret l'armée du pape à celle de Toulouse renforcée par Pierre d'Aragon, venu défendre ses vassaux de Foix, de Comminges et de Béarn. Enfermé dans Muret, Simon de Montfort, malgré son infériorité, a encore vaincu. Il feint d'aller à droite, feint d'aller à gauche, surgit là où on ne l'attend pas et vient donner comme un bélier dans les troupes d'Aragon. Le roi Pierre a échangé ses armes et sa cotte avec l'un des siens pour n'être pas reconnu. Mais les chevaliers français découvrent le stratagème : « Ce n'est pas le roi, il est meilleur chevalier ! » crie l'un d'eux. Pierre d'Aragon a entendu : « Le roi, crie-t-il à son tour, le voici ! » Il n'en dira pas plus. Il est frappé à mort[28]. Son armée se débande. Une fois de plus, Simon de Montfort reste maître du champ de bataille. Les Bourguignons disent que c'est maintenant pour longtemps. On salue la mémoire de Pierre d'Aragon : un roi qui meurt au combat, quel que soit son camp, mérite qu'on l'honore. Un qu'on honore moins, c'est ce Raimon de Toulouse. Les Bourguignons prétendent qu'il se fait suivre en permanence par deux Revêtus cathares, pour recevoir le consolement à l'heure de sa mort.

Ils disent encore qu'ils n'ont guère aimé faire cette croisade. L'un d'eux était à Lavaur, et a vu un bûcher de quatre cents hérétiques. Un autre passait à Moissac, en pèlerin, quand les troupes françaises y sont arrivées, menées par Simon de Montfort en personne. La ville leur a livré les trois cents routiers de Toulouse qui devaient la défendre : les Français les ont tous massacrés, puis ils ont pillé l'abbaye et ravagé l'église – « et c'était pourtant bien une église de Dieu ! ». Guilhem regarde celui qui parle. Il faudra qu'il lui demande s'il n'y avait pas, sous le porche, un grand homme sombre

qui déclamait la Vision et se délectait de l'horreur.
On parle longtemps des Cathares dans la nuit qui s'avance. Vers Burgos, rapporte un Bourguignon, on a trouvé un hérétique déguisé en pèlerin. Il essayait de convertir ceux qui allaient à Compostelle, disant qu'ils n'y gagneraient qu'une illusion de salut, que le tombeau de l'apôtre n'était qu'une facétie des papes, qui eux-mêmes étaient des masques de Satan. Dans la nuit, on se signa à grands froissements d'étoffe.

« Et comment l'a-t-on démasqué ?

– Il refusait de manger de la viande... Il sera brûlé... »

La conversation tourne peu à peu, comme le ciel, dirait-on. On cherche si la croix a été pour le Fils de Dieu une honte ou un triomphe.

Guilhem ne dit mot. En a-t-il connu de ces discussions sous les étoiles ! Une flamme blanche lui brûle l'intérieur de la tête. Géralda, de ses seules mains, savait lui rafraîchir les tempes. Tout le ramène à Géralda. Demain, il mendiera.

Ce Jean sans Terre est un bouffon. Quand les troupes de Louis de France – prince courageux mais pâle et frêle – se présentent devant La Roche-au-Moine, le roi d'Angleterre saute dans une barque et met aussitôt entre le danger et lui la largeur de la Loire. Il ne s'arrêtera pas avant La Rochelle.

Son armée s'égaille aussitôt, des échelles entières se jettent dans un faux gué, se perdent, se noient.

Très tôt le matin, Guilhem est allé à l'église et s'est étendu de tout son long sur les dalles froides, les bras en croix. Il y a plus de dix jours qu'il est à Triacastela. Il ose maintenant s'asseoir parmi les mendiants aux marches de l'église, homme-misère comme les autres, même si ses plaies ne se voient pas. Dix jours qu'il n'a presque rien mangé. A force de présence, il a reçu plusieurs piécettes, mais elles ne lui font pas encore, toutes ensemble, et dans quelque ordre qu'on les compte, deux maravédis, alors qu'il lui en faut douze. Ce matin, il est venu chez Dieu, parler un peu.

« Sire Dieu, dit-il, il faudra me pardonner, mais je ne vais pas continuer à mendier ainsi. Le curé voulait que je m'humilie, eh bien, je me suis humilié, et plus encore puisque je n'ai même pas accompli ma pénitence... J'ai laissé ici, sur les marches de ton église, ma fierté et mon honneur... Mon père m'a fait chevalier, et j'ai juré ce jour-là de ne jamais déchoir. Je ne savais pas qu'il me faudrait être indigne dans cette vie pour faire mon salut dans l'autre...

« Quand je suis parmi les mendiants, sire Dieu, je me rappelle la parole de ton fils : « Partout où vous serez « deux, je serai parmi vous. » Pourquoi m'échoit-il de te chercher parmi ces culs-de-jatte, ces purulents, ces infâmes ? Quelque chose en moi se révolte, Dieu Tout-Puissant, même si je vois bien que c'est là la sixième épreuve de mon chemin.

« Je veux bien tout souffrir, la misère, l'humiliation, la persécution, l'infirmité, le dénuement, la soif, la faim, j'accepte tout, puisqu'il semble que ce soit là notre destin... Mais je ne veux plus avoir à me battre avec ces pitoyables pour une place sur les marches, ou pour leur disputer les piécettes de cuivre qu'on nous jette à la volée, comme du grain aux poules... Dites, beau sire Dieu, je vois assez de clercs qui vivent avec des femmes, et même des évêques, et cela ne les gêne pas pour dire la messe... Est-ce qu'ils mendient, eux ?

« Je demande pitié pour mon âme, mais je vais continuer ma route sans donner ses maravédis au curé... Je voulais seulement te dire que la force qui me pousse ne dépend pas de moi... C'est elle qui m'a toujours mis en chemin et, jusqu'à ce jour, pour mon honneur et pour ta gloire... C'est elle qui m'a naguère jeté dans les prisons de Jérusalem ou de Provins, c'est elle qui m'a fait combattre les païens et les hérétiques, c'est elle aussi qui m'a fait quitter Géralda... Sans doute faut-il que tout s'accomplisse, à chacun selon son destin... Amen. »

Il se relève, glacé. Au moment de sortir, il va encore jusqu'à l'autel de la Vierge. « Marie, dit-il, j'aurais bien aimé pour une fois ne rien avoir à demander, mais je voudrais tant que tu prennes Géralda dans ta protection... Intercède pour elle auprès de ton Fils, rappelle-lui qu'il a pardonné à Marie-Madeleine la pécheresse... Je voulais attendre d'être absous pour te parler de Géralda, mais maintenant je ne sais plus... »

Guilhem fait un signe de croix, passe le porche et cligne des yeux : le soleil s'est levé. Les mendiants et les mouches sont là et bourdonnent. La place où il était hier est occupée par un enfant aux yeux chassieux. Il se penche vers lui; « Suis-moi! » dit-il. L'enfant craint un piège, mais la faim est la plus forte. Guilhem l'entraîne derrière l'église, à l'abri des regards, et lui remet tout l'argent qu'il a reçu :

« Tiens, dit-il, cache-le bien, qu'on ne te le vole pas.

– Dieu vous bénisse! répète l'enfant, Dieu vous bénisse! »

Ah! quelle délivrance! Il quitte cette ville qu'il n'aime pas. Comme tous les pèlerins, il passe à la carrière, où on lui remet une pierre qu'il doit porter à Castañeda, à trois ou quatre jours de là, où on en fait de la chaux pour la cathédrale de Compostelle. Comme il n'a qu'une main et qu'il est très maigre, on ne le charge pas trop.

Il n'aura plus honte, maintenant, de demander la passade.

L'ost royal de France trace vers la Flandre sa route éclatante.

A l'avant, la cavalerie légère, rudes sergents de toutes les guerres, haches, masses d'armes, arbalètes, cottes de cuir luisant, chapeaux de fer éparpillant la lumière de juillet.

Puis, à pied, les milliers d'hommes des communes, chacune autour de sa bannière et toutes ensemble sous l'oriflamme de saint Denis, de soie rouge frangée de vert, comme pour dire qu'en allant défendre chacun sa cité, les bourgeois et les sergents des milices vont aussi défendre le droit de leur roi.

Puis, chaque comté derrière son comte, chaque duché derrière son duc, la chevalerie de France, dans ses plus belles armes, dans ses cottes les plus chatoyantes. Au pas des grands chevaux, c'est une forêt mouvante de couleurs et d'éclats de métal, comme si, pour être les plus forts, il fallait être les plus beaux.

Puis, dans sa tunique de soie bleue aux fleurs de lys flottant sur son haubert étincelant, le roi, parmi ses conseillers et les meilleures épées du royaume, Guillaume des Barres, Galon de Montigny, Gérard la Truie, Pierre Mauvoisin, Enguerrand de Coucy. Ceux-là, tout le monde connaît leurs noms, leurs heaumes et leur légende.

Puis les chariots de vivres et de bagages, et les valets, les filles, les ribauds. Cela n'en finit pas.

Dans le flamboiement des étendards aux couleurs violentes, dans le cliquetis des armes, dans l'innombrable piétinement des hommes et des chevaux, dans le grondement des essieux, parmi les chants de marche et les appels, s'avançant en portant son éclat, son tapage et sa poussière, cette armée paraît à la fois gaie et grave. C'est que, du roi au dernier des pique-chiens, s'y partage une volonté, forgée au fil des ans et qui trouve aujourd'hui sa meilleure expression : l'impatience de combattre justement, avec la certitude d'avoir le bon droit pour soi.

Comme s'il en fallait une preuve, l'ost arrive à Péronne quand des chevaucheurs la rejoignent : sur la Loire, disent-ils, le prince Louis a mis en déroute l'armée de Jean sans Terre.

« Ne t'inquiète pas, Isaut, les hommes ne sont jamais plus heureux qu'à la guerre. Donne-leur une bannière et une épée, et tu ne les revois que quand ils ont besoin de se faire panser ou admirer... Comment je sais qu'il n'arrivera rien de mauvais à sire Guillou ? Je le sais, voilà tout... Et peut-être même va-t-il pouvoir rencontrer enfin son Renaud de Dammartin !... Comme il le fait rêver, celui-là, avec sa tenue de deuil et son chapeau de pêcheur !

« Isaut, approche-toi, mon oiseau doux, laisse-moi toucher ton ventre... Tu sens comme il bouge ? On voit bien que c'est un garçon... Il fait déjà la guerre... La Taupe n'a pas menti, c'est vrai que j'ai payé ses charmes assez cher... Nous l'appellerons Guillaume, veux-tu ?

« Il va être temps que nous partions chez ma sœur, toi et moi. J'aurais bien voulu qu'il naisse à Verberoi, mais si cette guerre tourne court, sire Guillou va rentrer trop vite... Nous le ferons là-bas, et je reviendrai avec lui... Tu verras ce que je te dis : sire Guillou ne s'étonnera pas... Les hommes ne comprennent rien au ventre des femmes, et elles peuvent bien leur raconter ce qu'elles veulent... Je lui dirai : « Voici votre fils ! » et il fera des yeux tout ronds, c'est à peine s'il osera le toucher... Mais tu verras comme il sera fier !... Non, il ne s'étonnera de rien... Trop vieille ? Pourquoi fais-tu la méchante ? Non, je ne suis pas trop vieille. Quand je suis née, ma mère était bien plus âgée que je ne le suis aujourd'hui...

« Alors, sire Guillou pourra bien partir aussi loin qu'il voudra, et aussi longtemps, et les femmes pourront bien le regarder autant qu'elles voudront, et le toucher, moi j'aurai son fils, la chair de sa chair, et ce sera comme s'il était lui-même ici... Tu comprends, Isaut, il ne m'échappera plus... Je pourrai l'aimer tout mon soûl...

« Toi, tu feras ce que tu voudras, mais peut-être vaudrait-il mieux, mon oiseau doux, que tu restes chez ma sœur. Si je lui demande, elle te prendra à son service... Et Rémi aussi, si vous voulez encore l'un de l'autre... »

Il pleut. Guilhem glisse et tombe dans la boue, s'abandonne à la lente pluie marine qui lave sa fatigue. C'est une pluie grise et tiède au cœur de l'été, traversée de puissantes odeurs d'arbre et de terre. Tout en montées et en descentes, le chemin est pénible.

En deux jours, c'est à peine si Guilhem a fait cinq lieues — à Sarria, on lui a dit qu'il trouverait Puertomarin à cinq lieues, de longues lieues d'Espagne, c'est vrai, mais il y arrive seulement. Cette pierre blanche l'accable. Il ne sait qui a inventé cette coutume-là pour fournir de la chaux à Compostelle, mais vraiment, on ne pouvait pas imaginer mieux pour faire éprouver aux pèlerins le poids de leurs péchés.

C'est une pluie silencieuse, aussi, et qui donne envie de dormir.

« Il va bien falloir que je me remette en route, pense Guilhem, si je veux arriver pour les fêtes de saint Jacques. Je vais laisser passer ceux-là et j'essaierai de les suivre. Il n'y a plus qu'à descendre vers le fleuve. » Il regarde les pèlerins ruser avec leur pierre, certains la portent à l'épaule, d'autres dans les bras, certains même sur la tête. Mais ils ont tous le même air de douleur.

Soudain, alors qu'ils arrivent près de lui, l'un d'eux laisse tomber son fardeau, il n'en peut plus. Tous alors s'arrêtent, posent leur pierre devant eux, se mettent à genoux dans la boue. « *Confiteor,* commencent-ils, *deo omnipotenti, beatae Mariae semper Virgini, beato Michaelangeli archangelo, beato Johanni Baptistae, sanctis apostolis Petro et Paulo, omnibus sanctis...* »

Guilhem voit les gouttes d'eau qui ruissellent des chapeaux, qui coulent des sourcils et des barbes. Sans y penser, il mêle sa voix aux voix. Il n'a pas dit la prière depuis longtemps, mais les mots lui sont fidèles. Quand il ne saura plus rien, il saura encore ces mots-là. « *Quia peccavi cogitatione, verbo et opere...* » Au Temple, la Règle prévoyait un temps pour laisser à chacun le loisir de chercher ses péchés en lui, ses péchés par pensée, par parole, par action... Mais ici, il n'y a pas à chercher : le bloc de pierre est là, devant chacun, et il n'a pas fini de briser les bras et les épaules, d'échapper aux mains raidies. « *Mea culpa, mea culpa, mea maxima culpa...* »

Les pèlerins déjà se remettent debout, chargeant leur pierre avec des ahans et des plaintes. Guilhem aussi se relève. Comme à chaque effort maintenant, un orage blanc lui éclate dans la tête.

Ceux qu'ils croisent, revenant de Saint-Jacques bardés de coquilles, leur laissent le chemin, leur souhaitent bonne chance et bonne pénitence. « *Buon sacrificio !* » disent les Espagnols.

« Mon Dieu, dit Guilhem, donnez-moi la force d'arriver à Compostelle. »

Il n'y avait vraiment aucune raison que Thibaut de Montrouge, revenant d'Espagne, passe par Roquelongue pour regagner Paris. Il l'a pourtant fait, et le voici qui longe la Dourbie, qui arrive au gué de Gardies. Il est à la fourche du chemin et ne sait pas encore s'il va passer la rivière et monter vers ce château aigu, là-haut, qui tremble dans l'air surchauffé. Il reconnaît l'endroit où il a campé, non loin des tombeaux jumeaux. Au dernier moment, il garde le chemin de Millau. Il n'a rien à faire à Roquelongue.

Le chevalier du Temple Thibaut de Montrouge, pour la première fois de sa vie, connaît la morsure de l'incertitude. Il ne comprend pas ce qu'il attendait de ce détour. Encore, s'il avait échoué dans sa mission... Mais on lui a demandé de retrouver le chevalier d'Encausse et il l'a retrouvé. Il l'a même sans doute sauvé, en l'arrachant à cette femme... Non, ce qui arrive est vraiment inexplicable, tient à la fois à ce paysage brûlé, aux exigences terribles des enfants de Saint-Véran, l'autre fois, et au singulier destin de Guilhem d'Encausse : Roquelongue et Jérusalem se sont mystérieusement liées en lui, et sans doute à jamais.

Depuis la salle du château, où c'est l'heure de prendre le frais, Tristan regarde le chemin – c'est une habitude, depuis qu'Espérandieu et lui sont rentrés de Compostelle. Il attend qu'il fasse moins chaud pour aller aux truites. C'est son dernier été de liberté. À l'automne, il partira pour Saint-Véran, où sire Bernard le prendra à son service. Tristan n'aime pas trop ce châtelain capricieux, mais, entre la volonté de sire Guilhem et le souvenir d'Audilenz, il sera, Tristan le fidèle, à son exacte place. Et plus tard, quand il aura été adoubé, le baron de Roquefeuil a dit qu'il pourrait bien lui attribuer Roquelongue en fief.

Sous la chaleur écrasante de juillet, tout ce qui bouge attire l'œil du guetteur.

« Espérandieu, appelle Tristan à mi-voix. Regarde, trois cavaliers sur le chemin... On dirait les Templiers de l'autre fois, tu sais, ceux qui cherchaient sire Guilhem. »

Espérandieu lève à peine les paupières :

« On ne réveille pas un ami, dit-il, pour lui raconter ses rêves. »

L'ennemi vient de Valenciennes. Entre les marais, les bois et les rivières, les deux armées s'observent, se défient, s'évitent encore, comme deux grands lutteurs qui affermissent leurs pieds dans le sable avant de s'empoigner.

Les Français sont de part et d'autre d'un pont étroit, près du village de Bouvines. « En position défavorable », courent rapporter des éclaireurs à Othon, qui fait avancer ses troupes. L'empereur est assez sûr de lui pour ordonner qu'on tue vite le roi de France.

Matin, soleil lourd.

Philippe s'arrête dans l'ombre d'un arbre. Son conseiller, Guérin l'Hospitalier, est avec lui, entouré de ses espions et de ses agents de liaison. On apporte au roi une trempine dans une jatte d'or – du vin frais qu'on verse sur des morceaux de pain. Un messager survient au galop, saute de cheval : l'arrière-garde est aux prises avec les troupes d'Othon. C'est bien d'un excommunié d'attaquer un dimanche.

Tandis que Guérin donne des ordres, le roi de France finit sa trempine et se fait habiller : gambeson épais, haubert, cotte de soie bleue, capuchon de mailles, heaume soigneusement lacé, gants. Philippe n'est pas un roi de guerre. On ne l'a jamais vu prendre plaisir à la bataille et même, à Acre, il en a mal supporté le fracas. La guerre n'est pour lui que la pire des politiques, le plus mauvais moyen de faire prévaloir son droit. Pourtant, cette fois, on le voit tranquille et résolu. Il sait autour de lui les pairs de France, barons et évêques, tous vaillants et tous loyaux, unis dans l'adversité, menant sous leurs bannières leurs meilleurs chevaliers. Avec les communiers, avec les ribauds eux-mêmes qu'il a su s'attacher, cette armée immense est comme sa maisnie, sa mouvance, et cette guerre une affaire de famille dont il est, après trente ans de règne, la volonté. Au moment où tout va se jouer, il se sent absolument sûr d'eux tous, et de son bon droit.

Du pas pesant des hommes en armes, il entre dans la petite église de Bouvines, accompagné de Guillaume, son chapelain. « Seigneur, dit-il à voix haute, je ne suis qu'un homme, mais je suis roi de France. Gardez-moi, et vous ferez bien, car par moi vous ne perdrez rien. »

Il sort. Galops, poussière. L'armée se range sous ses bannières. On aide le roi à enfourcher son destrier, dont le caparaçon est doublé d'un drap bleu criblé de fleurs de lis.

Les pèlerins ne manquent pas la messe du dimanche. Celle-ci, Guilhem l'entend à Castañeda. Il lui a fallu beaucoup de courage pour arriver ici. Il a trop peu mangé depuis qu'il a quitté Géralda, et il souffre presque continuellement de ses maux de tête. Il a enfin lâché sa pierre aux fours à chaux, mais n'en a éprouvé qu'un soulagement passager. Son corps est toujours aussi lourd, à moins que ça ne soit son cœur.

Il ne sera pas à Compostelle pour les fêtes de la Saint-Jacques. Elles sont passées depuis deux jours déjà. Il a bien essayé de suivre le groupe des pèlerins au confiteor, mais ils couraient comme des brebis vers le sel. Et puis le chemin est encombré de tous les racoleurs d'auberge qui bousculent les pauvres pour rabattre le client. Guilhem a mis plusieurs jours pour passer Ligonde, où un paysan lui a fait l'aumône d'un coup de *tinto* au fond d'une étable boueuse qui était peut-être sa maison. Mellid, Boente, où il a prié Notre-Dame de Rocamadour, une vieille amie. Rocamadour, il y est monté une fois à genoux, il y a très longtemps. Un ami là-bas lui avait longuement parlé de ses noyers. Qui plante des noyers, dit-on, n'en mangera pas les noix.

Guilhem écoute la messe mais ne la suit pas. Au prêche, le curé a cité saint Augustin à ces pèlerins exténués : « Il vaut mieux un boiteux sur le chemin qu'un coureur hors du chemin. » Sans doute, pense Guilhem, mais mieux vaudrait encore un coureur sur le chemin. Il est si amer et si triste qu'il voudrait dormir, comme les disciples à Gethsémani. Dieu, se dit-il, crée l'homme, le tient par la main, le conduit, le guide à travers les tempêtes, le soutient, et soudain l'abandonne, le laisse à son effroi. Comment est-ce possible ?

Les deux armées sont en ligne. Philippe, parmi ses chevaliers et derrière ses communiers, fait face à l'empereur Othon; sur son aile droite, les Champenois et les Bourguignons, face à Ferrand et à ses Flamands; sur sa gauche, les frères comtes de Dreux et de Beauvais, face à Renaud de Dammartin; puis Saint-Valéry face à Hugues de Boves; enfin, à son extrême gauche, près du pont – à tout hasard élargi par Guérin – le comte de Ponthieu face aux Anglais de Guillaume Longue-Epée.

La première attaque est française : cent cinquante sergents à cheval, qui se ruent sur les chevaliers flamands; ceux-ci ne les considèrent pas dignes d'eux et se contentent de les démonter en baissant leurs longues lances. Escarmouches. Othon ordonne une décharge d'arbalètes vers les communiers qui protègent Philippe, fait suivre par la masse de son infanterie. Sur l'aile droite, des chevaliers de Flandre et de Champagne s'affrontent en combats singuliers – un Français réussit un bel égorgement. Déferlements, ivresse des couleurs et des clameurs.

Guillaume des Barres, la meilleure épée de France, contourne la foule des piétons allemands pour s'en prendre à Othon, en cuirasse dorée, qui se bat à la hache.

Soudain, un ressac laisse Philippe seul, cerné par les piétons allemands qui cherchent à le harponner. Du haut de leurs grands chevaux, dans leur cotte de métal souple, les chevaliers sont peu vulnérables, et les hommes de pied doivent les faire tomber avant de pouvoir les tuer. L'un des Allemands engage son crochet d'hast entre le capuchon de mailles et le haubert, trouve une prise, tire, aidé aussitôt par d'autres. Philippe résiste. Son cheval trébuche, s'abat. Le roi de France roule au sol, sous la meute des routiers qui fouillent de leurs lames les mailles de l'armure.

Le chevalier Pierre Tristan se jette dans la mêlée, Galon de Montigny survient, brandit la bannière fleurdelisée, qu'on s'y rallie. Là-bas, Guillaume des Barres a déjà attrapé Othon par son heaume. Il entend qu'on l'appelle, lâche l'empereur, voit la bannière, fait volteface et se taille dans la piétaille une brèche où passerait un char à quatre roues. Philippe est sauvé, on lui avance un autre cheval. Les Allemands se dispersent. Le duc de Brabant, allié d'Othon mais à qui Philippe a donné sa fille, en profite pour s'enfuir à grand spectacle.

Les chevaliers français retournent à Othon. Pierre Mauvoisin prend à la bride le destrier de l'empereur, tandis que Gérard la Truie l'attaque à l'épée. Le cheval, un œil crevé par accident, s'emballe, tombe. Othon enfourche un autre destrier. Guillaume des Barres revient à son tour, attrape l'empereur à pleins bras, mais c'est à son propre cheval de s'effondrer, un poignard dans le ventre. Othon s'enfuit en cachant ses insignes.

« Nous ne verrons plus sa figure aujourd'hui ! » commente Philippe sous son heaume.

Devant le char vide de l'empereur, les chevaliers allemands Horstmar, Randerardt, Dortmund, Tecklenburg continuent de se battre. Des Barres, à pied, isolé, est sauvé par Thomas de Saint-Valéry, qui le prend en croupe.

La bataille est générale. Sur l'aile gauche, Guillaume Longue-Epée se rapproche peu à peu du pont pour tenter l'encerclement. Sur son chemin ne reste plus qu'une partie des troupes de Beauvais. Le rude évêque frémit d'aise et assure dans son poing le manche de sa masse redoutable. Les Anglais chargent. Philippe de Beauvais évite Longue-Epée et, d'un coup formidable, l'envoie bouler dans la poussière. Il continue de distribuer ses « bénédictions » jusqu'à ce que les Anglais se retirent. Beauvais abandonne ses prisonniers à Jean de Nivelle : « Vous direz que c'est vous ! » dit-il à ses hommes en montrant le grand abattis d'ennemis qu'il a fait.

Tumulte, chocs secs des épées et des lances qui se brisent, froissement de métal, claquement des étendards, hennissements, tourbillons. Guillaume le chapelain récite des psaumes aux côtés du roi de France :

« Comme la fumée s'évanouit, qu'ils s'évanouissent, comme la cire se fond devant le feu, qu'ainsi devant Dieu périssent les méchants... » Le cri de guerre et de ralliement des Français roule sous les bannières : « Montjoie! Saint-Denis! » Dans la presse, Etienne de Longchamps ne peut plus allonger son épée. C'est un géant. Il happe les ennemis à sa portée, les couche sur sa selle, les assomme à coups de poing ou les étouffe dans ses bras. Celui dont il est en train de broyer ainsi les côtes a encore le ressort de glisser sa lame sous le heaume du Français et de lui enfoncer dans l'œil jusqu'au cerveau. Tous deux meurent ensemble.

Othon enfui, Salisbury prisonnier, les Français poussent leur avantage. Restent Ferrand et ses Flamands, Hugues de Boves et Renaud de Dammartin. Pour Renaud, cette bataille est presque une affaire personnelle entre le roi de France et lui. Sa légende, sa force aux armes et son orgueil en font le combattant le plus redoutable de la coalition. Peu soucieux de ce qui se passe autour de lui, il a disposé son infanterie en cercle, à la manière d'une roue; ses sergents dressent vers l'extérieur leurs piques de dix pieds : plus longues que celles des Français, elles leur interdisent d'approcher. C'est sa forteresse vivante. Entre deux assauts, il s'y réfugie avec ses chevaliers. Puis, à son commandement, les sergents s'écartent et il se rue pour une nouvelle charge, jette le désarroi dans les troupes de Dreux et de Beauvais, trop peu nombreuses pour l'encercler. Tactique d'autant plus efficace que ses sorties sont imprévisibles et que personne ne tient à se trouver sur son passage.

Guillou s'est bien battu et a joyeusement taillé dans la piétaille anglaise de Guillaume Longue-Epée. Puis il s'est reposé un moment à l'écart de la mêlée. Maintenant, Pélonidas lui relace son heaume et lui met le pied à l'étrier. Son destrier, un fort cheval de Boulogne nommé Almanzor, est encore ferme sur ses jambes. Il rejoint la bannière de Beauvais.

C'est l'heure de Guillou. Il demande qu'on veuille bien le laisser affronter Renaud de Dammartin à sa prochaine sortie. Seul. Ses compagnons agréent, à la fois inquiets et ravis du spectacle promis. Guillou caresse l'encolure d'Almanzor. Il est sans crainte. Soudain, là-bas, Dammartin charge, mais de l'autre côté, vers la bannière de Dreux. Par chance, Guillou rattrape un de ces petits chevaliers qui courent toujours dans la poussière des autres :

« Je te rends ta liberté, lui dit-il, mais va dire à Renaud de ne pas oublier qu'il doit un défi au sire de Verberoi ! »

Une lueur incrédule aux yeux, le chevalier volte et s'en va : qui peut avoir l'idée de se mettre sur le chemin de Renaud de Dammartin sans y être obligé ?

Guillou attend. « Pour toi, Aélis, pense-t-il... Pour toi, Rambaud de Vaqueras, compagnon de conquêtes... Pour vous mon père que je ne connais pas et dont je porte la licorne d'or... Soyez fiers de moi !... »

Pour la sortie suivante de Renaud, la roue s'ouvre à nouveau de l'autre côté, vers les gens de Dreux. Guillou s'étonne : le comte de Boulogne trouverait-il indigne de l'affronter ? Non, c'était une feinte pour détourner l'attention. Tandis que ses chevaliers donnent le change, voici que la roue s'ouvre encore, lâchant une masse noire au galop – cheval noir, haubert noir, heaume doré aux fanons de baleine, voici Renaud de Dammartin, comte de Boulogne, comme un orage sur la mer.

Guillou n'a que le temps de bien prendre l'axe et de pousser Almanzor. Une bouffée de joie sauvage le transporte, il crie, il hurle sa joie au vent de la puissante charge. Jamais encore il n'a vu débouler face à lui une pareille force à une telle vitesse. Et jamais il n'a été aussi heureux.

Guillou, à sa manière habituelle, attend le dernier moment pour croiser, c'est-à-dire qu'au lieu de présenter son écu à son adversaire et de se tourner sur la selle pour donner de l'épée, il va négliger sa défense pour mieux attaquer. Mais Renaud – l'a-t-il deviné ou veut-il l'intimider – fait de même, ou feint de faire de même, Guillou ne saura jamais. A plein galop, les chevaux s'évitent de justesse et les deux chevaliers se retrouvent écu contre écu, trop près l'un de l'autre pour se servir de leur épée brandie. Le choc des écus manque les jeter tous deux à bas, mais ils retrouvent leur assiette tandis que leur galop les emporte plus loin... Chacun s'en revient au petit trot dans son camp. Les amis de Beauvais ovationnent Guillou : avoir affronté le seigneur noir et être resté en selle est une victoire dont on parlera longtemps autour de Verberoi. Et le roi, disent-ils, a tout vu.

Renaud de Dammartin est le dernier à se battre. A sa gauche, les Français Hugues et Jean de Mareuil ont fait prisonnier Ferrand de Flandre, dont les communiers s'enfuient. Les quatre chevaliers allemands qui continuaient pour leur honneur de défendre le char – vide – de l'empereur en fuite, viennent de se laisser capturer, épuisés. Un Français saute sur le char, abat à coups de hache l'aigle et le dragon dorés, va les jeter aux pieds de Philippe. Même Hugues de Boves, l'ami, le voisin, le complice de Renaud s'est enfui à travers champs dans la débandade des vaincus. De tous, Renaud est le dernier à se battre, sombre et toujours droit contre le ciel où descend un grand soleil rouge, irréductible. Il donne encore l'ordre qu'on le laisse sortir, court cette fois au plus épais des troupes françaises, droit vers Philippe. Mais son cheval est fourbu, un sergent relève le caparaçon et l'éventre. Le cheval s'abat sur le flanc. Renaud, la cuisse prise, est aussitôt la proie des valets d'armes. L'un d'eux, pour le saigner, cherche de sa lame le passage entre le haubert et le capuchon de mailles, lui entaille la joue. Renaud se débat comme il peut. Le valet s'agenouille et entreprend de délacer le heaume. Passe Guérin l'Hospitalier. Renaud l'appelle, se rend à lui.

Philippe Auguste déjà expédie à Frédéric de Hohenstauffen les insignes brisés de son rival Othon, puis dépêche deux chevaucheurs, l'un à son fils, l'autre à l'université de Paris : « Louez Dieu, leur a-t-il fait écrire, nous venons d'échapper au plus grand danger qui nous puisse menacer. »

Guilhem laisse sa robe sur la berge et entre dans l'eau peu profonde du gué. Les pèlerins appellent l'endroit Lave-queue, ou Lave-couilles. C'est là que, rituellement, ils se lavent avant d'arriver à Compostelle, promise au bout de la journée. Ils récitent des psaumes qui parlent du Jourdain, s'interpellent gaiement, frottent avec du sable la poussière et la sueur des jours. Partent aussi au gré de l'eau les fatigues du voyage, les haltes incertaines, les peurs, les faims, abolies maintenant dans le moutonnement infini du Grand Chemin.

Quand ils se rhabillent, ils se font plus graves : c'est qu'ils sont purifiés. Ils se groupent et chantent des cantiques pour gagner Montjoie, une colline ainsi nommée parce que, d'en haut, on découvre dans le lointain les clochers de Saint-Jacques – et qu'on y crie sa joie. Le premier de chaque groupe arrivé à Montjoie est dit roi de son pèlerinage, et il pourra garder le titre toute sa vie, et même le transmettre à ses enfants.

Guilhem va seul. Il est exténué, mais d'autres le sont plus que lui et hier encore, devant Arzua, un pèlerin poitevin qu'il voulait aider est mort dans ses bras, à force des jeûnes et de fatigues.

Guilhem va seul, et c'est bien ainsi. Il se dit quand même que Quarèmentrant a dû passer par ici avec Colomba – jamais sans doute une chèvre n'aura franchi autant de rivières. Il lui semble qu'il va les rattraper, avec Frottard l'archer maudit, et l'aveugle, et peut-être même les Danois de Roncevaux, s'ils n'ont pas péri dans la tourmente de ce jour-là... Mon Dieu, Seigneur miséricordieux, prends pitié de tous ceux qui te cherchent en gémissant dans les tempêtes, les vivants comme les morts.

Il recommence à bruiner sur ce pays sombre où chantent les genêts. Le chemin se tord parmi les châtaigniers, visite toutes les sources, tous les grands chênes où pendent des étoffes de couleur, se charge entre creux et crêtes de tout le mystère de la terre.

Les vivants comme les morts. Chaque pas qu'il fait sonne en Guilhem comme un glas. Glas pour Aveline, ma Dame, que j'ai quittée pour te servir, Seigneur Dieu, et que tu as arrachée à ma vie... Glas pour sire Raymond mon père, et pour ma mère Ricarde, glas pour mon frère Milan, mort en Terre sainte, et saint par conséquent... Glas... Gilbert Erail le Grand-Maître du Temple, et Raoul le lépreux, et Jean des Douzes, et Roelof, et Ami-Loup, et le Juif du cachot de Jérusalem... Glas pour tous ceux dont j'ai oublié le nom ou perdu le visage, qu'ils me pardonnent... Glas pour Mal-Couronne, le pèlerin de la nave qui nous menait à Jérusalem... Vient un moment dans la vie des hommes où ils connaissent plus de morts que de vivants...

Guilhem va seul, et c'est bien ainsi, seul avec ses morts, seul avec dans sa tête ce glas à chaque pas, parmi des éclairs blancs.

Audilenz, enfant esclave parmi d'autres enfants esclaves, sert une famille riche d'Alexandrie. Elle est bien traitée et les autres servantes lui donnent même parfois des bonbons ou de l'eau de rose. Au début, on lui a demandé d'abjurer sa foi, mais elle a refusé et on n'en a jamais reparlé.

Quand la *Marie-Madeleine,* enfin, s'était immobilisée, les enfants depuis des semaines enfermés dans l'horreur de la cale avaient crié d'une seule voix, puis avaient chanté le *Veni Creator*, et encore une chanson de leur invention qui parlait de Jonas dans le ventre de la baleine.

Malades, maigres, sales, éperdus, ils avaient quitté en tremblant sur leurs jambes la nuit putride de la nave et s'étaient arrêtés, éblouis, au bord de la lumière : devant eux, une ville blanche sans châteaux ni clochers, avec des coupoles dorées, des tours étroites et des toits plats sous de grands arbres inconnus. La Terre sainte! Ils s'étaient jetés à terre pour embrasser la poussière du port. Ils confondaient tout et croyaient être à Jérusalem.

En réalité, ils venaient d'aborder à Alexandrie, où les deux armateurs de Marseille, Lefer et Leporc, les vendirent comme esclaves après les avoir fait laver, habiller et même parfumer. Depuis qu'il n'y avait plus de croisade, les esclaves francs étaient très recherchés. Un seigneur de Damas en acheta quelques centaines, les plus forts, avec les clercs et les pauvres tisseurs de Flandre. Audilenz avait été choisie pour le service d'une maison. Elle n'avait jamais revu aucun de ses compagnons, Etienne le berger, Clarœil, Elie Sahuquet, ni Jacques Porte-Bûches, qui lui avait donné la main tout le temps de l'effroyable traversée.

Elle n'est jamais sortie de la maison, et même, dans la maison, elle n'a jamais quitté la partie des femmes, immense et luxueuse, avec des jets d'eau, des tapis partout et même dans les allées du jardin, pour que la maîtresse puisse s'approcher des bordures de fleurs. Des fleurs, Audilenz n'en a jamais vu autant : des jacinthes, des anémones et des tulipes, des corbeilles de narcisses et d'œillets, de grands iris bleus. C'est bien sa seule consolation, en attendant le jour où Jésus renversera les païens et les faux chrétiens, le jour où il appellera les pauvres dans sa Jérusalem[29].

Sur la route d'entre Bouvines et Paris, Philippe

s'avance derrière l'oriflamme de saint Denis, tête nue, lentement, parmi le bonheur de tout un peuple. Volées de cloches, jonchées de feuilles et de fleurs, bouches ouvertes sur des vivats, sur des rires, foules, et les moissonneurs qui brandissent leurs faucilles comme pour dire que la moisson est bonne, et les moines en cortèges qui chantent la gloire de Dieu. Il y aura sept jours et sept nuits de fête dans tous les pays de France, car cette victoire, riche d'une singulière émotion, n'est pas une victoire comme les autres.

Il pleut sur Montjoie. « Dieu, dit Guilhem, Dieu du ciel qui révèles les mystères, qui changes les temps, qui transfères les royaumes, écoute-moi. Me voici en haut de ma dernière montagne, et j'attends que la pluie se lève pour voir les tours de Compostelle. Me voici au bout du chemin et pourtant, vois comme je suis triste.

« Je sais bien qu'il faut mourir avant de renaître et que ta lumière remplacera les ténèbres où nous nous débattons, mais quand je pense à ma vie, sire Dieu, dernier ami, des couteaux me traversent le cœur, et me blessent bien plus que ne le feraient des couteaux.

« Deux fois déjà, je me suis cru mort, une fois quand j'ai été chassé du Temple, et une fois quand ma Dame a brûlé sur le bûcher de Minerve... J'ai mon tombeau à Roquelongue, sous les noyers, et je suis mort deux fois. Je ne devrais plus rien craindre, et pourtant je souffre encore de ma vie comme d'une blessure. Je sais bien qu'il s'agit là de la septième épreuve et qu'il me faudra me résigner...

« Maintenant, je vais cesser de geindre. En attendant que la pluie se lève, accorde-moi de penser à autre chose, à des jours clairs... Richard Cœur de Lion, droit sur son destrier devant Acre, l'épée brandie, promettant deux besants à qui arracherait une pierre à la Tour Maudite... Et ces corbeilles de jonc tressé remplies de figues fraîches et de raisins noirs... C'était à Tyr, je crois... Je me demande si Gauché a conduit son chameau jusqu'à Coulommiers... Les hommes sont si étranges, avec les idées qui leur passent par la tête et leur pauvre vie de tous les jours...

« Qu'il est difficile, mon Dieu, de tromper la peur... Marie, étoile de la mer... Je sais bien que la mort est la fin des tourments, mais que j'ai de peine... Je vais attendre que la pluie se lève... »

Guilhem, Guilhem d'Encausse au bout du chemin, au bout de lui-même, une feuille morte dans le souffle de Dieu, un peu de temps et un peu de poussière dans l'océan des siècles – une vie.

ANNEXES

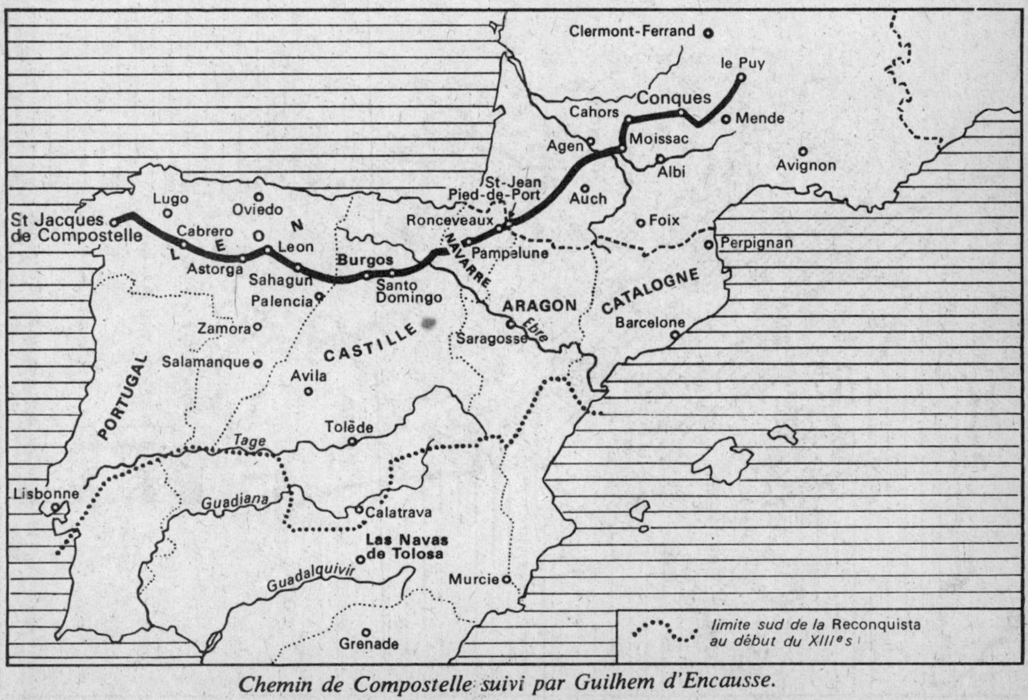

Chemin de Compostelle suivi par Guilhem d'Encausse.

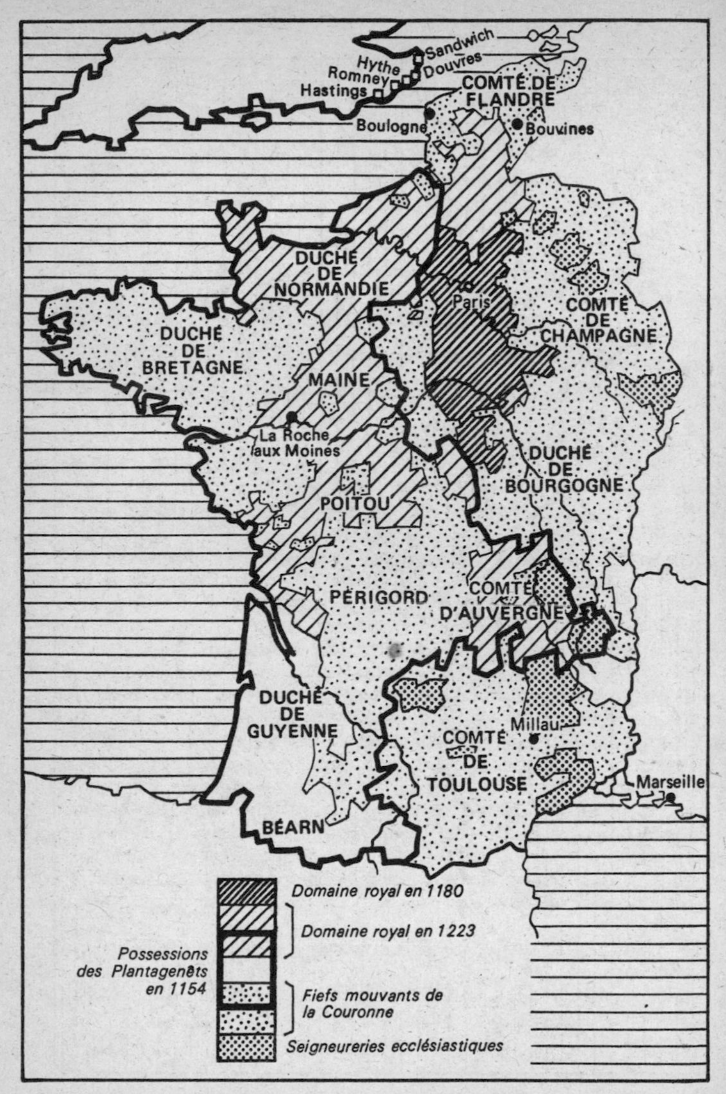

La France de Philippe Auguste.

NOTES HISTORIQUES

1. Cette quarantaine – quarante jours de service à l'armée – durée minimale nécessaire pour obtenir les indulgences de la croisade, est fixée par analogie avec celle que doivent les vassaux à leur suzerain.

A l'appel du roi, en effet, les barons rejoignent l'ost pour y servir quarante jours et quarante nuits à leurs frais. Mais, comme on le verra à Bouvines, ils ne sont pas tenus d'emmener tous les chevaliers de leurs fiefs, seulement ceux du *ban du roi.* Le roi peut, à ses frais, les maintenir sous les armes au-delà de quarante jours mais ils ne sont pas obligés d'accepter s'il s'agit d'un expédition hors du royaume.

Philippe Auguste est le premier souverain qui ait constitué, en dehors de l'ost convocable, une armée permanente toujours disponible de deux mille cinq cents hommes environ. Elle comprenait une petite compagnie de chevaliers exceptionnels, venus de toutes les parties du royaume, servant à la solde et constituant le corps armé de la maison royale. Ce sont eux qui sauveront la vie du roi à Bouvines. Guillaume des Barres, dont les faits d'armes jalonnent tout le règne, est la plus célèbre des épées de ce corps d'élite. Le roi entretient aussi des sergents à cheval, des arbalétriers à cheval et à pied, et des sergents à pied dont un groupe de *massiers* constituant sa garde personnelle.

Au début de son règne, Philippe a pris à solde des mercenaires étrangers, brabançons et allemands. Mais jugeant avec raison leur fidélité douteuse, il les remplace rapidement par trois cents routiers français aux ordres de Cadoc.

En temps de paix, l'armée permanente du roi tient garnison dans ses châteaux, notamment les places de la frontière de Normandie.

Les frais de ces troupes de métier sont, pour une bonne part, couverts par une taxe de remplacement acquittée par les abbayes, villes ou communes qui doivent un service en hommes et s'en rachètent au taux de trois livres par sergent, soit environ trois mois de solde.

2. Les cisterciens de saint Bernard ne portaient pas à proprement parler une robe blanche mais, en signe de pauvreté, des vêtements de laine non teinte. Au fur et à mesure des lavages, la laine blanchissait; d'où vient qu'on les appelait les *moines blancs*.

3. Capturé par un soldat, Ramon de Termes fut conduit à Simon de Montfort qui le fit enfermer dans une tour de Carcassonne. Ses fils Olivier et Bernard, devenus faidits, combattirent longtemps la croisade et ne se soumirent qu'en 1227, mais lorsqu'ils voulurent délivrer leur père prisonnier, ils ne trouvèrent qu'un squelette enchaîné au mur.

La seigneurie de Termes sera offerte après Muret (1213) à Alain de Roucy par Simon de Montfort. Alain de Roucy, vassal de la comtesse de Champagne, avait rejoint Montfort après la bataille de Castelnaudary. Renfort psychologiquement important car ce chevalier était avec Guillaume des Barres (ami de Philippe Auguste), Savari de Mauléon et Guillaume le Maréchal (proches de Jean sans Terre), l'un des hommes les plus réputés de France et d'Angleterre en tournoi. Il mourra en 1221 en défendantMontréal.

4. Le premier blason clairement fleurdelisé apparaît au moment du couronnement de Philippe Auguste en 1180. Mais il semble bien que ce lys soit plutôt un iris et que son origine comme emblème royal soit beaucoup plus ancienne (d'après H. Romagnesi et J. Weill).

Clovis, à la veille de la bataille de Vouillé contre les Wisigoths, était arrêté devant la Vienne. Une biche apeurée lui signala en traversant la rivière un gué commode. A cet endroit, la berge regorgeait d'iris de marais. Il en cueillit un comme porte-bonheur. Ayant obtenu la victoire, il regarda la fleur comme un symbole bénéfique et en fit confectionner en or et en velours pour décorer ses plus beaux ornements.

Louis VII, partant pour la croisade, choisit, dit-on, aussi une fleur d'iris pour la porter sur son casque.

Le lys de France est donc probablement un iris des marais (*iris pseudacorus*) dont on a redressé l'un des trois pétales pour des raisons décoratives. L'expression « fleur de lys » elle-même pourrait être une corruption de « fleur de lucé », c'est-à-dire « de Louis ».

Louis VII fit porter trois de ces fleurs sur son blason en l'honneur de la Sainte-Trinité et les armes de France furent ainsi arrêtées : « d'azur à 3 fleurdelys d'or posés 2 et 1 ».

5. Lorsqu'on étudie le déroulement des campagnes de Philippe Auguste en pays de Loire et en Poitou contre les Plantagenêts – successivement Henri II, Richard Cœur de Lion et Jean sans Terre – on est frappé par l'attitude des grands barons pratiquant une loyauté « alternative », à l'instar de certains vassaux des grands seigneurs du Midi. Lorsque Jean débarque à La Rochelle, par exemple, le vicomte de Limoges écrit très simplement à Philippe Auguste : « Je vous avais fait hommage pour la défense de mes terres, mais le roi Jean, mon seigneur naturel, s'est présenté dans mon fief avec de telles forces que je n'ai pu lui résister ni attendre vos secours. Je suis venu le trouver comme mon seigneur naturel et je lui ai juré d'être son homme lige. Je vous notifie ces choses pour que vous sachiez qu'à l'avenir il ne faut plus compter sur moi. » Geoffroy de Lusignan et son fils Hugues, comte de La Marche, que Jean avait gravement insultés en enlevant Isabelle d'Angoulême résistent un peu puis lui jurent fidélité parce qu'il promet sa fille Jeanne au fils aîné du comte.

Philippe Auguste n'a jamais été dupe de ces conversions suspectes. Un jour que Guillaume le Maréchal, choqué par les fréquents retournements des Poitevins, lui demandait pourquoi les traîtres, que jadis en France on brûlait, restaient maintenant seigneurs et maîtres, Philippe lui répondit : « C'est marchandage; il en est d'eux comme des torche-culs : on les jette après. »

6. La plus grande forêt d'Angleterre qui s'étendait depuis Nottingham jusqu'au centre du comté d'York était appelée par les Saxons *Sire-Wod* qui se déforma en Sherwood. Forêt redoutable aux Normands car elle abritait les derniers restes des bandes de Saxons armés vivant délibérément hors la loi.

« Parmi les déshérités, dit un chroniqueur, on remarquait alors le fameux brigand Robert Hode, que le bas peuple aime tant à fêter par des jeux et des comédies et dont l'histoire, chantée par les ménétriers, l'intéresse plus qu'aucune autre. » On ne sait rien de plus sur le personnage historique de Robin des Bois. Il est probable qu'il était l'un de ces irréductibles Saxons particulièrement aimés du peuple sous le gouvernement de Jean sans Terre.

La légende a suppléé l'histoire pour faire de Robin Hood l'une des figures les plus riches de la tradition britannique. Elle en a fait le défenseur des pauvres, réputé pour sa piété exceptionnelle, en même temps que par contraste, elle noircissait l'âme du shérif de Nottingham, son adversaire favori. Elle en a fait un fils de comte victime du roi Jean et dont la fille, séduite, a dû s'enfuir et accoucher dans un bois. Elle lui a donné des compagnons : Petit-Jean, que l'on retrouve aux côtés de Robin dans d'innombrables ballades, Mutch le fils du meunier, le vieux Scath Locke et frère Tuck, le moine en froc qui se bat au bâton. De vieux textes décrivent sa rencontre avec Richard Cœur de Lion rentrant de croisade et de captivité. Des mémorialistes témoignent qu'au XVe siècle, Robin des Bois avait sa fête comme les saints du calendrier et que c'était un jour de réjouissance dans les villages. Aux XVIIe et XVIIIe siècles encore, le récit de ses aventures faisait les choux gras des colporteurs, en attendant qu'Errol Flynn lui donne un visage.

7. « Les cinq ports » (en anglais actuel *cinque ports)* est une association de villes maritimes du sud-est de l'Angleterre jouissant d'un statut particulier depuis l'époque de la conquête de la Grande-Bretagne par les Normands. Elle comprenait, au XIIIe siècle, les villes de Hastings, Romney, Hythe, Douvres et Sandwich. En échange de privilèges importants, ces cinq villes fournissaient l'essentiel des navires et des équipages nécessaires aux entreprises du roi d'Angleterre. On trouve, par exemple, dans la section Kent, à l'article « Douvres » du *Domesday book* : « Les bourgeois, une fois par an, fournissaient au roi vingt navires et dans chaque navire vingt hommes. » Le gardien des cinq ports était alors une sorte de grand amiral de la flotte en même temps que le gouverneur du château de Douvres. Les deux titres, depuis des siècles, sont toujours conférés à la même personne mais restent distincts. La résidence de fonction, le château Walmer, est maintenue en activité. En

1941, le gardien des cinq ports était Winston Churchill, nommé par le roi George VI.

8. Située sur le chemin de Flandre en Italie du Nord ou des pays rhénans vers Paris, la Champagne occupe une position privilégiée en Europe occidentale qui explique pour partie le succès de ses foires. Mais la protection assurée très tôt aux marchands qui s'y rendent – en les plaçant sous le *conduit des foires* ou *sauf-conduit* – par les comtes de Champagne et par Philippe Auguste y est aussi pour beaucoup.

Quatre villes se partagent les six foires du plus grand marché financier et commercial d'Occident : Lagny (décembre-janvier), Bar-sur-Aube (pendant le Carême), Provins (en mai-juin dans la ville haute, et en septembre dans la ville basse) et Troyes (« foire chaude » en juin-juillet, « foire froide » en octobre-novembre).

Chacune dure environ un mois et demi. Elle s'ouvre par la période de la *montre*, une semaine réservée au montage des baraques, au déballage et à l'étalage des marchandises. Suivent trois périodes de vente spécialisées : la première réservée aux étoffes, la deuxième aux cuirs et fourrures, la troisième aux marchandises vendues au poids (épices, teintures, etc.). On passe des marchés, on tope, mais on ne règle rien : les engagements reposent sur la confiance réciproque. Une période finale de dix jours est réservée pour les paiements, c'est-à-dire la compensation et le règlement des soldes, formule qui économise le numéraire encore rare. Restent quatre jours de juridiction ouverte, sans doute pour régler d'éventuels litiges.

Des pays, des communes ouvrent des établissements permanents dans les villes de foire. De leur côté, les comtes de Champagne instituent des *gardes de foire* chargés de la police des opérations et ouvrent à l'intention des marchands malades l'Hôtel-Dieu de Provins.

Au début du XIIIe, les foires de Champagne sont encore en pleine expansion. Les guerres franco-flamandes de Philippe le Bel amorceront, un siècle plus tard, leur déclin rapide.

9. Il n'est pas question de saint Jacques en Espagne avant 813. Cette année-là, une vision révèle à un ermite de Galice nommé Pelage la présence du corps de l'Apôtre dans la région. L'évêque Théodemir fait fouiller une colline que désigne une étoile : on découvre un tombeau et des ossements bientôt iden-

tifiés comme les restes du compagnon du Christ et de deux de ses disciples. Dès lors tout ira très vite. On construit une première église, une petite ville se développe. La rumeur de miracles se répand et le sanctuaire s'enrichit de nouvelles reliques. Brûlées à la fin du Xe siècle par l'émir Al Mansour, église et cité renaissent aussitôt.

Soucieuse d'appuyer l'effort de reconquête de l'Espagne sur les Maures et de coloniser les terres libérées, l'Eglise favorise le pèlerinage. Cluny surtout, mais aussi Cîteaux, Fontevrault et la plupart des grandes abbayes d'Occident apportent leur concours. Les ordres du Temple, de l'Hôpital, de Saint-Jacques s'installent au long des routes et protègent les voyageurs de Dieu.

Au début du XIIIe, le pèlerinage à Compostelle (peut-être *campus stellae,* le champ de l'étoile) est à son apogée et l'on estime que deux cent à cinq cent mille jacquets, certaines années, parcourent le *camino francés* – les plus grands mouvements étant ceux des années jubilaires où la Saint-Jacques (25 juillet) tombe un dimanche.

Brutalement réduite par la grande peste et la longue période noire de la guerre de Cent Ans, la migration saisonnière vers Saint-Jacques marquera encore un recul au moment de la Réforme. Elle se maintiendra pourtant au XVIIIe en dépit des édits royaux qui instaurent restrictions et contrôles. Devenu rare au XIXe, le pèlerinage à Compostelle n'a jamais complètement disparu. En 1978, mille ans après les premiers jacquets nommément connus, quelques centaines de marcheurs ou de cavaliers ont encore parcouru le vieux chemin. Lors de l'année jubilaire 1965, le tourisme aidant, deux millions et demi de visiteurs se sont arrêtés à Saint-Jacques.

10. L'Apocalypse, qui signifie *révélation*, attribuée à saint Jean l'Evangéliste, constitue le dernier livre du Nouveau Testament. En sept visions, elle décrit l'avenir de la religion chrétienne, son triomphe final après le règne de l'Antéchrist. La richesse et la violence de ses images surhumaines – la petite et la grande mort, les sept sceaux, les sept trompettes, les sept coupes, la première résurrection, le millenium, la seconde résurrection, le Jugement dernier –, avec ce Christ à l'épée entre les dents, devaient « parler » aux hommes du Moyen Age : en attestent d'innombrables représentations sculptées (Le Puy, Moissac, Burgos, Compostelle), peintes en fresques (Gargilesse, León, etc.), en miniatures (Saint-Sever), tissées

(tapisseries d'Angers), gravées (Dürer), etc. On peut y voir, avec la victoire promise du bien sur le mal, « le rêve d'un âge d'or et d'un pays bienheureux où il n'y aurait plus de place pour la nuit et la malédiction » (Jean Delumeau); ou, selon D. H. Lawrence, pour qui l'auteur de cette mise en scène à grand spectacle ne peut être saint Jean, la revanche et l'autoglorification des pauvres, leur prise de pouvoir.

11. Le Guide du pèlerin est le dernier des cinq livres d'une compilation appelée *Liber Sancti Jacobi.* Le premier est une anthologie de pièces liturgiques, hymnes et sermons en l'honneur de l'apôtre; le deuxième, le recueil de ses miracles; le troisième raconte son martyre et la légende de la translation de ses reliques en Galice; le quatrième est une histoire légendaire de Charlemagne.

Le Guide, édité et traduit par J. Vielliard d'après les deux manuscrits les plus anciens (Compostelle et Ripoll), est attribué au moine poitevin Aymeri Picaud qui l'aurait écrit vers 1139. Il comporte onze chapitres traitant notamment des itinéraires, étapes, villes et bourgs traversés, de l'église et de la ville de Compostelle, des eaux bonnes et mauvaises et des caractéristiques des pays et des gens rencontrés.

12. La maison du Temple de Paris était chef d'ordre et placée à la tête d'une province avant de devenir la maison chèvetaine du couvent tout entier. Cela explique l'importance des constructions et de *l'enclos du Temple* de Paris dont il ne reste aujourd'hui aucune trace. Cet enclos recouvre le square du Temple actuel mais est beaucoup plus étendu. Des édifices qu'il contient, le plus célèbre, le donjon, doit être achevé ou sur le point de l'être au moment de Bouvines. Ce donjon qui servira d'ultime prison à la famille royale cinq siècles et demi plus tard est une forte tour rectangulaire flanquée de quatre tours rondes, le tout cerné par un fossé alimenté en eau par le ruisseau de Ménilmontant. A l'intérieur du donjon, on trouve tout ce qui est nécessaire à une longue défense éventuelle : des vivres et des armes, mais aussi un puits, un moulin, un four et une chapelle. L'église principale de l'enclos est, comme celle du Temple de Londres, en forme de rotonde à l'instar du Saint Sépulcre de Jérusalem.

Au sud de l'enclos, la *censive du Temple* s'étend jusqu'à l'intérieur du mur d'enceinte édifié sur l'ordre de Philippe

Auguste. A l'est, les terrains de pâture qui la prolongent — la couture du Temple — vont jusqu'au marais.

13. C'est par son testament de 1190, dicté avant son départ pour la croisade, que Philippe Auguste annonce sa décision de doter Paris d'un nouveau rempart englobant les développements récents de la ville sur les deux rives, des terrains vagues, des vignes et des champs.

Vingt ans plus tard, les nouvelles fortifications sont achevées et enserrent un Paris de 273 hectares. Le mur crénelé a deux mètres d'épaisseur et une dizaine de mètres de hauteur. Il est jalonné de tours à chaque changement de direction et tous les soixante mètres dans les segments rectilignes, ce qui correspond à une bonne sécurité de couverture par des archers ou arbalétriers. Des portes fortifiées s'ouvrent au passage des axes de circulation les plus utilisés : chemin de Chaillot en bord de Seine entre le Louvre et la Tour du Coin, route de Clichy (porte Saint-Honoré), route de Saint-Denis (à l'angle des rues Turbigo et Saint-Denis), route de Senlis (porte Saint-Martin), chemin du Temple (porte Barbette), chemin de l'est (porte Saint-Antoine) et sur la rive gauche : chemin de Saint-Victor, route de Sens (porte Saint-Marcel), route d'Orléans (porte Saint-Jacques, au niveau de la rue Soufflot), route de Dreux (porte Gibar), chemin de l'abbaye de Saint-Germain-des-Prés.

Le rempart de la rive gauche rejoint la Seine à la Tour Philippe Hamelin qui sera bientôt remplacée par la Tour de Nesle à l'endroit où s'élève aujourd'hui l'Institut. On peut encore voir (en 1979) des restes de l'enceinte de Philippe Auguste, notamment rue Clovis et rue des Jardins-Saint-Paul.

14. Le Paris du XIIIe ne comporte évidemment pas de tout-à-l'égout et, dans une large mesure, ce sont les porcs élevés en liberté, malgré les interdictions répétées, qui débarrassent les rues des ordures... comestibles. Les maisons des bourgeois sont de plus en plus souvent équipées de latrines, mais l'ensemble des déchets et immondices s'écoule vers des puisards ou vers la Seine, plus ou moins bien selon la fréquence des pluies et la pente des rues. Ce sont la puanteur et l'épaisseur de cette boue qui ont déterminé Philippe Auguste à entreprendre le pavage des deux grandes artères de la *croisée* de Paris : du nord au sud, la rue Saint-Denis, le Grand Pont, la traversée de la Cité, le Petit Pont et la rue Saint-Jacques; d'ouest en est,

du Louvre vers l'abbaye Saint-Antoine des Champs. Les dalles utilisées – retrouvées au cours de fouilles dans la rue Saint-Jacques – ont environ un mètre de côté et trente centimètres d'épaisseur. Ailleurs, l'écoulement par une rigole centrale a longtemps subsisté, exhalant des odeurs nauséabondes. On s'efforçait de marcher au plus près des maisons, sur le *haut du pavé* quand il fut posé. En rasant les murs, on avait quelque chance d'échapper à la boue du ruisseau, aux détritus jetés par les fenêtres et au déluge tombant des gouttières par temps de pluie. La politesse commandait au piéton de céder aux dames et aux personnes de qualité le *haut du pavé.*

15. Baudouin de Toulouse, frère de Raimon VI, né et élevé en France après la séparation de leur mère d'avec Raimon V, combattit d'abord aux côtés du comte de Toulouse. Mais en raison de rancœurs et de différends anciens, il prit le parti de la croisade contre son frère, à partir de mai 1211. La similitude des armes des deux barons combattant dans des camps opposés fut à l'origine de plusieurs méprises.

16. Dès les débuts du pèlerinage, les aubergistes se sont signalés par des abus ou de véritables escroqueries, provoquant au fil des siècles une série de réglementations destinées à protéger les jacquets. Entraînés presque de force par les aubergistes dans leurs établissements, les pèlerins étaient le plus souvent contraints de passer par leur intermédiaire et leurs conditions pour la nourriture des hommes et des montures, pour le change, pour la location d'une mule, etc. C'est pourquoi un certain Mansel, chapelain du roi d'Angleterre, obtint en 1254, d'Alphonse X roi de Castille qu'ils puissent partout acheter leurs vivres à l'extérieur et les apporter pour les faire cuire à l'auberge. L'usage s'est perpétué au point de prendre le sens figuratif de l'expression d'aujourd'hui : dans les *auberges espagnoles*, on ne saurait trouver que ce qu'on y apporte.

17. L'intervention miraculeuse de saint Jacques à un moment décisif de la bataille de Clavijo (844) lui valut aussitôt le surnom de *Matamoros,* littéralement le *tueur de Maures* (de *matar,* tuer). L'iconographie s'en empara et fit du saint pèlerin un chevalier taillant au cœur de la mêlée un chemin de victoire aux armées chrétiennes de la Reconquista. C'est ainsi que le bon saint de Compostelle est devenu aussi le patron militaire

de l'Espagne et l'intercesseur favori des conquistadors dans les Amériques (Santiago du Chili).

L'acception péjorative de *matamore* est née au XVIe siècle avec un personnage burlesque de la comédie espagnole, analogue au *capitan* de la commedia dell'arte. C'est un fanfaron qui se vante à tout propos d'exploits guerriers imaginaires contre les Maures.

18. L'histoire authentique de Rodrigo Diaz de Vivar, dit le Cid, est moins brillante que celle, légendaire, entretenue dans nos mémoires par la pièce de Corneille. Chevalier de bonne noblesse castillane, ambitieux et brutal, le Cid combattait surtout pour son compte et s'engagea alternativement aux côtés des chrétiens et des Maures. Son surnom vient d'ailleurs de l'arabe *sidi*, seigneur. Bien qu'il ait servi le roi de Castille contre son frère le roi de León, ce dernier lui donna en mariage une parente nommée Chimène avant de le disgracier. Son bouillant mari s'étant emparé de Valence et ayant réussi à s'y maintenir jusqu'à sa mort (1094), Chimène résista à son tour huit ans de plus. Très vite oublieuse de ses trahisons, la tradition fit du Cid le champion (*campeador*) de la Reconquista.

19. Au XIIe siècle, la coiffure la plus fréquente des femmes consistait en une double tresse ramenée sur le devant. Au XIIIe, elle se transforme : les jeunes filles portent encore les cheveux flottants sur les épaules mais les femmes mariées commencent à cacher les leurs. C'est que ceux-ci sont considérés comme instrument de séduction par excellence. La sirène tentatrice sera d'ailleurs représentée le plus souvent en train de se peigner. Les guides de bons usages indiquent aussi et pour la même raison qu'il est fort malséant « de soy pignier devant les gens ».

Le couvre-chef le plus répandu est une bande d'étoffe qui passe sur le crâne et sous le menton, surmontée d'un touret empesé épinglé au tissu.

La pratique religieuse juive, le commandement coranique, l'obligation pour les chrétiennes dans les églises, l'habit des religieuses, tout entretient l'ancestrale et permanente conviction que la femme doit dissimuler ses cheveux.

20. Les chaînes qui liaient les esclaves devant la tente et protégeaient la personne de l'émir furent brisées par les hom-

mes de Sanche de Navarre. En souvenir de ce fait d'armes, on décida d'en faire les armes du royaume, qui sont « de gueules, aux chaînes d'or mises en orle, en sautoir et en croix ». Pendant longtemps, les pèlerins qui se rendaient à Rome purent voir quelques-unes de ces chaînes accrochées à la voûte de la basilique en souvenir de la grande victoire des chrétiens.

21. *Le jugement de Dieu,* obtenu par l'intermédiaire d'une *épreuve*, fut largement en usage en Europe occidentale aux IXe, Xe et XIe siècles. Il se raréfia ensuite sous l'influence de l'Eglise (notamment par les voix de Célestin III et d'Innocent III) et avait presque totalement disparu au XIVe.

On distinguait notamment le *serment*, le *duel*, les *ordalies.*

Pour le serment, l'usage le plus ordinaire consistait à jurer sur un tombeau, sur des reliques, sur l'autel ou sur l'Evangile ouvert au *te igitur*. Un tel serment valait preuve.

Le duel ou combat judiciaire était souvent la conséquence logique d'une épreuve par serment à l'issue de laquelle accusateur et accusé restaient sur leurs positions. On ne se battait en principe qu'entre gens de même classe, les nobles à l'épée et en armures, les manants au bâton. Les femmes, les clercs, les vieillards étaient autorisés à se faire remplacer par un professionnel, un *champion.* Chacun, avant le combat, devait déposer entre les mains du juge une somme suffisante pour couvrir les dépens, les amendes et les dommages-intérêts accordés au vainqueur. On appelait ces dépôts les *gages.* La pratique rituelle du *défi* — généralement un gant jeté aux pieds de l'adversaire et que celui-ci ramassait en signe d'acceptation — s'est longtemps poursuivie avec le duel, forme dévoyée du combat judiciaire contre laquelle Richelieu lutta vigoureusement.

Les ordalies, d'origine saxonne, étaient des épreuves par les éléments destinées à prouver l'innocence ou la culpabilité d'un accusé. Dans *l'épreuve du feu,* l'accusé, après trois jours de jeûne et messe entendue, devait prendre à la main une barre de fer rougie au feu et la porter jusqu'à un endroit convenu. La barre était plus ou moins chauffée et la distance à parcourir plus ou moins longue selon la gravité du crime présumé. On lui mettait ensuite la main dans un sac fermé et scellé que l'on ouvrait trois jours plus tard. Selon que la main était saine ou brûlée, l'accusé était déclaré innocent ou coupable. Des variantes consistaient à obliger l'accusé à enfiler un gant de fer rougi ou à marcher sur un certain nombre de barres rougies.

L'épreuve de l'eau s'administrait à l'eau chaude ou à l'eau froide. Pour la première, il s'agissait de prendre un anneau suspendu plus ou moins profondément dans une cuve d'eau bouillante. L'eau froide était réservée au petit peuple. On liait à l'accusé main droite et pied gauche et main gauche et pied droit et, dans cet état, on le jetait dans l'étang ou la rivière. S'il surnageait on le traitait en criminel, s'il enfonçait on le tenait pour innocent (*sic*). Rejetée à demi noyée par la rivière, une dame de Sauveterre de Béarn dut jadis la vie à cette épreuve qui l'innocenta d'un meurtre.

Dans *l'épreuve de la croix*, les adversaires se tenaient côte à côte bras en croix. Le premier qui se révélait incapable de supporter la position était condamné. D'où nous vient peut-être l'expression « *baisser les bras* » pour indiquer le renoncement du vaincu. D'autres expressions encore usitées trouvent leur origine dans le rituel des épreuves et ordalies médiévales, comme « *si je mens, je vais en enfer* » à l'occasion d'un serment, ou « *j'en mettrais ma main au feu* » pour exprimer une certitude absolue.

22. On appelait *esclavine* une sorte de housse longue, probablement originaire d'Esclavonie. L'esclavine des lépreux comportait un capuchon et ressemblait à une coule de moine. L'esclavine du pèlerin était une pièce de drap épais ou de cuir qui protégeait les épaules. C'est ce vêtement, en s'allongeant, qui devint la pèlerine.

23. La tradition d'utilisation de la *concha*, la coquille, comme emblème du pieux voyage de Compostelle semble presque aussi ancienne que le pèlerinage lui-même. Le guide d'Aymeri Picaud (vers 1139) indique que sur le *paradiso*, le parvis de la cathédrale, on vend ces « petites coquilles de poisson qui sont les insignes de Saint-Jacques » et, à la fin du XIIe siècle, un différend entre les marchands et l'archevêque nous apprend qu'il existait cent boutiques tenues par des *concheros* vendeurs de souvenirs. On achète aussi des *enseignes* ou insignes représentant saint Jacques pèlerin ou deux bourdons entrecroisés. L'usage se maintient aujourd'hui mais les boutiques ont quitté le parvis.

24. D'innombrables pèlerins sont morts sur le chemin de Saint-Jacques de Compostelle. La plupart des hospices avaient leur propre cimetière où ils pouvaient être enterrés en terre

bénite. Certains mourants demandaient expressément à être ensevelis au plus près des murs de l'église et même *sous la gouttière*, zone privilégiée réservée d'ordinaire aux clercs et aux moines : l'eau de pluie, tombant droit du ciel et ruisselant du toit du saint édifice, donc deux fois pure, baignerait miséricordieusement leur asile d'éternité.

25. El Cebrero fut aux environs de l'an 1300 le théâtre d'un miracle dont la tradition a conservé les détails : au hameau de Barjamayor, à une demi-lieue de Cebrero, vivait un homme de grande piété que les intempéries parfois sauvages en ce pays de montagne n'empêchaient jamais d'assister à la messe quotidienne. Un jour de tempête et de grand froid, il se rendit à l'église malgré une effroyable tourmente de neige. L'un des moines de Saint-Géraud y disait la messe, convaincu que personne ce jour-là ne pourrait venir y assister. Il avait déjà consacré l'hostie et le vin du calice lorsque l'homme entra. Intérieurement, le moine se moqua de lui : « Comment un homme peut-il braver une telle tempête pour venir voir un peu de pain et de vin ! » Aussitôt l'hostie se changea en chair et le vin en sang. Longtemps ensuite la chair resta sur la patène et le sang dans le calice. Jusqu'à ce que la reine Isabelle, passant en pèlerinage à Saint-Jacques, fit déposer la chair dans une ampoule et le sang dans un second reliquaire.

Beaucoup plus tard, un autre pèlerin s'arrêta longuement au Cebrero. C'était Wolfram, l'auteur de *Parsifal* (Perceval.) Il n'en fallut pas plus à certains pour affirmer que le Graal n'est autre que le saint calice du Cebrero.

26. En l'absence totale de cartes et même de bornage systématique comme en pratiquaient les Romains, le pèlerin devait se fier à ses guides, à des instructions apprises par cœur ou aux *montjoies*; c'étaient de petites pyramides de pierres entassées, indiquant la bonne voie.

Le terme semble venir du francique *mund-gawi* qui désignait des collines ou promontoires et qui s'appliqua ensuite à ces pyramides grossières que l'homme, depuis toujours, érige sur les sommets. Par un de ces jeux de mots dont le Moyen Age est coutumier et en passant par le latin *mons-gaudii*, ces pyramides devinrent des montjoies, même lorsqu'elles n'étaient pas sur des sommets. Montjoie désigne aussi par analogie ces points de vue privilégiés d'où les pèlerins aperçoivent pour la première fois le but de leur voyage sacré. Jérusalem, Rome, le mont Saint-Michel et surtout Compostelle ont ainsi leur montjoie. A l'approche de Saint-Jacques, les pèlerins se mettaient à courir; c'était à celui qui arriverait le premier au sommet du montjoie. On disait qu'il était *le roi* du pèlerinage. Un certain nombre de patronymes, *Leroi* ou *Leroy*, si fréquents dans notre langue, trouveraient leur origine dans cette tradition.

En France, le mot *montjoie* connut une fortune particulière grâce au cri des rois de France en bataille : « Montjoie et Saint-Denis ! »

27. Les braies que seuls les hommes portent au Moyen Age sont une espèce de culotte ample, serrée à la taille par un cordonnet, le *braier*, et allant de la ceinture jusqu'au-dessous des genoux. On en fait en toutes sortes de toile et de drap, mais les plus prisées des chevaliers sont en cuir de truie. Elles seront remplacées au XVIIe par les hauts-de-chausses.

Par un curieux retour aux sources étymologiques (on disait *broeck* chez les Gaulois, on dit encore *bragou* chez les Bretons et *bragos* en Occitan), elles ont donné leur nom à la *braguette* qui fut d'abord le « pont-levis » des culottes de marins avant d'être l'ouverture des pantalons d'aujourd'hui.

28. Selon un usage couramment suivi alors par les souverains en bataille, Pierre d'Aragon, avant l'affrontement de Muret, échangea avec un de ses chevaliers son équipement armorié. Il se plaça en deuxième ligne de la formation de combat. Le comte de Foix étant dans la première, le comte de Toulouse dans la troisième. Mais lorsqu'il vit le chevalier qui portait ses armes durement attaqué, Pierre d'Aragon cria : « Je suis le roi » pour se faire reconnaître. « Il ne fut pas entendu et fut frappé de blessures si mauvaises que son sang s'est répandu sur le sol, et à l'instant il est tombé mort là, étendu tout de son long », dit l'auteur de *La chanson de la croisade*. Il faut entendre que si ses adversaires l'avaient reconnu, ils auraient épargné sa vie pour le capturer. Sa mort, connue aussitôt, déclencha un mouvement de panique dans le camp des Occitans.

29. Pas moins de trente-huit chroniqueurs attestent la réalité et l'incroyable ampleur de la croisade des enfants, qui a profondément dérouté les contemporains. Mais l'hostilité générale de l'Eglise au mouvement explique peut-être le peu

d'informations qu'ils fournissent sur son déroulement et surtout sa fin.

On apprend cependant que la croisade allemande arriva à Gênes à la fin du mois d'août 1212, mais que les enfants en furent aussitôt chassés, pour des raisons de politique à l'égard du Saint-Siège mais aussi parce qu'ils risquaient de faire monter le prix des grains. Certains gagnèrent Brindes, où on leur refusa le passage, d'autres Rome où le pape ne voulut pas les relever de leurs vœux : ils devraient se croiser et passer la mer quand ils seraient en âge. Beaucoup de ceux qui avaient survécu jusque-là moururent en traversant les Alpes en octobre et novembre pour regagner l'Allemagne.

De la croisade française, on sait qu'après le naufrage de deux des navires armés à Marseille sur la Roche du Reclus, à l'île Saint-Pierre, près de la côte de Sardaigne, cinq autres se rendirent à Bougie et Alexandrie où les enfants furent vendus à des marchands et des princes musulmans. Le calife de Bagdad acheta quatre cents clercs dont quatre-vingts prêtres. Au témoignage de l'un d'eux, aucun n'apostasia. Ce même témoin affirme que, dix-huit ans plus tard, Machemuch, gouverneur d'Alexandrie, en détenait encore sept cents, employés à son service.

Quant aux deux armateurs marseillais Lefer et Leporc, ils entreprirent un peu plus tard de faire assassiner Frédéric de Hohenstaufen, futur empereur d'Allemagne, pour le compte d'un sultan sarrasin. Mais, avant d'avoir pu exécuter leur projet, ils furent capturés et pendus.

NOTES BIOGRAPHIQUES

Agnès de Méranie (?-1201). Troisième épouse (1196) de Philippe Auguste après la répudiation d'Ingeburge. Le pape considérant ce mariage comme nul, le roi de France est contraint de se séparer d'Agnès qui meurt peu après, en 1201. Innocent III accepte alors de légitimer les deux enfants qu'elle a donnés au roi : Marie (1198-1224) qui épouse (1206) Philippe, comte de Namur, puis (1213) Henri duc de Brabant; Philippe, dit Hurepel (1200-1234), comte de Clermont puis gendre de Renaud de Dammartin et titulaire du comté de Boulogne pendant la captivité de celui-ci. Philippe Hurepel se révoltera contre Saint Louis.

Al-Adil Malik (?-1218). Frère de Saladin. Roi de Transjordanie puis roi de Damas à la mort du fils aîné de Saladin, Al-Afdal; roi d'Egypte à la mort d'un autre neveu, Al-Aliz Othman (1199). Sultan suprême de 1199 à 1218. Richard Cœur de Lion avait envisagé en 1192 de lui donner sa sœur Jeanne en mariage pour sceller la trêve entre les Francs et les Sarrasins. Les dissensions internes de son empire l'empêchent de poursuivre une guerre active contre les Francs repliés dans Acre et sur la bande côtière.

Aliénor d'Aquitaine (v. 1122-1204). Pour accomplir un vœu, son père le duc Guillaume X part pour Compostelle en 1137 après avoir dicté un testament par lequel il donne son duché à Aliénor et promet la main de celle-ci au roi de France. Il meurt le Vendredi saint en arrivant à Saint-Jacques. Aliénor épouse Louis VII et lui apporte donc en dot tout le Sud-Ouest de la France, du Poitou et du Limousin à la Guyenne et à la Gascogne. Répudiée au retour de croisade en 1152, Aliénor épouse aussitôt Henri II Plantagenêt, déjà duc de Normandie et comte d'Anjou, bientôt roi d'Angleterre. Trente ans plus tard, elle fait alliance avec ses fils en rébellion contre leur père : Henri la fait emprisonner. Libérée par Richard à la mort du roi, elle finit ses jours à Fontevrault où elle est enterrée.

Elle a donné deux filles à Louis VII : Marie qui épousera le comte de Champagne Henri Ier (grand-père de Thibaut IV le Posthume) et Alix qui épousera le comte de Blois. D'Henri II, elle a quatre fils : Henri le Jeune, mort en 1183; Geoffroy, mort en 1186, père d'Arthur de Bretagne; Richard Cœur de Lion, mort en 1199; Jean sans Terre. Et trois filles : Mathilde qui épouse Henri le Lion duc de Saxe (parents de l'empereur Othon); Aliénor, qui épouse Alfonse VIII de Castille et dont la fille Blanche sera la mère de Saint Louis; Jeanne, qui épouse Guillaume de Sicile puis le comte de Toulouse Raimon VI, morte peu après Richard en 1199.

Alfonse VIII, le Noble (1155-1214). Roi de Castille dès l'âge de trois ans, il règne cinquante-six ans sur le plus vaste des royaumes d'Espagne, qu'il agrandit encore aux dépens de son voisin Sanche de Navarre et des royaumes sarrasins du sud. Battu par les Maures près d'Alarcos (1195), il prend une éclatante revanche à Las Navas de Tolosa en dirigeant l'armée chrétienne victorieuse (1212). Marié à une fille de Henri II et d'Aliénor d'Aquitaine, il est le père de Blanche de Castille, épouse de Louis VIII et mère de Saint Louis.

Arnaud Amaury. Abbé de Poblet de 1196 à 1198 puis du monastère de Grandselve de 1198 à 1200, il succède à Gui Poré comme abbé de Cîteaux. Bénéficiaire d'une bulle de légation du pape en 1204, Arnaud Amaury va devenir le terrible chef de la croisade contre les Albigeois commencée par le massacre de Béziers (1209). Nommé archevêque de Narbonne en récompense des premiers succès (1212), il va prendre part en Castille à la bataille de Las Navas de Tolosa. L'intervention de Louis VIII dans la croisade albigeoise le dépossède de son duché de Narbonne au profit de Simon de Montfort (1215).

Blanche de Castille (1188-1252). Petite-fille d'Aliénor d'Aquitaine par sa mère, fille d'Alfonse VIII, roi de Castille, elle épouse Louis de France, fils de Philippe Auguste, qui devient roi en 1223 (Louis VIII). Veuve en 1229, elle assure la régence pendant la minorité de son fils Louis IX de 1226 à 1236 et pendant son absence à l'occasion de la septième croisade, de 1248 à 1252.

Bourgogne (Eudes III duc de) (v. 1166-1218). Fils de Hugues III, le compagnon de Philippe Auguste au siège d'Acre en 1191. Prend part à la croisade contre les Albigeois mais refuse d'en assurer la direction (1209). Commande l'avant-garde de l'armée française à Bouvines (1214). Meurt à Lyon (1218), en route pour la Terre sainte.

Brabant (Henri, duc de). Tiraillé entre des obligations familiales contradictoires, il est à la fois le gendre de Philippe et le beau-père d'Othon. Il est finalement à Bouvines du côté des coalisés. Mais ses messagers, la veille de la bataille, rapportent fidèlement au roi de France tout ce que décide l'état-major adverse. Sa demi-trahison lui vaut la clémence du vainqueur. Il mourra en paix presque nonagénaire.

Champagne (Blanche de Navarre, comtesse de). Sœur de Sanche VII le Fort et de Bérangère (femme de Richard Cœur de Lion), elle épouse Thibaut III de Champagne, croisé en 1201 mais qui meurt avant le départ de la quatrième croisade. Mère de Thibaut IV le Posthume et régente pendant sa minorité. Son fils auquel on prêta une liaison avec Blanche de Castille héritera de la Navarre à la mort de son oncle Sanche le Fort.

Dammartin (Renaud de, comte de Boulogne) (?-1227). Ami d'enfance de Philippe Auguste et adoubé par lui, Renaud de Dammartin s'est vu pardonner une première trahison par le roi qui lui donne pour femme sa cousine Marie de Châtillon. Mais Renaud la renvoie en 1190 pour épouser la veuve très convoitée du comte de Boulogne qui le fait prince du riche marché des harengs et des plus beaux élevages de destriers. Il aide Philippe à enlever Château-Gaillard et obtient pour sa fille la main de Philippe Hurepel, fils légitimé du roi. Mais les haines et rancunes qu'il a suscitées et l'assassinat d'un prévôt de Philippe Auguste le poussent à trahir encore. Il fait hommage à Jean sans Terre et noue les liens de la coalition de Bouvines; capturé le dernier après mille prouesses, il est enchaîné à un tronc d'arbre dans la Tour Neuve de Péronne où dix sergents se relaient pour le garder jour et nuit, puis transféré au château du Goulet en Normandie. Philippe Auguste meurt, puis Louis VIII. Renaud est toujours enfermé. Son gendre, qui détient ses biens, veille à ce qu'il ne soit pas libéré. L'élargissement de Ferrand, son allié, lui porte un dernier coup : le 21 avril 1227, jour anniversaire de la mort de sa femme, il se suicide après treize ans de cachot.

Dreux (Philippe de). Evêque de Beauvais et pair de France (v. 1160-1217). Nommé évêque à 22 ans. Neveu de Louis VII et croisé avec lui, il est prisonnier des Sarrasins en 1178; on le retrouve pèlerin à Saint-Jacques de Compostelle en 1182, et combattant contre Henri II en Normandie en 1188. Actif à la croisade des rois dans le camp de Conrad de Montferrat contre Guy de Lusignan (1191), il sert d'ambassadeur à Philippe Auguste auprès de l'empereur d'Allemagne pour tenter de prolonger la captivité de Richard Cœur de Lion. Capturé par le routier Mercadier en 1197, il n'est libéré qu'en 1199 par Jean sans Terre, après la mort de Richard, en échange d'autres prisonniers et d'une rançon de 20000 marcs. Il doit de plus jurer devant le légat du pape de « ne plus répandre le sang chrétien »; il troque alors son épée contre une massue et prend une part active à la croisade contre les Albigeois (1212). On le retrouve à Bouvines où il capture Guillaume de Salisbury qui sera échangé l'année suivante contre un neveu de l'évêque, Robert de Dreux.

Dreux (Robert II, comte de) (v. 1153-1218). Petit-fils de Louis VI le Gros, cousin germain de Philippe Auguste et frère de l'évêque de Beauvais, il se croise en 1211 contre les Albigeois. Il commande l'aile gauche de l'armée française à Bouvines. Il échangera Guillaume de Salisbury, abattu d'un coup de masse par son frère Philippe, contre son fils Robert capturé trois mois plus tôt par Jean sans Terre devant Nantes (1215).

En-Nâsir, ou El-Nasser ben Yacoub ben Youssef ben Abd el-Moumen ben Ali. Souverain musulman du Maroc; il porte le titre d'émir des croyants, *emîr al momenîn,* dont les Espagnols font *Miramamolin.* On l'appelait aussi *Mohammed le Vert.* Une rumeur court en Angleterre, vers 1210, prétendant que Jean sans Terre a proposé de lui faire hommage pour s'allier avec lui contre le pape et la France. Sa défaite devant les rois catholiques à Las Navas de Tolosa marque le début du repli définitif de la présence musulmane en Andalousie.

Erail Gilbert (?-1201). Trésorier du Temple avant 1184, il est l'adversaire malheureux de Gérard de Ridefort lors de la dernière élection du Grand-Maître à Jérusalem (1185). Maître en Provence et en Espagne jusqu'en 1189 puis maître en Occident, Gilbert Erail est rappelé en Terre sainte à la mort de Robert de Sablé (1193) pour lui succéder à la tête du Temple.

Flandre (Ferrand, comte de) (1186-1233). Fils cadet du roi de Portugal, il tient le comté du chef de sa femme. Choisi pour sa neutralité théorique entre la France et l'Angleterre, il hait en fait son suzerain, Philippe Auguste, qui lui a pris Aire et Saint-Omer avant de l'investir et qui a ravagé son comté en 1213. Incarcéré au Louvre après Bouvines, il y reste douze ans et cinq mois; Philippe met trop de conditions à sa libération et sa femme, la comtesse Jeanne, n'insiste pas outre mesure. Après la mort de Philippe, Blanche de Castille, parente de Ferrand, intervient à plusieurs reprises auprès de son mari Louis VIII en faveur du comte de Flandre. C'est elle finalement qui le libère en 1227, alors qu'elle est régente, en attendant la majorité de son fils, le futur Saint Louis. La liberté coûte à Ferrand 50000 livres et la mise en gage de Lille, Douai et l'Ecluse. Il meurt en 1233, à Noyon, d'une méchante gravelle contractée dans le donjon du Louvre.

Guzman (Dominique de). Saint Dominique (1170-1221). Né à Calahora, en Espagne, d'une famille ancienne et noble. Commence sa prédication en Occitanie en 1206. Fondateur de l'ordre des frères prêcheurs, connus sous le nom de dominicains ou de jacobins. Canonisé par Grégoire IX en 1234. Surnommé « le chien de Dieu » (*Domini canis).*

Hainault (Henri de) (v. 1174-1216). Régent, puis deuxième empereur franc de Constantinople après son frère Baudouin de Flandre. Epouse la fille de Boniface de Montferrat pour renforcer son alliance avec le marquis.

Ingeburge de Danemark (1176-1236). Fille de Valdémar Ier, roi de Danemark. Deuxième épouse de Philippe Auguste (14 août 1193), répudiée le lendemain même de ses noces. Reprise en 1200 sous la pression du pape Innocent, elle reste enfermée à Etampes jusqu'au projet d'invasion de l'Angleterre (1213). Philippe la rétablit alors dans ses prérogatives. Après la mort du roi (1223), elle sera traitée en reine par Louis VIII et Saint Louis. Dans son testament, par lequel il lui laisse une importante donation, Philippe l'appelle sa « très chère femme ».

Innocent III (1161-1216). Pape (1198). Issue d'une grande famille de Rome, ancien étudiant des écoles de Paris et de Bologne, Lothaire de Segni devient rapidement un théologien et un canoniste réputé. Cardinal diacre en 1190, il écrit un essai pessimiste sur « La misère de la condition humaine ». Elu pape à 38 ans, il n'est ordonné prêtre puis sacré évêque qu'un mois et demi plus tard. Ambitieux et très actif, Innocent veut contrôler la conduite des princes. Il jette l'interdit sur les royaumes de Philippe Auguste puis de Jean sans Terre et d'autres souverains pour les contraindre à l'obéissance. Grand prédicateur de croisades, il est à l'origine de celle conduite par Simon de Montfort contre les Albigeois et de la croisade espagnole contre les Maures. Sous sa papauté sont autorisés les ordres des frères mineurs de saint Dominique et saint François d'Assise. Le concile de Latran convoqué sous son pontificat en 1215 marque sans doute l'apogée de la papauté au Moyen Age.

Jean sans Terre. Roi d'Angleterre (1167-1216). Le dernier des quatre fils d'Henri II et d'Aliénor d'Aquitaine. On l'appelle *Lackland* (sans terre) parce qu'à l'inverse de ses frères il ne reçoit de son père aucun apanage sur le continent. Couronné en 1199 après avoir été en révolte successivement contre son père et son frère Richard, il est détesté par le peuple qui le tient pour un tyran et méprisé par les nobles en raison de ses vices et de sa lâcheté. Marié à Isabelle de Gloucester en 1190 dont il divorce en 1200 pour épouser

Isabelle d'Angoulême enlevée à Hugues de Lusignan. Sa deuxième femme lui donnera deux fils : le futur roi Henri III et Richard de Cornouailles; et trois filles : Jeanne, Isabelle et Eléonore. Jeanne épousera le roi d'Ecosse Alexandre, Isabelle l'empereur d'Allemagne Frédéric II et Eléonore Guillaume le Maréchal puis le fils de Simon de Montfort. Jean a également une fille et quatre fils illégitimes connus.

Contraint de faire hommage au Saint-Siège pour éviter l'invasion (1213), Jean sans Terre devra aussi concéder à ses barons la Grande charte (juin 1215) qui affaiblit considérablement son pouvoir. Il a pratiquement perdu sa couronne au profit de Louis VIII de France quand il meurt, le 19 octobre 1216, après avoir maudit sa mère Aliénor de lui avoir donné le jour. Après sa mort, sa veuve, Isabelle d'Angoulême, revient en Poitou épouser Hugues de Lusignan, comte de La Marche, auquel Jean l'avait enlevée seize ans auparavant.

Lévis (Guy de). Cadet de la famille des seigneurs de Lévis – aujourd'hui Lévy-Saint-Nom – dont les fiefs étaient voisins de ceux de Simon de Montfort. Il fut maréchal de l'armée croisée sous le commandement de Simon, puis d'Amaury de Montfort, fils de celui-ci, enfin de Louis VIII. Il reçut en récompense de ses services la seigneurie de Mirepoix.

Louis de France, futur Louis VIII dit *le Lion* (1187-1226). Fils de Philippe Auguste et d'Isabelle de Hainaut, épouse en 1200 Blanche de Castille. Roi de 1223 à 1226. Vainqueur de Jean sans Terre à La Roche aux Moines quelques mois avant Bouvines, il débarque en Angleterre (1215) mais devra renoncer à ses prétentions à la couronne des Plantagenêts (1217). Croisé à deux reprises en Languedoc, il meurt de maladie en Auvergne au retour du siège d'Avignon (1226). La rumeur courut longtemps qu'il avait été empoisonné par le comte de Champagne Thibaut IV, qui se trouvait avec lui à Avignon et que l'on disait très épris de Blanche de Castille. Au point qu'il fut interdit à Thibaut d'assister au couronnement de Louis IX.

Père de six enfants dont Louis IX (Saint Louis) et Alphonse de Poitiers. Ce dernier épousera Jeanne de Toulouse et mourra avec elle sans postérité en 1271, apportant définitivement à la couronne de France l'ensemble du comté de Toulouse.

Montfort (Simon IV de) (v. 1165-1218). Seigneur de Montfort et d'Epernon à partir de 1181. Marié à Alix de Montmorency, il hérite en 1204 de son oncle maternel le comté anglais de Leicester. Jean sans Terre le lui confisque en raison de sa situation de vassal du roi de France. Croisé en 1190 puis en 1202, il quitte l'armée avant la prise de Constantinople pour aller en Terre sainte. Prend part au siège de Château-Gaillard et à la conquête de la Normandie (1204). Chef élu de la croisade contre les Albigeois après le massacre de Béziers (1209), vicomte de Béziers et de Carcassonne, il reçoit le concours de sa femme Alix qui recrute pour lui dans le Nord, de son frère Guy et de son fils Amaury qui deviendra connétable sous Saint Louis. Simon de Montfort sera tué au siège de Toulouse le 25 juin 1218, d'un boulet lancé par une catapulte servie, selon la légende, par des femmes.

Othon de Brunswick (v. 1174-1218). Fils du duc de Saxe, Henri le Lion, et de Mathilde, sœur de Jean sans Terre. Elevé à la cour de Richard Cœur de Lion, il fut, avec le soutien de celui-ci, élu roi des Germains contre Philippe de Souabe, le protégé de Philippe Auguste. Candidat unique soutenu par le pape à la mort de son adversaire (1208), il est couronné empereur d'Allemagne par Innocent III qui le regrette aussitôt. Excommunié en 1210 et 1211, Othon l'est encore à Bouvines. Innocent, sur le conseil de Philippe Auguste, fait élire en 1213 un autre roi contre lui : Frédéric Staufen, le futur empereur Frédéric II. Après Bouvines, Othon vit un an à Cologne de la charité des habitants. Chassé par Frédéric en 1215, il se réfugie à Brunswick où il meurt le 19 mai 1218 après avoir imploré le pardon de Dieu.

Philippe II Auguste (1165-1223). Roi de France en 1180. Fils de Louis VII et d'Adèle de Champagne. Il épouse successivement Isabelle de Hainaut (1170-1190) dont il a Louis VIII le Lion qui sera roi de France en 1223; Ingeburge de Danemark (1176-1236), répudiée le lendemain de ses noces (15 août 1193) et reprise en 1200 après que le pape eut condamné le divorce et fait prononcer l'interdit sur le royaume; : Agnès de Méranie, épousée en 1196, « exilée » en

1200, morte en 1201 et qui lui laisse deux enfants légitimés, Philippe Hurepel et Marie. De sa liaison avec sa maîtresse d'Arras, Philippe Auguste a un fils, l'évêque Charlot.

Après sa grande victoire de Bouvines, Philippe ne fait plus la guerre en personne. Il encourage la rébellion de barons d'Angleterre mais c'est son fils Louis qui y débarque et reçoit à Westminster l'hommage des évêques, des nobles et des bourgeois. Et quand le vent tourne après la mort de Jean sans Terre (1216), il fait mine de désavouer le prince Louis. On le pousse à prendre part à la croisade de Languedoc, mais c'est encore son fils qui l'y représente en 1215 puis en 1219. Il tombe malade en septembre 1222 et dicte son testament. Il survivra encore près d'un an. L'ultime attaque se produit à Pacy-sur-Eure. Philippe veut rentrer à Paris mais la mort le surprend à Mantes, un 14 juillet.

Pierre II d'Aragon (1174-1213). Il règne sur toute la Catalogne qui s'étend alors des deux côtés de la frontière actuelle. Par son mariage, il devient aussi seigneur du comté de Montpellier. En 1204, il se déclare vassal du pape Innocent et se fait couronner à Rome. Il prend part à la bataille de Las Navas de Tolosa (1212). Le devoir d'assistance à ses vassaux lui fait rejoindre le parti des Toulousains contre la croisade (1213). Il est tué à la bataille de Muret contre Simon de Montfort. Sa sœur Eléonore est la cinquième épouse du comte de Toulouse Raimon VI. Une autre de ses sœurs, Sancie, épouse le fils de celui-ci, Raimon VII.

Richard Ier Cœur de Lion (1157-1199). Troisième fils de Henri II Plantagenêt et d'Aliénor d'Aquitaine, comte de Poitiers puis roi d'Angleterre à la mort de son père (1189). En route pour la croisade, il épouse Bérangère de Navarre (sœur de Marie, comtesse de Champagne et de Sanche VII le Fort) dont il n'aura pas d'enfant. Il prend l'île de Chypre qu'il revend aux Templiers. Signe une trêve avec Malik Al-Adil sans avoir repris Jérusalem (1192). Jeté par la tempête sur les terres du duc d'Autriche, il est capturé et remis à l'empereur qui le libère contre une énorme rançon (1194). Il reprend la guerre contre Philippe Auguste, construit Château-Gaillard et meurt d'une flèche dans le dos au siège de Chalus.

Ridefort (Gérard de) (?-1189). Chevalier flamand sans fortune arrivé dans le comté de Tripoli vers 1175. Se fait admettre dans l'Ordre du Temple après une déception. Candidat malheureux contre Arnaud de Torroge en 1180, il devient Sénéchal et se fait élire Grand-Maître contre Gilbert Erail en 1185. Fait prisonnier à la bataille d'Hattin (1187), il est le seul templier qu'épargne Saladin. Libéré l'année suivante, il disparaît selon certains, trouve la mort selon d'autres, au cours de la bataille du 4 octobre 1189 devant Acre.

Roquefeuil (Arnaud de). Seigneur d'Algues. Comtor de Nant (1227), frère puîné de Raymond de Roquefeuil, époux de Béatrix d'Anduze, fille de Pierre Bermond et de Constance (fille de Raimon VI de Toulouse et veuve du roi de Navarre Sanche VII le Fort).

Roquefeuil (Raymond de). Seigneur de Roquefeuil et de Meyrueis, vicomte de Creyssel, fils de Raymond d'Anduze Roquefeuil et de Guillemette de Montpellier. Substitué ainsi que son frère Arnaud à la seigneurie de Montpellier. Prend parti pour le comte de Toulouse contre Simon de Montfort et accompagne Raimon VI à Rome pour se plaindre de la croisade devant le concile de Latran (1215). Excommunié, il fera amende honorable en 1226 auprès de Pierre, archevêque de Narbonne. Epoux de Dauphine de Turenne, fille du vicomte de Turenne et d'Hélix de Séverac.

Saladin (Al-Nâsir Salah al-Din Yûsuf, dit) (1134-1193). Vizir puis roi d'Egypte (1174), roi de Damas (1174) et d'Alep (1183). Kurde, il parvient à unifier les forces de l'Islam au nom de la Guerre Sainte (Djihad) contre les Francs. Son immense empire, que se disputeront son frère Malik al-Adil et ses dix-sept fils, ne lui survivra pas.

Salisbury (Guillaume de) dit Longue-Epée. Fils naturel d'Henri II et donc demi-frère de Jean sans Terre. Grand et fort, adroit aux armes, Richard Cœur de Lion lui a confié jadis la charge d'organiser les tournois en Angleterre. Mais en 1214, à Bouvines, il est assommé par Philippe de Beauvais et remis par le roi à son cousin de Dreux. Celui-ci l'échangera l'année suivante contre son fils capturé par les Anglais devant Nantes au printemps de 1214.

Sanche VII le Fort (?-1234). Roi de Navarre (1194-1234). D'une taille exceptionnelle (plus de deux mètres), il prend une part active à la victoire de Las Navas (1212), malgré les différends qui l'opposent fréquemment au roi de Castille. Quand il meurt sans héritier mâle, sa sœur Blanche porte la couronne de Navarre à Thibaut IV de Champagne. Ce transfert est à l'origine de la future appellation « roi de France et de Navarre » lorsque la Champagne sera directement rattachée au domaine royal français. Sanche le Fort et son épouse sont enterrés dans l'église du grand hospice de Roncevaux.

Souabe (Philippe de) (?-1208). Fils cadet de Frédéric Barberousse, frère d'Henri VI empereur d'Allemagne et roi de Sicile. A la mort de celui-ci (1197), qui laisse un héritier de trois ans (le futur Frédéric II) déjà couronné roi des Romains, Philippe de Souabe, soutenu par le roi de France, est élu à Mayence pendant que son adversaire Othon, soutenu par Innocent III, est alors élu empereur d'Allemagne malgré l'opposition de Philippe Auguste.

Toulouse (Raimon VI, comte de) (1156-1222). Arrière-petit-fils de Raimon de Saint-Gilles, l'un des chefs de la première croisade, cousin germain de Philippe Auguste, il succède à son père en 1194. Il épouse successivement : 1) Ermesinde de Pelet (1172), qui lui apporte Melgueil en dot en 1176; 2) Béatrix de Béziers, sœur du vicomte Roger Trencavel, répudiée en 1193; 3) Bourguigne, sœur d'Amaury de Lusignan, roi de Chypre, répudiée en 1196; 4) Jeanne, sœur de Richard Cœur de Lion et Jean sans Terre, qui lui donne un fils, le futur Raimon VII et meurt en 1199; 5) Eléonore, sœur de Pierre II roi d'Aragon dont une autre sœur, Sansie, épousera Raimon VII faisant du fils du comte son propre beau-frère. Malgré sa diplomatie et ses habiletés, Raimon sera excommunié plusieurs fois. Victime de la croisade contre les Albigeois, il mourra en Espagne en 1222, dépossédé de tous ses Etats.

FAMILLE D'ENCAUSSE

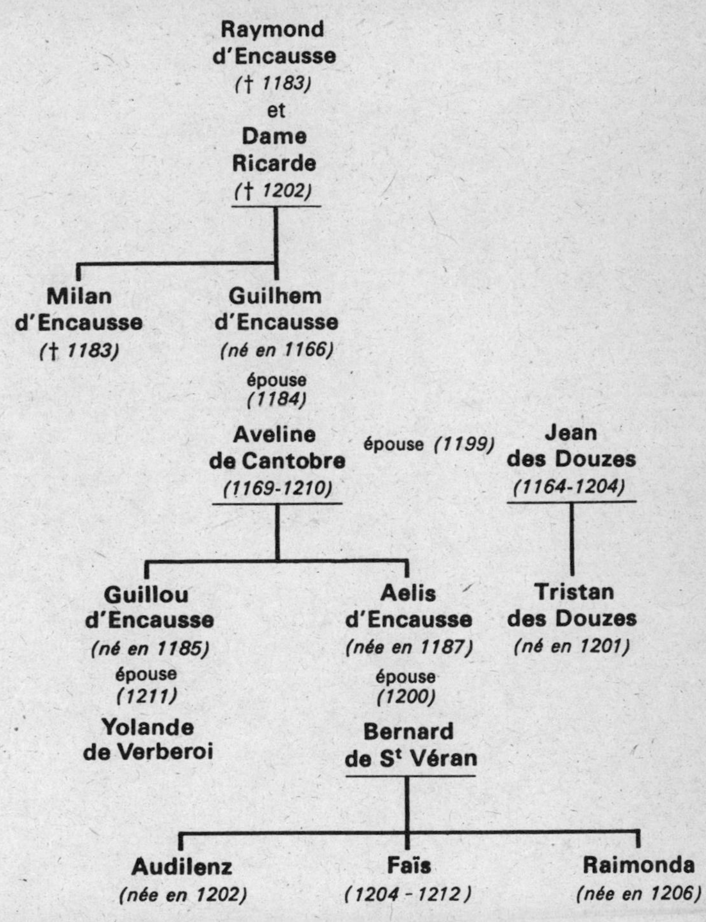

TABLE

PREMIÈRE PARTIE

PARTIR
(1210)

DEUXIÈME PARTIE

LES ESPÉRANTS
(1211)

TROISIÈME PARTIE

LA CROISADE DES ENFANTS
(1212-1213)

QUATRIÈME PARTIE

AU BOUT DU CHEMIN
(1214)

ANNEXES

ŒUVRES DE BARRET/GURGAND

chez le même éditeur :

LES TOURNOIS DE DIEU.

1. Le Templier de Jérusalem (Laffont, 1977).
2. La part des pauvres (Laffont, 1978).
3. Et nous irons au bout du monde (Laffont, 1979).

aux Éditions Hachette :

PRIEZ POUR NOUS À COMPOSTELLE.

DE JEAN-NOËL GURGAND

ISRAÉLIENNES, Grasset, 1967.
LA PETITE FÊTE, Grasset, 1969.
LES STATUES DE SABLE, Grasset, 1972.
ISRAËL LA MORT EN FACE (en collaboration avec Jacques Derogy), Laffont, 1975.

« Composition réalisée en ordinateur par IOTA »

IMPRIMÉ EN FRANCE PAR BRODARD ET TAUPIN
7, bd Romain-Rolland - Montrouge - Usine de La Flèche.
LE LIVRE DE POCHE 12, rue François 1er - Paris.

ISBN : 2 - 253 - 02713 - 8

30/5523/3